SIGNÉ MALRAUX

DU MÊME AUTEUR

Philosophie

La Phénoménologie, PUF, 1954 ; PUF, 1995.
Discours, figure, Klincksieck, 1971.
Dérive à partir de Marx et Freud, 10/18, 1973 ; Galilée, 1994.
Des dispositifs pulsionnels, 10/18, 1973 ; Galilée, 1994.
Economie libidinale, Minuit, 1974.
Rudiments païens, 10/18, 1977.
Au juste, Bourgois, 1979.
Le Différend, Minuit, 1983.
Le Postmoderne expliqué aux enfants, Galilée, 1986.
L'Enthousiasme. La critique kantienne de l'histoire, Galilée, 1986.
Heidegger et « les juifs », Galilée, 1988.
L'Inhumain, Galilée, 1988.
Leçons sur l'Analytique du sublime, Galilée, 1991.

Art

Les Transformateurs Duchamp, Galilée, 1977.
La Partie de peinture, Maccheroni, Maryse Candela, 1980.
Sur la constitution du temps par la couleur, Albert Ayme, Traversière, 1980.
L'Histoire de Ruth, Castor astral, 1983.
L'Assassinat de l'expérience par la peinture, Monory, Castor astral, 1984.
Que peindre ? Adami, Arakawa, Buren, La Différence, 1987.

Essais

Récits tremblants, Galilée, 1977.
Instructions païennes, Galilée, 1977.
Le Mur du Pacifique, Galilée, 1977.
La Condition postmoderne, Minuit, 1979.
Tombeau de l'intellectuel..., Galilée, 1984.
La Guerre des Algériens..., Galilée, 1989.
Pérégrinations, Galilée, 1990.
Lectures d'enfance, Galilée, 1991.
Moralités postmodernes, Galilée, 1993.
D'un trait d'union, PUG, 1994.

JEAN-FRANÇOIS LYOTARD

SIGNÉ MALRAUX

BERNARD GRASSET

PARIS

à Dolorès

1

BERTHE, OU L'ARAIGNÉE

La jeune femme mince aux yeux violines voilés sous la capeline l'avait enveloppé dans son deuil ce jour de mars 1903 et, du fourgon qui descendait par la place Clichy, le tout-petit regardait avec ses grosses mirettes passer un fiacre, un barbu à melon, un omnibus, des trottins en cheveux panier au bras, un percheron blanc qui charroyait des bidons de lait, pantalons terrassiers à ceinture zouave, tas de crottin qui fume, un cabriolet automobile et des façades de pierre de taille ornées de nymphes, des enseignes de chapeliers et de cafés-concerts, tout cela se dandinait au train de la voiture, et il sentait que rien n'était réel de cette agitation, que c'était tout décor, cinéma farfelu. Le giron de maman fleurait bon la savonnette soignée. Elle lui disait des tristesses, il écrasait son nez à la vitre, abîmé dans la doléance. Après les grands immeubles de rapport, viennent des maisons basses crépies de plâtre avec les mansardes à poulie, on passait la barrière de Charenton. Passage-des-choses, le bébé éprouvait ce bien-être et ce mal-être qui n'a, écrirait-il à la veille de mourir[1], pas de nom en Occident, un passage qui ne passe pas, qu'aucun octroi ne stoppe mais qu'il estampille. De *L'Octroi de Plaisance* que peignait alors Rousseau dit le Douanier, émane, écrit Malraux quinquagénaire, ce sentiment indicible que procurent, dans les œuvres des « primitifs », à la fois le spectacle de la monotone Redite, « l'arrivée des saisons », et pourtant « l'évasion hors de l'histoire », « notre délivrance[2] ».

Il marchait à peine quand maman l'avait posé par terre un instant pour souffler à l'entrée du cimetière désert de Saint-Maur-des-Fossés. On avait placé la boîte par-dessus d'autres dans la grand-fosse. Des choses y bougeaient, épouvantées par la lumière, des lombrics, des larves livides, des arachnides, une faune aveugle qu'il ne vit pas et qui le vit, un peuple de mains, « la terre était peuplée de mains, et peut-être eussent-elles pu vivre seules, agir seules, sans les hommes[3] ». Berthe l'avait assis sur une chaise dans la loge surchauffée et les jambes pendantes, il surveillait la main poilue de l'octroyeur des tombes, « simple, naturelle, mais vivante comme un œil : la mort, c'était elle[4] ». Elle inscrivait au registre que Raymond-Fernand Malraux né le 25 décembre 1902, doux Jésus, et décédé le 18 mars dernier, « chez ses frère et mère », venait d'être inhumé au cimetière d'ici, dans le caveau Lamy, en présence de Berthe épouse Malraux, sa mère et de Georges-André, le frère du défunt, un an et demi. André ne sut rien de cela, que son père manquait à la cérémonie, que sa jeune mère portait un deuil plus grand qu'elle, que le petit frère de trois mois avait disparu pour toujours et que lui-même venait de contresigner par sa présence muette, le premier exploit de sa vie, la minute de cet adieu.

Son monde resterait peuplé de femmes voilées de noir, de mères lamentant des enfants morts, et veuves. Il se fit à l'instant un tableau de pleureuses muettes posées au bord des fosses en attente d'hommes perdus et restitués trop tard – et qui riaient sous cape. Telle la scène que, derrière son bureau, le ministre brosse à part soi en 68 : « J'ai assisté aux funérailles nationales d'Anatole France en imaginant les funérailles nationales de Verlaine, né la même année, et en pensant au terrible enterrement de celui-ci, à sa maîtresse criant sur la fosse : " Paul, tous les amis sont là ! "[5]... » Un timbre d'acte manqué s'impressionna en lui au début. Toute l'œuvre s'obstinerait à faire résonner ce glas. Que le fils ne fût jamais à l'heure au rendez-vous, la vision de la mère atterrée sur le petit cercueil avait scellé la malencontre d'un seul coup. Mais aussi pourquoi s'obstinaient-elles à donner naissance pour, à la fin, venir se signer sur des tombes, les époux, les amants, les fils partis se mesurer au destin imbécile, lui arracher du sens et venus rendre aux femmes le seul présent qu'ils pussent leur faire, leur dépouille ? Le petit ne sut rien de cette éclipse et du passage-des-choses, mais cela se sut en lui aussitôt et qu'il aurait à jouer la scène de cet exil et faire ce travail au loin, et qu'il y serait vaincu et devrait à son tour rapporter à la face de la dolorosa son visage mort.

Mais elles s'obstinaient, elles engendraient encore, ne comprenaient jamais, ou elles avaient toujours déjà compris, que c'était futile, qu'elles vouaient à mourir ce qu'elles mettaient au monde et répétaient la souffrance comme les bêtes le font depuis des millénaires. Il y avait cette méprise farouche entre les hommes et elles, la vie à reproduire, la vie à surmonter. C'était leur échange, le change qu'ils se donnaient, elles et eux respectivement, avec l'aveuglement de deux races contraintes de s'unir pour perpétuer l'espèce qui n'existait pas, une race célébrant du nom de vie ce que l'autre officiait à mort. « L'énigme fondamentale de la vie apparaît à chacun de nous comme elle apparaît à presque toutes les femmes devant un visage d'enfant, à presque tous les hommes devant un visage de mort[6]. » André à soixante-cinq ans s'efforce encore de distribuer les rôles entre les deux parties. Mais à un an, il avait vu avec les yeux de Berthe la confusion épouvantable qu'est un visage d'enfant mort et la glaise l'engloutir.

Le père, Fernand, avait déjà à moitié filé. Il allait la quitter. Mais elle, Berthe, avait compris et décidé cette fois que cela suffisait, que les enfants de cet homme-là, elle n'en voulait plus et ne les pouvait plus. Quand il revenait vers son ventre, elle lui criait qu'elle en avait assez des enfants mort-nés, elle le savait infidèle et inconséquent, déjà mort à elle et capable de ne lui faire que des morts. Il criait aussi, il voulait encore user du long corps ambré, c'était son droit à lui et son devoir à elle. André se bouchait les oreilles, une horreur en lui se révoltait, un ridicule, à la redite de leur différend. Et le gamin finissait par crier aussi, impatient qu'on finisse, que s'ils continuaient à se disputer, il allait appeler le garde champêtre. Fou rire des parents, ces fous pouvaient bien rire, il avait son champ à garder, sa folie à lui[7].

Alors Fernand finit par s'en aller pour de bon de la rue

Damrémont et partit séduire ailleurs. Il vécut avec Lilette Godard. Les femmes ne lui avaient jamais manqué, à ce beau Flamand bien planté. Mais toujours, il faudrait qu'il manquât aux femmes. Il se déciderait à épouser Lilette en 1922 quand Roland, leur premier fils, aurait dix ans et le second, Claude, deux. Et il devrait encore faire défaut au second lit, courtiser et séduire Gaby, sœur de Lilette, ou se laisser séduire par elle et à la fin des fins, tout bien pesé, se tuer au gaz proprement. André, à ce moment-là, 1930, fut tout à fait en âge de reconnaître ce pli d'homme, une coutume de congé, l'obstination à s'absenter, ou simplement l'impuissance à appartenir.

Tout était fixé à quatre ans, quand Berthe abandonnée quitta avec son petit le 53 de la rue Damrémont et se réfugia chez sa mère à Bondy. Adrienne y avait une maison rue de la Gare et tenait avec sa seconde fille Marie (l'une veuve du boulanger Lamy à Saint-Maur, l'autre vierge) la petite épicerie sise au rez-de-chaussée. On se serra. André étouffa. Dans ce village tout noir l'hiver entre deux réverbères à gaz, les femmes à la veillée, sévères et brunes, racontaient les misères, les voisins, les clients, pas grand-chose, un peu de passé et d'avenir, mais de l'animation, on savait tourner l'historiette, s'indigner. Une éloquence prit son entrée dans l'enfant par ses grandes oreilles. On taisait la trahison du père. Il voyait son fils chaque semaine à Paris, occasion peut-être aussi de courtiser Berthe encore. On supportait. On vivrait donc sans homme, on se tiendrait les coudes et l'on protégerait l'orphelin avec l'aide de Dieu. On avait de la religion, sait-on jamais ? « J'ai été formé par le christianisme[8]... »

Grand-mère avait beau faire office de maître de maison et maman prendre sa mère pour homme, André savait que leur arrangement ne pouvait pas marcher, que c'était imposture et une tutelle indue, car la vraie loi impose le départ. L'orphelin avait su que papa était parti en homme sur un appel auquel les femmes faisaient semblant de ne rien entendre, bien qu'elles en fussent nécessairement la voie de conduction, leur gorge, les chenaux dans leur chair, les yeux noirs suppliants ou rieurs, c'était par elles que les hommes devaient se faire engluer pour pouvoir s'en aller. Et le gamin obéirait à son tour. Elles riaient de tout cela en pleurant. *Antimémoires* commence ainsi : « Au large de la Crète. Je me suis évadé… » Crète du large, petit coq s'échappant du poulailler.

La maisonnée Lamy, cette « auberge sans routes qui s'appelle la vie[9] », fleurait le bouillon de famille et le gîte. Il faudrait déguerpir et faire savoir qu'on n'est pas de la boutique et qu'on n'a pas besoin de leur petit bazar. Qu'on n'aurait pas sa vie scandée par l'aigre grelot qui tinte à une porte d'épicerie tout uniment si l'on entre ou l'on sort. Il se fomenta là, dans ce trop de douceur, dans la promiscuité des jupes et les soins incestueux, une terreur particulière qu'André n'arriverait pas à dissiper de sa vie bien qu'il dût se consacrer à l'affronter partout, en images et en rôles, l'horreur de rester fille parmi les femmes et de devoir un jour être engrossée, par un homme perdu d'avance, d'un fils perdu d'avance, et de devoir pleurer ce fils au bord d'un trou de glaise. « Les hommes n'ont pas d'enfant[10]. » Une angoisse se crispa chez l'enfant à son insu, en ces phobies dites de femme, à l'endroit d'araignées et de pieuvres, d'insectes, des serpents et des rats. Tout ce qui vous étreint et vous pénètre louchement, par-derrière, figures d'un viol si doux. Il était né comme sa mère, un 3 novembre.

Cette épouvante à l'intérieur qu'il reconnaîtrait dans Goya l'engorgé et dans T.E. Lawrence, au nom de femme, qu'il mettrait à l'épreuve dans la forêt tropicale fertile en toutes ces choses d'en dessous, et dont *Le Temps du mépris* obséderait son Kassner (un roman dont il lui fallut, pour cette raison qu'il en disait trop sur lui-même, déclarer impudemment que c'était un navet, bon pour la soupe, et qu'il supprima parfois de ses « Du même auteur »), cette épouvante qu'il ne nommera qu'à la fin par son nom, dans *Lazare* : « Aucune religion, aucune expérience ne nous a dit que l'épouvante est en nous […]. Je l'ai rencontrée comme le psychiatre trouve en lui-même la pieuvre, l'araignée, qu'il a trouvées chez ses malades[11] », à cet instant dans le sépulcre où Lazare croit ou prétend l'avoir dissipée en passant en dessous d'elle, plus bas qu'elle – l'épouvante –, en découvrant une « conscience d'exister » délivrée de toute image et purifiée par l'évidence sereine qu'il n'y a tout simplement *rien*, cette épouvante se trama à Bondy alors qu'il était capturé tout petit dans la toile tissée par les belles mains de Berthe. La terreur d'être pénétrable aussi, d'être un ventre de

13

femme et de rester l'otage de ce ventre comme elles. La haine
de cette humiliation possible et l'humiliation d'éprouver cette
haine. Il serait impénétrable, cela fut promis dans l'enfant, et
par cette promesse faite à l'insu de lui-même, André décidait de
se donner naissance, sans rien devoir aux femmes, et croyait
ainsi obéir à la vraie loi des hommes qui était de se forger leur
statue, comme il dit plus tard à Clara, à part de toute gésine. Il
détesta donc son enfance parce qu'elle fut femelle autant qu'on
peut détester ce qui vous a eu.

Mais la chose qui vous a eu, la mère, et qu'on déteste, on y
tient si fort, dans la dénégation, qu'il faudra se faire avoir par
elle, beaucoup de fois. Et les ventres et les araignées gloutonnes,
encore s'y essayer et s'y compromettre pour sans cesse en
réchapper. Il y aura des femmes et des cauchemars tout au long,
et des tics sur le visage de l'homme pour secouer la glu, les han-
tises puériles, et un spasme de reniflement qui s'agace à dégager
sans fin les voies nasales engorgées par l'asphyxie millénaire :
« Nous rêvons des mêmes pieuvres et des mêmes araignées que
les Babyloniens. Et l'araignée des cauchemars est l'un des plus
anciens animaux de la terre[12]... » A force de ces hoquets, vous
croirez exuter la poisse que les matrices ont mise en vous, qui
vous démange ? Il étouffa toujours, dès le fond de Bondy.

Pourtant grand-mère Adrienne ne manquait pas de hauteur. Née Romagna, sévère comme une Romagnole, elle avait
épousé un Jean-François Lamy, compagnon boulanger né au
Jura en 1848 et venu jeune à Paris. Fut-ce vers 1870, fut-ce à
cause de la défaite, ou pour la Commune ? En tout cas il n'avait
pas trente ans lors de ses noces, et fit vivre son monde, la mère
et les deux filles, en boulangeant à Saint-Maur. Qu'était-il
quand il mourut, avait-il eu à faire son deuil d'espoirs anarcho-
socialistes, jouissait-il simplement d'être parvenu à s'établir ?
Il avait quarante-trois ans. Sa veuve réalisa la boulangerie et se
fit épicière à Bondy. André voyait sa mère qui tenait la maison,
sa tante l'épicerie, et grand-mère régenter tout. Celle-ci lisait.
Clara, alors la femme d'André, en l'été 1924, quand elle visita,
boulevard Edgar-Quinet où elles avaient déménagé après avoir
vendu Bondy, les trois femmes qu'André lui avait cachées pendant cinq ans, Clara donc trouva l'aïeule sévère en train de lire
du Crevel. Et qui disait à l'occasion devant les misères de

l'époque et le désordre : « De mon temps, on descendait dans la rue. » André entendait cela avec ses grandes oreilles, que la rue, là-dehors, pouvait délivrer le dedans de l'engluement. De la vieille épicière un peu fantasque, la leçon serait attrapée au vol, que c'était dans la rue ou par le livre qu'on se séparait, qu'un livre était la rue et la rue une espèce de livre.

Ainsi se levait une résolution, du même train que l'épouvante se déposait en phobie, une résolution de sortir, et la certitude que sortir importait seul et non le lieu où l'on irait, l'assurance que les blocs de mots tirés d'un livre ne différaient en rien des pavés de la rue, qu'on pouvait sortir d'un côté comme de l'autre, côté révélation ou côté révolution, par les lettres, par les armes, qu'on sortait un livre comme on sort son pistolet, mais qu'il fallait s'évader en tout cas. La panique, la fugue. Vers qui, vers quoi ? Adrienne lui disait que le qui ou le quoi n'importait pas, ni le sens selon lequel on y arrive, d'en haut ou d'en bas, mais qu'importait seul qu'on prît le large. Il le sut et ne voulut pas savoir que c'était d'elle qu'il le savait parce qu'elle n'était quand même rien qu'un ventre, géniteur de sa mère, son grand ventre à lui, et qu'elle n'avait pas pu bondir comme il faut, à cause de la matrice.

En attendant, il séjourna. Mais ce fut elle, Adrienne, on imagine, qui le fit mettre dès cinq ans à l'école privée d'à côté, rue Saint-Denis, à Bondy, l'institution Dugand, que deux maîtres tenaient pour une vingtaine d'enfants. Et quand il eut onze ans, elle aussi peut-être qui l'envoya chez les scouts de Bondy. Le mouvement de Baden Powell avait à peine quatre ans. C'est dire comme les femmes voulaient qu'il s'éduquât, qu'il prît un peu ses distances aux jupons. Au-dedans il n'y avait que broutille pour le garçon, trop de mères, trop de protection, une bouillie de soins. Il fut expédié aux fins de débrouillage. Il devait pourtant rester mal dégourdi, jamais capable de conduire une machine, une voiture ni un avion, inapte aux choses manuelles et matérielles, garçon choyé assuré qu'on les ferait pour lui et sinon s'en passant fort bien (sauf du machin des hommes, le revolver). Les mains utiles seraient toujours celles des autres, mains du travail, de la cuisine et du service, affiliées à la contrainte des objets, les épousant, fidèles à la survie, c'est-à-dire à la mort, tandis que les siennes, à André,

15

se réserveraient au seul soin des exploits, à faire valoir son verbe ou son silence par des gestes, à précipiter la conclusion d'une cigarette perpétuelle entre index et majeur, ou à sélectionner du doigt une forme, une couleur, une idée à ne pas manquer – et bien sûr à tâter de la gâchette. Le soin du vêtement qu'il devait montrer toujours avec ostentation, sans doute le tenait-il d'abord des mains des mères couturières empressées à le faire beau, mais il en dévoierait le sens, élégant ne serait pas assez, il lui faudrait se montrer arrogant, paré comme pour mourir. Au scandale de Clara, il approuvait tout net que les officiers d'août 1914 se fissent tuer en casoar et en gants blancs. Brummell n'était-il pas mort, banni, pouilleux, pour avoir donné des leçons de toilette à Sa Majesté George IV et à sa cour ?

André se fit à l'école Dugand son premier ami, un Chevasson, et il le garda toute sa vie bien que Louis fût la modestie même, ou pour cette raison. Clara le nommait l'Incolore, mais c'était une qualité quand même, celle de l'eau, du miroir, une vertu de témoin. Par les yeux simples de son ami, André pouvait poser sur soi un regard et s'assurer s'il était méconnaissable. « Il suivit le regard de Perken : c'était son image à lui, Claude, que ce regard fixait, mais dans la glace. Son propre front, son menton avançant, il les vit une seconde, avec les yeux d'un autre[13]. » Il garda Louis et l'entraîna avec lui dans quelques expéditions à perte, parce qu'il avait été le témoin et le compagnon de ses débuts d'homme. Premières curiosités des petits mâles, sans doute, mais surtout les deux gamins apprirent ensemble à lire et à écrire. Nanti dès lors du pouvoir des lettres et des livres, André put à l'égal de sa grand-mère se soustraire à la glu du présent, à la coulée des heures, aux cancans. La Mort de *Lunes en papier*, fatiguée de se survivre, brosse une scène à la Bosch, les humains en coquetiers : « Les voyez-vous, donnant au hasard le titre de dieu des Coquetiers, lui confiant leurs désespoirs de coquetiers, et voyez-vous les coquetiers femelles disant : " L'harmonie de la ligne du coquetier femelle est, à coup sûr, supérieure à l'harmonie du coquetier mâle ", et minaudant[14] ! » Caquet de la gent-de-lettres parisienne, et notamment des bas-bleus du Femina, et vanité du monde, assurément, mais aussi bien, peut-être, le caquètement de l'épicerie Lamy.

L'enfant allait pouvoir retourner ce qu'il lisait, la légende, contre la tutelle des femmes et des choses. Il se mit à lire comme on se bat, pour s'échapper, pour voyager, comme on se venge. Il était d'Artagnan, il était Robin des Bois et le Dernier des Mohicans, comme il serait plus tard Julien Sorel, Bonaparte, Hoche et Saint-Just. Toutes les causes lui étaient bonnes du moment qu'elles lui demandaient sa vie et sa volonté, un héros humilié, un peuple opprimé, une reine oubliée dans les sables. Voyez : le Trotski d'Alma-Ata, la Balkis de Salomon enfouie dans le désert de Sa'ada, Israéliens, Bengalis : à soixante-dix ans encore, le gamin à l'allure asthmatique rameute quelque brigade pour partir les sauver. Brigade toujours, puisqu'on ne peut que brigander, contre les bêtes d'oubli. La gloire, c'était déjà « vivre en marge », comme il dit à Suarès en 1973[15]. Et le jeudi aux scouts, il s'exerçait à mémoriser d'un coup d'œil et sans faute tous les objets quelconques posés au hasard sur une table qu'Henry Robert, son chef de patrouille, découvrait d'un geste en enlevant le foulard qui les cachait, comme c'est la règle. Ce regard ainsi dressé au jeu de Kim à Bondy se saisirait plus tard, infaillible, des tableaux, des dessins, des gravures et des sculptures du monde entier. Et Clara émerveillée reconnaîtra cette même fulgurance dans les yeux de Florence, leur fille, la première fois qu'elle la conduira dans une galerie. Dans les bois de Villemomble, le dimanche, il organise des assauts, prépare des embuscades avec sa patrouille, il découvre qu'il n'a jamais peur et qu'il sait commander. Rue de la Gare, il s'essaye au pistolet à bouchon dans l'arrière-jardin.

Revenu sous la lampe des mères, il se taisait, il mangeait sa soupe de prisonnier, il nourrissait son exil. Ou bien il racontait exalté, intarissable, des duels à l'épée ou au foulard, il ajoutait des chapitres apocryphes aux aventures de Robin Hood. Les femmes riaient à le voir si ailleurs et il détestait leur complaisance. Elles l'habillaient en marin anglais, le déguisaient en mousquetaire. Elles l'emmenaient au cinéma ambulant sur la place de Bondy les jours de fête, voir *Les Misérables*, ou il y allait seul avec Chevasson, plus tard, pour les Charlot et des westerns. Il hantait la bibliothèque « populaire » pour y lire ou emprunter Walter Scott, Fenimore Cooper, Dumas, bientôt

Salammbô et *Les Chouans*. Il lui fallait tous les moyens de l'exotisme puisque sortir était sa faim. Ceux qui lui manquaient, le garçon s'autorisa comme un vieil abonné à les faire acheter par la bibliothèque ; celle-ci devenait sa maison, maison de culture et maison de berger.

Au fond de sa banlieue, André esquissait le geste d'où sortirait le musée imaginaire, recueillait tous les possibles disponibles pour s'armer de leur munificence et braver l'indigence du donné. Et l'écolier perdu se trouvait, s'inventait dans ses livres, à la table de lecture de la rue Saint-Denis à Bondy, la tête dans ses mains qui n'étaient bonnes qu'à soutenir cette tête pour qu'elle fît la guerre. Guerre contre l'humiliation d'être né comme il était et de venir d'où il venait, de n'avoir pas voulu ce qui lui était arrivé, ce *lui* qui lui était arrivé. Il brûlait d'être ce qu'il n'était pas. La volonté prit alors pour toujours le tour de la séparation, le pli du père.

Le petit homme dans sa panique anticipa si bien cette séparation qu'elle se fit en lui aussitôt, et définitivement, sous les espèces d'un silence intraitable. Il ne dirait plus jamais rien de sa famille maternelle, il n'aurait pas eu de mère. A vingt ans, il tente sans conviction de faire croire à Clara que Berthe logeait au Claridge. Sait-on si même il enterra sa mère en mars 1932 quand elle succomba à une embolie ? Il était à Paris en train d'écrire *La Condition humaine*. Il répéta qu'il n'aimait pas son enfance, qu'il l'avait détestée et la détestait. Du reste, ajoutait-il étourdiment, il n'en gardait aucun souvenir. Comme si la haine n'avait pas bonne mémoire…

Quelques scènes pourtant échappèrent à cette amnésie résolue. En 1935, il met ceci dans la bouche de Kassner, le héros du *Temps du mépris*, qu'il reprend à son compte dans les *Antimémoires* en 1967 : « J'avais entendu dire que les rides s'effacent de la main des morts, et, comme si j'avais voulu revoir avant qu'elle disparût cette dernière forme de la vie, j'avais longtemps regardé la paume de ma mère morte : bien qu'elle n'eût guère plus de cinquante ans [Berthe mourut à cinquante-quatre] et que son visage et le dos même de sa main fussent restées jeunes, c'était presque une paume de vieille femme, avec ses lignes fines et profondes, indéfiniment entrecroisées [ici Kassner ajoutait : comme toutes les fatalités d'un destin]. Et elles se confondaient avec toutes les lignes de la terre consumées par la brume et la nuit [Kassner insistait : et qui elles aussi prenaient la figure d'un destin][16]. »

André peut effacer deux fois la mention que Kassner faisait du destin, le tableau dit assez la fatalité de l'effacement et que sous le dehors de la vie encore fraîche, la paume maternelle décelait sa vérité funèbre et que ce n'était pas du fait du décès, mais parce que la mère appartenait comme la terre depuis toujours aux puissances de l'oubli. « La terre suggère la mort par sa torpeur millénaire comme par sa métamorphose, même si la métamorphose est l'œuvre de l'homme[17] », rappelle-t-il à l'orée des *Antimémoires*. Le fils venait constater le dernier acte vivant d'une morte, il vit une autre vie à quoi la mort ne changeait rien, qu'elle ne déridait pas, une vie morte avant la mort. Il lisait dans la paume patiente que ceux qui croient pouvoir imprimer sur le temps la trace de leur desseins, comme on ouvre des pistes à l'aventure dans les forêts et les déserts de la terre, étaient ou des mythomanes ou des sots. Que la terre, elle, s'en riait, de ces entreprises, elle engloutirait tout ça.

Dressée comme un iris violet qu'on aurait négligé, cette Berthe que Clara découvrit en jeune fille avait été cueillie depuis longtemps comme Coré par le maître des enfers et l'avait épousé en secret et elle vivait au creux des tombes, voilà ce que lisait le fils dans les lignes de sa main. Et ce fut avec une sorte d'amour et de gratitude qu'il écrivit et réécrivit ce qu'il y avait lu. Berthe l'attendait donc, une belle toile noire ouverte, elle au centre sécrétant sa glaire. Levait-il les yeux vers la toile du ciel, la nuit, elle lui renvoyait l'empreinte de la paume indifférente : « La mort embusquée dans ses steppes d'astres, qui me fit apparaître le lacis des veines de la terre des vivants comme les lignes de la main de ma mère morte[18]. » Il s'attendait qu'elle l'attende partout. Ils s'entendaient, ils s'y entendaient en néant, tous les deux.

Autre pièce à mettre au dossier de cette connivence. Confesserai-je que c'est un faux ? Mais la mythopoïèse, on le verra, fictionne la prétendue « vie ». Authentique est ce qu'elle signe, non ce qu'un tiers vérifie ou confesse. Cette « pièce » s'inspire de deux scènes signées Malraux. Il avait dix, douze ans ; un soir d'hiver, il monta à l'étage, la porte de maman était entrouverte, il se glissa sans allumer devant la coiffeuse éclairée depuis le couloir. Que faire de sa peau ? Il y avait trop de héros. Il ne croirait jamais à rien. A l'église pendant l'élévation, il se disait : tu mens. Pourquoi ne pas arrêter tout de suite ? « On peut aussi se tuer au plus tôt. » « Mais tu ne veux pas mourir, p'tit salaud. Regarde pourtant comme tu as une de ces belles gueules avec lesquelles on fait les morts. Il s'approcha encore le nez touchant presque la glace, il déforma son masque, bouche ouverte, par une grimace de gargouille [...] Chacun ne peut pas être mort ? Evidemment : il faut de tout pour faire un monde [...]. Il transforma son visage, bouche fermée et tirée vers le menton, yeux entr'ouverts, en samouraï de carnaval. Et aussitôt, comme si l'angoisse que les paroles ne suffisaient pas à traduire se fût exprimée dans toute sa puissance, il commença à grimacer, se transformant en singe, en idiot, en épouvanté, en type à fluxion, en tous les grotesques que peut exprimer un visage humain. Ça ne suffisait plus : il se servit de ses doigts, tirant sur les coins de ses yeux, agrandissant sa bouche pour la gueule de crapaud de l'homme-qui-rit, tirant ses oreilles. Cette débauche de grotesque dans la chambre solitaire, avec la brume de la nuit massée à la fenêtre, prenait le comique atroce de la folie. Il entendit son rire – un seul son de voix, le même que celui de sa mère[19]. »

Berthe avait ri en même temps que lui, montée en silence, debout près de la porte, ri d'une seule pouffée comme lui. De trouver son Dédé si fou ? Ou de ce qu'il découvrait son secret à elle : qu'on n'existe pas ? « L'odeur de décomposition des étangs enveloppait Claude, qui revit sa mère errer à travers l'hôtel de son grand-père : presque cachée dans la pénombre, à l'exception de la crosse de ses lourds cheveux où se plaquait le jour, regardant avec épouvante, dans le petit miroir orné d'un galion romantique, l'affaissement des coins de sa bouche et le grossissement de son nez, massant ses paupières avec un geste d'aveugle[20]... » Ils eurent donc ensemble le même spasme, qu'elle reconnut aussitôt, une convulsion qui lui secouait la gorge quand y montait la certitude indicible d'être superflue. André furieux passa devant, elle éteignit le couloir, ils descendirent.

Furieux d'avoir été joué par l'araignée embusquée derrière lui. Il se vengera. « Pas un mot », répète Clappique, à qui *La Condition humaine* prête cette scène de diablerie. Pas un mot de sa mère, pas un mot à sa mère. Plus grave : comme sa mère, pas un mot aux vivants ni des vivants. Que rien n'importe, cela fait un rire de fond, tout sec. Celui de Valéry plus tard, qui concluait ses développements d'un « Du reste, on s'en fout ». Berthe, ce fut *on*. André aima qu'elle fût la figure trompeuse, rieuse et triste, d'une vie qui collaborait en secret avec la mort, il aima, il détesta sa beauté mauve. Il lui devrait sa panique, sa précipitation à rompre, et l'aventure. Il eut beau protester cette dette toute sa vie et récuser la créancière, son déni même marquait comme il était tributaire de cette paume, un pétale froissé depuis toujours, et du rire qui, d'un trait, avait biffé toute foi dans le succès de l'insurrection. Surface neutre et support inerte, la somptueuse indifférenciation du vif et du défunt s'étendrait pour lui au monde et à l'histoire comme un voile de deuil jeté sur tout ce qui croit se distinguer. Cette nuit qui défiait sa volonté et la motiverait, cette Asie, ce fut la mère. Elle était le ventre égal des saisons et le rire de leur cycle, la Redite vorace, et c'est ainsi qu'elle exerça son fils à trouver fébrilement quelque chose qu'elle ne pût engloutir.

Or la mère, les trois mères attendaient tout juste cela du petit, qu'il n'acceptât pas leur soumission à elles. C'est pourquoi elles le jetèrent très vite au monde des hommes pour qu'il y fît sa gloire contre elles, et qu'ainsi il fît leur gloire. Elles le poussèrent à s'exposer contre leur cause lamentable, contre l'épicerie et l'abandon, contre la maternité stérile, contre l'exiguïté des bavardages et des bondieuseries, contre leur rire athée. Elles voulurent que cet homme si petit et né pour mourir devînt si enragé de leur tendre inanité qu'il devrait les oublier, aller dans la rue et fermer la porte, tintante comme un rire, derrière lui une fois pour toutes. Jusqu'à oublier même que tout ce qu'il devrait faire et écrire, c'est à elles que ce serait rendu puisque c'est d'elles qu'il en aurait reçu négativement la mission. Elles savaient qu'il devrait les renier et toute femme avec elles, elles n'en éprouvaient pas d'amertume, elles l'y aidèrent, c'est ainsi qu'elles l'aimèrent. Ruiné, failli, après ses entreprises en Indochine, mais n'en démordant pas, comme un raté, comme un Clappique, elles lui firent, au printemps 1926, à manger tous les jours, et à Clara, chez elles, et lui reprisèrent ses éraillures. Clara s'indignait de son parasitisme, et l'enfant dans André s'étonnait qu'elle s'indignât. Avait-il rien demandé ? Il comptait sur leur gentillesse. Il était parti, il ne revenait pas, il gîtait un moment. Mais elles l'endettaient quoi qu'il en eût, il devrait toute sa vie s'efforcer de styler l'engluement qu'il redoutait en elles. L'amour des dames Lamy le contraignit à se séparer sans répit d'elles, et probablement sans succès. « Les Mères ne hantent pas seulement les ténèbres[21] », confesse-t-il, entre deux phrases, en aparté, à la Salpêtrière. Que hantent-elles encore ? Un envers des ténèbres, qui ne serait pas la volonté des hommes, pas la lucidité, mais les ténèbres à l'envers, « un irrationnel des cavernes », la fraternité, l'amour. Dans *Le Miroir des limbes*, Torrès dit : « Il est clair que la chose la plus importante entre les hommes et les femmes est la tendresse[22]. » Et non pas la génitalité, ni la libération des sexes. Les mères hantent la tendresse, aussi.

NOTES

1. *ML*, 909-910.
2. *VS*, 508-810.
3. *CH*, 148-149.
4. *VR*, 178-179.
5. *ML*, 589.
6. *ML*, 4.
7. *Marronniers*, 94-95.
8. *Celui qui vient*, 62.
9. *ML*, 4.
10. *TM*, 836.
11. *ML*, 893.
12. *ML*, 754.
13. *VR*, 393.
14. *LP*, 24.
15. *Celui qui vient*, 20.
16. *TM*, 824 ; *ML*, 73-74.
17. *ML*, 4.
18. *ML*, 79.
19. *CH*, 701.
20. *VR*, 411.
21. *ML*, 911.
22. *ML*, 600.

2

LE MALRAUX

Du côté des Malraux, on sera plus disert. L'enfant né de mère inconnue voyait son père presque toutes les semaines. Il passa parfois l'été dans la maison de famille à Dunkerque. André bâtit son roman de famille sur le seul nom patronymique. C'était celui des hommes en partance. Fernand, le père, avait été auréolé de ce prestige aussitôt. Il s'était éloigné sans méchanceté, et garda une bonne distance avec les délaissées. Nul ressentiment, il lui suffisait d'être insaisissable. Il rêvait de brevets pour des bricolages ingénieux, vivait d'opérations boursières et de succès auprès des femmes, comme cela se faisait encore en ce début de siècle où pourtant s'annonçait la fin des facilités. Il lissait sa moustache et se plaisait à plaire. A la mairie du seizième, où l'on bâcla le mariage d'André avec Clara (que Fernand appelait Claire parce que Clara était une fille chez qui il avait ses habitudes), la bru fut séduite par ce cavalier qui portait beau. « Tu aurais dû choisir le père. Il est beaucoup mieux que le fils[1] », lui chuchotait la tante Goldschmidt. Les dames Lamy ne vinrent pas assister à cette foutaise d'union, cérémonie civile, mauvais coup qui les privait du grand destin qu'elles attendaient du chéri. Clara disait qu'alors, 1921, sa vraie belle-mère ne fut pas Berthe mais Lilette, qui l'accueillit en femme émancipée.

Fernand avait d'abord refusé à André, pas même vingt ans, mineur encore, l'autorisation de se marier : c'est trop vite, tu es trop jeune, et avec une Allemande (il était très bleu horizon), et plus vieille que toi. Il avait cédé bientôt, pour plaire à Lilette, et parce qu'il aima l'insouciance des deux jeunes, l'impromptu de la décision, leur style « qu'est-ce en somme qu'une institution ? dans les six mois nous divorçons ». Il s'aimait lui-même dans André, dans sa désinvolture, qu'il savait d'expérience être une impertinence aux choses de la vie. Il reçut le jeune couple dans sa maison de Bois Dormant, près d'Orléans, on bavardait ; entre son fils et lui il y avait l'assentiment tacite qu'on n'est jamais vraiment là, que c'est bien ainsi, et que quand on se quitte le soir, on n'est pas sûr de se revoir jamais, qu'importe. « Alors, on ne se revoit plus jamais ? » s'entend dire Alain, le neveu d'André, dont il a fait son fils, sur le seuil de sa demeure versaillaise à la fin de 1966. « Alors même, ajoute le jeune homme, que notre rendez-vous à déjeuner pour la semaine suivante était déjà fixé[2]. » Malraux est-il hanté par le suicide depuis l'accident qui a tué net ses deux fils cinq ans plus tôt ? Mais son évanescence est légendaire en tout temps. Etait-ce de Lawrence seul qu'il écrivait en 1943 : « Il avait mis son point d'honneur à ne jamais dire chez lui quand et où il s'en allait[3] » ?

Il partage avec son père cette affinité à l'éclipse, un sens inné, chez lui cultivé, de la précarité. Comme de la seule promesse qu'on peut se faire et être sûr de tenir : qu'on se séparera, puisqu'on est séparés. On a des femmes, on n'en a pas, de l'argent, on le perd, on a assez vécu, on quitte. En janvier 1925, André repart à Saïgon, où il a été condamné deux mois auparavant, pour faire un journal de défense des colonisés, Fernand lui donne une grosse somme (cinquante mille francs d'alors) avec ce simple avertissement : n'échoue pas. En 1930, le fils, déjà célèbre à Paris, polémique à tous vents autour des *Conquérants* et de *La Voie royale*, le père suspend à la porte de sa chambre un « Prière d'éteindre votre cigarette avant d'entrer » ; place un pistolet à portée au cas où… ; prescrit par écrit qu'on devra vérifier d'un coup de lancette qu'il est bien mort (ce qu'André accomplira dûment) ; ouvre le gaz et se remet à sa lecture de *La Doctrine bouddhiste*[4]. Il avait dit aux enfants en les quittant : « Si je devais renaître, j'aimerais une fois encore être Fernand Malraux. » Déclaration mise par André dans la bouche du Dietrich Berger des *Noyers de l'Altenburg*[5].

24

Une fois encore, papa aurait donc pris Gaby, la sœur de Lilette, pour maîtresse, elle lui aurait confié la gestion de sa fortune, elle la lui aurait retirée une deuxième fois parce qu'il la ruinait, elle l'aurait derechef menacé, pour se faire restituer son bien, de le dénoncer aux autorités pour avoir reconnu Roland, premier fils de Lilette, alors que lui-même était encore l'époux de Berthe, et à la fin des fins, séparé de Lilette, embêté par tout ça, il se serait suicidé de nouveau. C'était sa version gaie du « à quoi bon ? », l'éternel retour façon poilu à Lunapark, du courage, peu de mérite, prêté, jamais donné, appareillant.

Ainsi l'aima André, si l'on en juge par le portrait de Vincent Berger que brosse son fils, dans *Les Noyers de l'Altenburg* : « Enfant, j'aimais à regarder les ailes des mouettes qui planaient : j'étais plus sensible à leur double fer de faux qu'à une vitrine de pâtissier. Un jour je me trouvai dans un cercle de pêcheurs autour d'une frégate morte – tuée ou non, étendue sur la jetée de Bornholm : un corps rabougri de poule entre deux ailes immenses et superbes. Le physique de mon père est resté associé pour moi au mot frégate : à l'oiseau et même au navire, que je suis incapable de distinguer d'une corvette, et que je n'ai sans doute jamais vu[6]. »

Signé Berger tout court, le fils a perdu son prénom : « J'oublie toujours que je ne m'appelle pas André[7]. » Le narrateur de l'histoire des Berger *est* le patronyme, l'emblème du lignage, son nom en gloire : « Le dédoublement touche sans doute la plupart des hommes de l'Histoire, et des grands artistes : Napoléon n'est pas Bonaparte […]. Les statues futures possèdent ceux qui sont dignes de statues, qu'ils le veuillent ou non. Charles est modelé par la vie, et de Gaulle par le destin […]. Il n'y a pas de Charles dans ses Mémoires[8]. »

Il n'y aura pas d'André dans les *Antimémoires*. « Je sculpterai ma propre statue[9] », disait-il à Clara. En s'emparant du patronyme, le fils se fait le père du père. Il sculpte le fringant Fernand en frégate abattue sur une jetée baltique. Il lui fait une armoirie de deux sabres croisés sur granit de Bornholm. (Qu'est-ce que ce nom ? Ilot de naissance, ou né isolé, ou né casqué ? Et la frégate, fut-elle tuée, ou bien vint-elle s'écraser sur cette pierre perdue ?) L'obituaire signé du fils esquisse une héraldique Malraux.

Cet orgueilleux hommage rendu par le Malraux à Fernand n'exclut pas, loin de là, la tendresse d'André pour son père : « J'ai ignoré de lui la partie immense que chacun ignore toujours des siens [...]. L'aimais-je parce qu'il était mon père ? L'amour des parents pour les enfants est général, et l'amour filial est presque rare. Mais, ayant un père, j'étais heureux – et parfois fier – que ce fût lui[10]. »

Affection toute singulière, et d'homme à homme, où l'autorisation marche dans les deux sens, chacun répond de l'autre : « L'homme au monde, pensait mon père [c'est Vincent, quand il vient de découvrir le suicide de son père Dietrich], pensait mon père amèrement, à qui mes quelques instants de succès ont apporté le plus de joie ou de fierté[11]. » Le 20 décembre 1930, quand Fernand se suicide, le nom de Malraux court sur toutes les lèvres, la filiation est assurée, l'éponyme honoré.

De la mère, il n'y aura jamais de monument, nul emblème funéraire. Aussi bien, c'est elle qui enterre, elle est la Fossoyeuse. Mais aussi, on le devine, la Donatrice et la Gracieuse, à qui va l'envol des œuvres et des vraies vies. Berthe en Victoire de Samothrace, ayant perdu, avec ses bras, ses paumes de soumission. « Sa tête aussi, fait remarquer méchamment la féministe qui interviewe Malraux, elle l'a perdue. – Ah qu'importe ! réplique André extasié, elle a des ailes[12]... ».

A quarante ans, son fils puisait la substance des *Noyers de l'Altenburg* dans le gai savoir paternel mais en version tragique, à la Lamy. La facilité de Fernand dans la séparation lui serait interdite. On ne s'en va pas comme ça, lui avaient dit les mères, il fallait déchirer quelque chose, les autres, et se déchirer. Il avait connu d'elles que c'était foutu d'avance. Que le bouddhisme vaguement lu par papa s'asphyxiant ne remédiait en rien à l'anéantissement. Qu'André mort ne reviendrait pas jouer une deuxième fois la vie d'André, que les pleureuses l'attendraient et la terre le mettrait au trou en riant, avec les araignées, voilà tout. Chez Malraux père, la mort ne demandait qu'une compétence vivace pour éliminer les questions de la vie. Et André en hérita. Mais il tenait aussi de la branche Lamy que le trépas n'est pas la mort, que la vie est la mort déjà. Se suicider ne répondait à rien, accomplissait l'inertie de vivre. On était bien obligé d'essayer quand même d'interroger, de faire le malin, condamné à la présomption. S'il fut forcé de faire une légende de son patrilignage, dont Fernand s'accommodait avec une dignité modeste : « Vous êtes digne d'être une Malraux, disait-il à Clara [...]. Les miens ont toujours vécu entre Calais et Dunkerque et ils ont toujours été des prolétaires[13] », c'est que, petit, André avait contracté la maladie des mères que son père n'avait pas, une maladie de réalité, qui était bien plus grave que le réalisme : une épouvante nihiliste. Non pas la pensée nihiliste, mais le cœur bouffé par rien. Sa dureté dans le « quand même » fut motivé par l'« à quoi bon » des femmes, et elle se solda en fiction. Il fabriqua une légende de ses pères dans ses livres et dans sa vie. Car on a beau faire le prince et savoir que c'est du bluff, comme il dirait, on n'irait pas jusqu'à se déclarer fils d'épicière, pas vrai ? D'où la fable.

Fernand était allé enterrer son père à Dunkerque en 1909 et André, qui avait donc huit ans, se mit à faire un roman de la mort de l'aïeul. Le coup maladroit de francisque par lequel le vieux charpentier en navires et tonneaux voulait finir, dit-on, la figure de proue d'un dernier chalutier (il était ruiné, sa flotte périe en mer) et qui lui fendit le crâne d'un rebond, frappa la faculté fabulatrice du petit-fils de plein fouet. André tenait là son mythe d'origine. S'il fictionna la scène, ce fut qu'il y trouva tous les éléments qu'il fallait à sa filiation de héros, la hache du vieux morold flamand et sa faillite, un héritage de suicide, les charpentes de proue naufragées en haute mer, la prouesse de l'aïeul au dernier jour, et la vanité des prouesses, la flottille des baleinières perdue dans les parages de Terre-Neuve, et les compagnies d'assurances qui se refusaient à couvrir le sinistre parce qu'il faut entreprendre à découvert et sans nulle compagnie, et le déclin d'une famille puissante.

A quarante ans, quand il jeta sur le papier la vérité imaginaire de cette filiation d'où les femmes étaient bien sûr bannies, une généalogie se dressa, un arbre mort, des générations de pères morts, tous avec orgueil et désespoir dans un silence retentissant. Telle se raconta, dans les *Noyers de l'Altenburg*, l'épopée des Berger, vrais gardiens de la *virtù* virile, pâtres vains et vaillants. Et dans les quelques romans qu'André devait auparavant, entre 1930 et 1936, concéder à ce qu'il restait peut-être de valeur épique dans le récit moderne, les figures de ces pères proliférèrent, toujours du même geste dressées et abattues, retranchées à la hache de la communauté, faisant exemple et place aux prouesses des fils. Plus tard de Gaulle y fut inclus comme un « chêne qu'on abat ». La transmission se ferait toujours entre hommes et en silence auprès des lits de mort, Gisors fume son chanvre au chevet de son Kyo, Vincent médite la mort de Dietrich dans la chambre encore défaite et close où le père s'est empoisonné, Claude raconte à Perken les derniers jours de son grand-père Vannec, le Danois. Et l'interminable veillée des hommes morts s'étendra sur l'œuvre entière jusqu'aux méditations sur la création artistique : le musée imaginaire est un mausolée de tendres parricides. Dans la vieille célébration grecque des citoyens tués au combat, Malraux ministre trouva la voix que demandait sa vérité de fils et de petit-fils imaginaire, l'élévation de l'*andréia* par l'oraison funèbre. Le message se transmettrait ainsi, le vieux testament de la séparation des hommes, leur mission toujours engloutie par les ténèbres, et relayée. De 1958 à 1975, il prononce dix hommages funèbres à l'invulnérable vertu qui arrache l'œuvre ou le combat aux pieuvres de l'histoire, à l'outrage perpétuel.

A Dunkerque, l'enfant errait à l'aventure dans les couloirs de la maison Malraux, la grande bâtisse de brique à trois corps disposés comme une mâchoire ouverte sur la cour où les bois de charpente séchaient naguère. Il poussait la porte du bureau du maître de lignage, il inspectait dans la pénombre du soir d'été, terne et dorée comme un Rembrandt, des casiers à dossiers et des cartons d'épures, les marines pendues aux murs, des photos cornées, touchait les maquettes et le gros cuir à capiton du canapé, il respirait le vieil embrun de tapis et de tabac, s'arrêtait à une statuette bizarre. C'était l'été 1909, il entendait les hommes dehors bavarder des affaires, grand-père était aux ateliers désœuvrés, il mourrait en novembre. Il avait mis sa faillite à profit, racontait-on devant l'enfant, pour se livrer à d'ultimes parodies, ouvrant la cour à un cirque interdit de stationner en ville, et les bêtes s'étaient promenées dans l'arche du naufragé, puis égaillées alentour ; ou hébergeant la communauté juive à qui personne dans le coin ne voulait ou n'osait céder un local pour célébrer ses maléfices, et l'on avait entendu retentir le kaddish chez Alphonse Malraux, vous imaginez[14] ? L'enfant s'émerveillait que les errants eussent campé dans Rome, c'était cela partir, une entreprise menée à terme comme il faut, à la farfelu, le petit empire de grosses charpentes, étendu aux ports lointains et aux passes naufrageuses, dont le quartier général s'offrait pour finir à abriter des transhumants, la gloire rude qui passait comme un cliché photo. Il admirait l'infortune comme un succès, et qu'aucun des Malraux ne s'en émût. « Aucune époque n'aura su comme celle-ci qu'elle était provisoire, qu'elle marquait la fin d'un monde : pour nous, c'est tous les matins l'entrée d'Alaric à Rome [...]. La nouvelle civilisation ressemble aux appartements déjà vides : ou attend les derniers déménageurs[15]. »

Tout en déployant les cartes des passages du Nord-Ouest, il se prenait au manège mirifique d'un vrai commerce, d'une épicerie épique, celle qui s'était ouvert sa voie royale dans les déserts d'Asie et les forêts, à quel prix et pour rapporter quoi ? sur les tables sans saveur des princes d'Occident, un peu de cumin et de curcuma. Grand-père avait toujours été ce négociant des fragrances, un pillard d'ambre gris, résolu à perdre sa vie et ses biens pour donner du piment et conquérir un nom, le même chasseur hagard qu'André rencontrerait dans l'Achab de Melville. Alphonse n'avait pas bien tenu ses comptes, c'est entendu, il avait laissé les livres à grand-mère, le bilan des gains et des pertes, les soins de la reproduction, le tiroir-caisse qui tinte comme à Bondy : affaire des femmes. Et vraiment, Clara n'imaginait pas – ou savait trop méchamment – ce qu'elle faisait quand elle coucha plus tard sur le papier un bilan de leurs rapports en forme de « Livre de comptes », rien ne pouvait exciter plus l'angoisse de Malraux, et sa haine, que cet état des lieux secrets. L'ayant lu, il le jeta à l'autre bout du salon de Clara en 1939. On ne trafiquait pas, fût-ce les sentiments, pour s'enrichir ni survivre, papa non plus ne décomptait pas ses mises ni celles de la belle Gaby, et André à son tour perdrait en Bourse la fortune de Clara dans d'obscures actions mexicaines. Rien ne devrait être épargné, l'avoir des femmes n'était pas plus que du néant accumulé, et l'exploit des hommes voulait une dépense sans comptes, à perte si possible pour manifester qu'il était hors de prix : on hasardait et l'on bazarderait, voilà tout. On vendrait même les femmes, la passion du trafic ou du jeu l'exigeait, et les prostituées seraient, comme les civilisations l'avaient toujours voulu, honoré ou toléré, ces ventres enfin guéris de la maladie de reproduire. André, timide aux femmes, fera grand cas auprès des copains d'en user ainsi, nourrira la fable encore, des années plus tard avec Emmanuel Berl en confidences circonstanciées[16]. Et l'œuvre fera bonne mesure en courtisanes, en fillettes mises à l'encan dans des villages khmers ou somalis ou dans les ruelles chinoises, en maisons de passe et de plaisir, pour manifester ceci, que l'énergie dépensée par les hommes pour donner du sel à la terre pouvait aller jusqu'à dénaturer le cycle des femmes et dévoyer la lune.

NOTES

1. Clara 2, 39.
2. *Marronniers*, 287.
3. *DA*, 743.
4. *Ibid.*, 97.
5. Clara 4, 173; *ML*, 24.
6. *NA*, 48.
7. *ML*, 193.
8. *ML*, 116, 620.
9. Clara 3, 166.
10. *NA*, 50.
11. *ML*, 25.
12. *Le Point* (17 mars 1975).
13. Clara 2, 248.
14. *ML*, 20-21.
15. *ML*, 595.
16. *Marronniers*, 321-322.

TRAFIQUANT DE MERVEILLES

Sous les combles du Français, debout sur son banc, au paradis, les oreilles et les yeux tendus par-dessus la rambarde pour ne rien perdre des cruautés d'Andromaque, André continuait à s'enquérir de la séparation et recensait les crimes dont elle se paye. Chevasson, le banlieusard, qu'il traînait au théâtre en plein Paris à treize ans, regardait ce copain long, maigre et pâle comme un fennec, une ombre de moustache qui lui venait, et cette avidité inexplicable. André s'ennuyait ferme à l'école Dugand où il n'apprenait rien. Les ressources de la salle de lecture de Bondy s'épuisaient, il était passé au rayon théâtre, *Hernani*, *Jules César*, plus grand-chose à dévorer. On lui avait donné ses certificats d'études primaires, mais il était ailleurs. Son vrai maître, c'était le dictateur romain : qui coupait net dans le ventre au travail pour s'en extraire, qui dictait sa loi au monde comme à sa mère, et qui rendait gorge sous le couteau d'un fils qu'il n'avait même pas fait. Auprès du Shakespeare lu dans le silence des imaginations, Racine en direct pâlissait, la salle pompier, le ton de bonne compagnie, et l'alexandrin si français, et puis l'indécence des chairs, des corps d'acteurs trop présents, Pyrrhus trop poilu, une Hermione grossette, tout cela vous empêchait de vaquer à l'imaginaire. André humerait toujours une odeur de poireau et de promiscuité au théâtre. Ça fleurait la brave troupe qui mitonnait en coulisse des recettes éprouvées de tragédies princières, et qui servait sa soupe de sang tous les soirs. Dans le train pour Bondy, sur le pavé désert, André expliquait au galop ses répugnances à Louis. Que ce n'était pas comme ça qu'on s'en sortirait, que le théâtre c'était la boutique. Claudel seul aurait grâce à ses yeux, à cause du souffle dément et de l'essoufflement. « Le théâtre n'est pas sérieux, dit Gisors à Clappique, c'est la course de taureaux qui l'est. » Ni sérieux le roman, mais la mythomanie[1].

Ou le livre ou la rue, en tout cas le vrai trafic, le vrai tragique, l'adieu, c'était ici ou là, pas au théâtre. Bon sang, il y avait la guerre tout autour qui rôdait. On se battait sur l'Ourcq, à quelques kilomètres, des hommes mouraient pour de bon, c'était septembre 1914, le vent soufflait leurs cendres dans les yeux du scout ravi et terrifié, prétend-il. Un matin, bien avant le jour, il feignit d'avoir entendu les mille taxis G7 requis par Gallieni qui montaient la 7ᵉ division sur le front à Nanteuil-le-Haudoin. Louis galopait, André improvisait dans le noir entre deux réverbères, il défendait un droit, un devoir, les Malraux, les Berger, en gesticulant. On restait chez les mères, mais déjà il n'était plus à elles. Elles l'envoyèrent continuer ses études rue de Turbigo, à l'école primaire supérieure, qui deviendrait lycée Turgot. Il avait quatorze ans, il « réussissait » bien mais n'entendait rien au discours des maîtres, aux disciplines, aux circonspections des méthodes, aux règles de composition. Adrienne et Berthe, les toutes bonnes, crurent le mettre à flot par des leçons particulières à Bondy, bien sûr. Et il eut encore le dégoût à supporter, comme au théâtre, de la chair trop proche dans l'encolure de mademoiselle Thouvenin, son odeur de femme bien tenue sous le nez, et la voix convenable d'institutrice, lui qui en savait plus qu'elle au sujet de l'horreur et n'avait rien à faire de composer dans l'ordre pour l'école républicaine. Il ne serait jamais premier prix dans cette composition.

Excédé par l'école Turbigo, il se présente au prestigieux lycée Condorcet, lequel ignora sereinement le gamin. *Exit* donc de la scolarité le seul ministre de la Culture qui n'aura pas été bachelier et le signataire d'une œuvre que les universitaires dans le monde dépèceront pour en faire carrière. *L'Espoir* est mis au programme de l'agrégation de lettres quatre ans après la mort de l'auteur. Mais celui-ci, d'un dernier coup de rein, aura eu le temps de parer à son embaumement.

En 1975, Martine de Courcel recueille, à tous vents, une vingtaine de textes sous le titre : *Malraux, être et dire*. Il y contribue par une Postface, « Néocritique ». « Comment appeler des
livres comme celui-ci, de plus en plus nombreux ? [...] Appe-
lons-les des *Colloques*. » Genre littéraire nouveau, il apparaît
quand la « littérature-Payot » se substitue à la « littérature-Gal-
limard » ; quand la machine-à-livres, « l'Edition », annexe
« les Lettres ». Or ce genre rompt avec la monographie savante
et la biographie exhaustive aussi « résolument que le cubisme
avec la perspective de Léonard ». On ne représente point, on
assemble des coupures d'œuvre ou de vie, et l'on monte un
« tableau » qui impose au discours le silence du style : « Le
plus important dans un tableau, répète Malraux après Braque,
c'est ce qu'on ne peut pas dire. » La thèse argumentée, la biographie « sérieuse » se proposent de faire le tour du sujet ;
l'ellipse cubiste du « Colloque » protège son échappée[2].

Il emporta du lycée avec lui l'autre copain, Marcel Brandin, second miroir. Et la patrouille de funambules, au lieu d'aller au bois avec les scouts le jeudi, descendait à Paris. André
rencontra un premier dénouement dans la capitale en guerre,
une réponse à son « comment sortir ». Ce furent le livre et
la rue tout ensemble : les bouquinistes sur les quais. Un
incroyable dépôt de textes frangeait la rive gauche de la Tour-
nelle au quai Voltaire, trésor de possibles accessibles, debout,
sans carte d'entrée, en passant. Dans les grosses boîtes vertes
à couvercle relevé comme des tombes avant l'inhumation,
« dans le cimetière des boîtes des quais[3] », il dénichait tout ce
que n'avait pas la Municipale, les modernes et les contemporains, Dostoïevski, Barrès et Verlaine, Stendhal, Leconte de
Lisle, rencontrés au hasard, pas classés, laissés sur sa piste par
d'autres fugueurs. Il n'en avait jamais douté, mais il respira,
c'était le large. Et des atlas, et des cartographies de songe.

Il écumait les quais. Le père faisait la guerre dans les
chars, c'était 1917, l'épopée mécanique. André avait seize ans,
trois sous en poche que lui donnaient Fernand et la grand-
mère. Il achetait, il lisait, Barbusse, Michelet, il achetait un
Laforgue au rebut, dédicacé. Ferait-il collection de ces merveilles rares ? Tenté, c'est certain et définitivement, de se faire
conservateur en trouvailles et bibliothécaire d'imaginaires, il

se mettait à lever les éditions épuisées, les tirages de tête, les numérotées, et les illustrées, comme des cargaisons d'intrigues en partance à ne pas laisser à quai, à déhaler et à faire courir. L'aïeul Malraux, mort à ce jeu, lui souffla d'être armateur en livres. Il acheta et il vendit. Nouvelles explorations, rive gauche, rive droite, libraires spécialisés, bibliophiles, il poussait les portes en corsaire qui va rembarquer, sortait son butin et négociait froidement, qualité du papier, rareté du tirage, dédicace de l'auteur, exemplaire sauvé du pilon. Il était indifférent aux rebuffades comme à celle du lycée, il fallait se vêtir et parler d'autorité, paraître, en imposer. Il s'exerça alors à gagner l'opinion et le désir de l'autre, à provoquer chez le client non seulement la conviction mais le geste d'acheter, avec le même aplomb que plus tard il mettrait à pousser les auditeurs à prendre d'assaut quelque mauvais objet, tantôt la colonie, ou le fascisme, tantôt Franco, tantôt Staline. Ce fut son école de rhéteur. Les tours de plaidoyer, l'argument par la vraisemblance, les appels aux exemples et les rapprochements stupéfiants, l'administration des « preuves », l'émotion et l'humour, tout fut alors essayé par le beau parleur et mis à discrétion. Plus : à la bourse des livres, comme au palais Brongniart, ce n'était pas interdit de créer l'occasion, de lancer des rumeurs, de fabriquer des pièces à conviction.

Douze ans plus tard, en mars 1929, dans la préface du Catalogue d'éditions originales et de livres illustrés qu'il expose à la galerie Gallimard, André en chat s'adresse à un bibliophile : « Tout cela est vrai : c'est pourquoi il faut devenir faussaire. Ton exemplaire de la *Salomé* de Wilde, je l'ornerai d'une dédicace ingénieuse à … à qui ? à Lord Queensbury, ton Corneille d'un quatrain autographe à la Marquise. Quelques livres dédiés au citoyen-général Bonaparte sont à souhaiter. Je dessinerai des objets choisis en marge de ton Mallarmé et les signerai S.M. ; nous lirons des articles sur la peinture de Mallarmé plein d'aperçus : la mystification est éminemment créatrice[4]. » Confession et hommage maquillés en provocation : en 1927, sous le titre *Années de Bruxelles*, des notes manuscrites prises par Baudelaire en Belgique et découvertes par miracle étaient publiées à cent cinquante exemplaires de luxe, avec un autoportrait du poète à la plume, la préface circonstanciée d'un

Georges Garonne et un justificatif de l'imprimeur, décédé entre-temps. Ce copieux inédit était tout de la main de Pascal Pia, maître en contrefaçons, assisté de la complicité admirative de son ami André Malraux. L'un et l'autre subvenaient ainsi à leur subsistance : les amateurs s'arrachèrent ce « rare[5] ». Un spéculateur est un mythomane qui exploite en riant sa folie.

Au fennec, s'était substitué un petit félin. Assez de guetter à l'arrêt. André entrait et sortait, entrait pour sortir. Le chat est la bête des seuils. La solitude famélique laissait place à une bouffonnerie de négoce qui paie. Les premières écritures d'André, les premiers signes faits au-dehors, seraient des faux, signatures apocryphes, conséquemment au principe que le semblant est plus vrai que le réel, qu'il le force. Une issue s'indiquait à l'angoisse de n'être rien comme un bébé Lamy au cimetière : il fallait oser, disparaître en paraissant. Les livres, et les Malraux, enseignaient à faire du vide vertu. Il était déjà en train d'écrire sa vie comme une légende de trafiquant, en faisant trafic de légendes écrites. Avec les couvercles des boîtes de quai, il ouvrait la tombe de Saint-Maur. Jeu du battant de porte, seuil entre présence et absence. Clappique sort de chez Gisors : « Au revoir, mon bon. Le seul homme de Shanghaï qui n'existe pas – pas un mot : qui n'existe absolument pas ! – vous salue » ; puis rouvre la porte, passe son grand nez : « Le baron de Clappique n'existe pas[6]. »

Qu'avait-il besoin d'exister, André ? Etait-ce bien nécessaire ? La paume douce et maudite avait vaticiné que tout était déjà mort. Ecrire, ajouter à la mort ? Il y avait bien sûr l'exaltation du deuil, lire, regarder, mettre en acte les apparences, les dessiner (il était bon dessinateur), y ajouter leur doublure imaginaire. Mais quoi ? c'était encore consigner le néant, comme un concierge de cimetière. C'était trop concéder à l'existence imbécile. Il s'y essaya pourtant dès dix-sept ans, à la faiblesse d'écrire, les premiers brouillons de *Lunes en papier* sont de 1918. Mais le chat se méfie longtemps de franchir le pas : debout dans le couloir d'un train qui roulait vers l'Autriche ou la Bavière, André dit encore, en 1921, à Clara : « Je ne serai pas un écrivain, l'amateur est supérieur à celui qui crée. Les

Chinois, eux, le savaient, qui mettaient plus haut que le jardinier celui qui est capable d'apprécier le jardin. L'homme qui sait comment il convient de jouir de la vie et des créations des autres hommes est l'artiste suprême[7]. »

Dilettante, cette version européenne de la chinoiserie sage, cela lui passerait-il jamais ? Disposer des occasions de jouir vaudrait-il jamais moins que de les proposer ? Dans un coin du piteux salon des secondes, sur le paquebot qui le ramène épuisé à Marseille, le dos déjà tourné au combat anticolonial qu'il a mené pendant un an, André s'attable, écrit, distribue et complète ses brouillons à toute allure, pour donner à Grasset le manuscrit promis deux ans plus tôt. Ce sera *La Tentation de l'Occident*, longue veillée funèbre au chevet du grand Non-Vouloir asiatique, et aussi, dur constat de carence de la Volonté occidentale. C'est janvier 1926. Il avait derrière lui déjà des essais publiés et un livre, *Lunes en papier*, tous cubistes. Le pas semblait franchi, le passage passé, depuis la salle de lecture et le commerce des livres, vrais ou faux, à la table d'écriture. Mais dans *La Tentation*, on trouvait encore ce trait de dilettante sous la plume de M. Ling à l'adresse de son ami français : « L'artiste n'est pas celui qui crée : c'est celui qui sent. Quelles que soient les qualités, et la qualité, d'une œuvre d'art, elle est mineure, car elle n'est qu'une proposition de la beauté. Tous les arts sont décoratifs[8]. » Comme si André ne pouvait pas y résister, à la tentation de jouir du décor sans y toucher, sauf pour l'apprêter, pour le doter de la puissance exaltante qui mue le voyageur en voyant et les apparences en apparitions. Plutôt transsubstantier le monde que le transformer.

Il souffrira toujours de cette répugnance enfantine à exister, à y être et à en être. Tantôt il la sublime en sagesse au nom d'une Asie qu'il sait d'ailleurs condamnée à succomber à la modernité, mais quel spectacle ! Tantôt il règle sa mélancolie en Européen moderne par un excès d'affairement, d'exploits et d'engagements d'autant plus éclatants qu'ils sont en somme sans objet, sinon l'émerveillement. L'évidence de ne pas exister ne restera pas moins active du fait qu'il multipliera les passages à l'acte, au contraire, elle lui fournit un tempérament constant aux enthousiasmes, aux illusions épiques de la volonté, et d'abord à la foi dans la « création ». Ce sera le ressort de sa « lucidité », ce tamis jeté par la nuit des femmes sur l'illusoire éclat des œuvres et des empires. André citera volontiers la phrase de Staline, qu' « à la fin c'est toujours la mort qui gagne ». Berthe lui avait inculqué cette leçon froide. Quel exploit vaudrait merveille, fût-il la victoire de Stalingrad ou un autoportrait de Rembrandt, s'il n'était arraché à la certitude qu'on est déjà mort ? Ainsi se réservait, sous la parure de l'amateur, le désespoir d'André, fidèle au rien, passionné de tout, enfant mélancolique avide de merveilles.

La rareté d'un livre, c'est sa teneur en enfance. Commerce de livres rares, c'est trafic d'illuminations. Le livre peut être publié depuis longtemps, tiré à cent mille exemplaires ou à cent, authentique ou faux, il est rare parce qu'il donne occasion à la féerie de surgir ou de se répéter. « En ces temps-là, il y avait… » commençait l'album et le poème, et c'était l'instant de sa vie grise où l'enfant entrait dans un temps immémorial. Pas seulement celui de l'histoire racontée, mais l'horloge s'arrêtait pour le petit lecteur. L'enfance serait à jamais instante, disponible par intermittence, suspendant parfois le cours de « la vie », insouciante et invulnérable. Livres d'images aussi, Malraux en composera jusqu'à sa mort, « illustrations » saisissantes. En 1918, il entre au Louvre avec sa bande pour regarder les œuvres de l'atelier de Degas que le musée expose pour sa réouverture avant de les mettre en vente publique : « Je comprenais mal " ce que cela voulait dire ", mais très bien que cela entrait mystérieusement dans ma vie[9]. » Le livre rare était un temps perdu jamais perdu, l'épisode d'une conjonction entre un héros, un paysage et un lecteur. L'amateur aime ce début comme le « décor » et l' « ornement » d'une joie d'autrefois bien plus vraie en lui que toute intrigue adulte.

La vie et l'œuvre d'André Malraux seront vouées à répéter l'émerveillement des œuvres, non pas en historien, en archéologue, pour en déterminer et en priser l'origine, mais en enfant pressé d'être ravi. Et parfois la seule intensité qu'on éprouve à chercher l'œuvre suffit à en faire une merveille : les ruines de Marib, capitale de Saba, sont vraies, quoi qu'il en soit, puisque le survol du désert fut exaltant. Ainsi l'effroi des gamins s'avançant à la chandelle dans un souterrain inconnu établit sans conteste l'existence du château perdu. André remplira les vitrines et les tiroirs de sa mémoire et les pages de ses livres non pas d'objets nécessairement précieux, mais d'indices de toute sorte, de toute nature, retenus pour leur pouvoir initiatique. Quand Clara s'affaire à liquider leur collection en août 1924 pour payer les dettes du couple, Breton et Doyon qui l'assistent s'étonnent du nombre de faux[10]. Kassner échappé à la prison SA se promène dans Prague retrouvée, « ses sens à vif prêtaient à l'éclatant fouillis de vitrines devant lequel il passait le fantastique des spectacles créés par son imagination d'enfant au sortir des féeries[11] ». Dans le prologue aux *Antimémoires* où Malraux explique qu'il n'y a pas lieu à confession désormais, il interroge le père Magnet sur sa pratique de confesseur. Il souligne dans la réponse du prêtre ces derniers mots : « Le fond de tout, c'est qu'*il n'y a pas de grandes personnes*[12]. »

La première rencontre d'une âme avec une œuvre ou une situation l'émerveille. Elle dormait, elle s'éveille. Elle se rendormira, c'est la force de la « coulée du temps », comme André nomme la nuit : la goulée, la goulue, la glu. On reverra le tableau, on relira le livre, on revivra la situation, on ne les rencontrera plus. « Le plaisir spécial que l'on trouve à découvrir des arts inconnus cesse avec leur découverte, et ne se transforme pas en amour[13]. » On gémira que l'enfance est perdue, qu'ils avaient délivrée. Dans l'œuvre de Malraux et dans sa vie, cette hantise de la précarité s'entend sous la célébration de l'immortalité des héros et des saints. La puissance d'éveil d'une œuvre, d'une situation, s'exténue. On n'oubliera jamais qu'elle s'est un instant manifestée, mais la première rencontre est passée. « Je doute qu'il y ait un dialogue de la chenille et du papillon[14]. »

Il est futile de collectionner. On n'accapare pas des éveils, on ne capitalise pas des rencontres. On peut se mettre au service de l'étrange pouvoir, lui donner occasion de rencontrer d'autres âmes pour qu'il y provoque de semblables miracles. Négocier des livres rares, outre un moyen de vivre (il y en a d'autres), c'est pour André comme de promettre de l'enfance aux autres. De même qu'éditer, de même que monter une exposition, de même aussi qu'ouvrir des maisons de culture et de jeunesse, et enfin d'inaugurer le musée imaginaire.

Quant aux situations extrêmes, *borderline*, où André court se mettre à l'épreuve et où il jette les héros des romans, Shade en donne le mot dans *L'Espoir* : « Il y a quelque chose que j'aime ici : les hommes sont comme des gosses. Ce que j'aime ressemble toujours aux gosses, de près ou de loin. Tu regardes un homme, tu vois l'enfant en lui, par hasard tu es accroché.... Regarde-les : ils sortent tous l'enfant qu'ils cachent d'habitude[15]. » « Yeux plus petits, lèvres gonflées », le visage de Corniglion crispé sur le manche de son coucou désemparé dans l'ouragan se change en celui d'un gamin : « Et ce n'était pas la première fois que je voyais le danger plaquer, sur un visage d'homme, son masque d'enfant[16]. » On se campe, on va mourir, on parade : c'était pour renaître enfant.

Transitaire en rencontres, voyageur de commerce en livres et en œuvres d'art, mandataire en aventures et combats, et conséquemment ministre de la Culture, qui est après tout le même métier, Malraux sera partout en mission pour recueillir et diffuser les occasions d'éveil, faire partager aux autres ses « premières fois », et partager les leurs. C'est pourquoi l'amateur en lui, impatient d'être émerveillé bientôt, l'enfant jamais assez gâté, et bon copain, empêchera toujours le militant, le soldat, le politique et sans doute d'abord l'écrivain, qu'il parut être, d'entrer pleinement dans ces rôles et d'accomplir leur office. Au fond il n'y croyait pas, pas plus que Berthe, aux choses de la vie. Contre Berthe, il ne croyait qu'en l'incroyable.

NOTES

1. *CH*, 703.
2. Martine de Courcel, *Malraux, être et dire*, 297-337.
3. *ML*, 66.
4. « Du livre », *Bouquinerie*, catalogue d'éditions originales et de livres illustrés de la librairie Gallimard, Gallimard, mars 1928, s.p.
5. *Ibid.*
6. *CH*, 653-654.
7. Clara 2, 47.
8. *TO*, 66.
9. *L'Intemporel*, 115.

10. Clara 2, 246.
11. *TM*, 147.
12. *ML*, 3.
13. *TO*, 92.
14. *NA*, 148.
15. *E*, 38.
16. *ML*, 72 ; scène reprise de *TM*, 822.

4

DES CUBES

Cependant il lisait tout, vite, les derniers symbolistes, les cubistes, les romantiques, des histoires de Byzance, les empires de Chine et de Mésopotamie, Barrès et Maurras, il regardait tout, les Vénitiens et les Japonais, les Toscans, Cézanne, Matisse, Picasso et Braque. Il lisait comme on regarde, et regarder lui apprenait à lire, à discerner comment se fabriquaient les mises en scène, à dénicher leur style et leurs moyens. A Clara, deux ans plus tard, devant la Bataille d'Uccello aux Offices : « Regardez ce tableau comme s'il ne contenait pas d'anecdotes » ; et il cachait d'une main en écran telle partie d'un Titien : faites comme moi, vous verrez qu'il se compose mieux ainsi[1]. L'amateur autodidacte et méfiant commence alors à imaginer que « le truc » est de composer. Il recomposait, il défaisait les scènes et les remontait. Quel était le secret dans les écrits et les images d'où ils tirent leur puissance, cette aimantation qui avait rivé le garçon à la table de lecture à Bondy ? Syntaxes d'une écriture, façons d'organiser un rapport de couleurs, cela demandait, se disait-il, des décisions. Le peintre ou l'écrivain avait tranché dans la matière des phrases et le continuum des teintes. Arbitrairement, bien sûr, mais pourquoi et comment faisaient-ils parfois, ces décrets, qu'un monde inconnu en naissait qu'on préférait à la réalité ? Il s'étonnait de cette surprise, que le blanc du papier ou le bis de la toile, pures émanations du néant, pussent donner lieu à

41

des êtres de verbe et de couleur bien plus puissants que les choses du monde. Coups de dés dans la nuit, pensait-il. Car enfin, il n'y a rien, et tout à coup, quelque chose advenait, autre chose, sorti des limbes.

Il grandissait en enfance, et il apprit que les contemporains, peintres et écrivains, les cinéastes un peu plus tard, étaient passés maîtres en l'exercice de ce pouvoir, en son exposition, Kandinsky, Mallarmé et Max Jacob, Picasso, tout l'équipage qui divaguait alors sur le Bateau-Lavoir. Les objets ne leur fournissaient plus que l'occasion de couper l'amarre avec ladite réalité. Un banjo, un journal, le cendrier, un visage, un poisson dans un plat : amorces pour faire exploser ce monde et libérer l'autre, tout de visions bizarres. Ils « situaient », ils « stylaient », disait Max Jacob, ils concertaient une démence propre à ironiser la nullité des apparences, à célébrer la puissance des couleurs, des mots et des formes quand on l'affranchit de la tutelle du ressemblant. Le regard de l'adolescent eut vite fait de se mettre à l'école des aînés, et ils le pilotèrent à tous vents, sans souci des époques, des cultures et des écoles. L'œuvre nouvelle réveillait dans l'ancienne sa vérité d'insurgée. On enjambait d'un pas les filiations, les influences, la stupidité des successions. Aux quatre coins de la nébuleuse des arts et des littératures, des œuvres s'allumaient, qu'on croyait assoupies, et dont les plus récentes recevaient en écho le coup de foudre. Le dessin de Picasso rendait à la vue une figurine cycladique, le Christ de Ravenne trouvait sa vérité dans un vieux roi de Rouault, une divinité d'Ellora s'abritait dans l'odalisque de Matisse, et la dernière aquarelle de Cézanne consonnait avec celles de l'époque Sung en Chine. Les arts et la littérature des nouveaux maîtres excédaient leur temps et leur héritage, ils rompaient avec le principe de la tradition. L'historiographie des genres et des périodes paraissait incapable d'expliquer ce branle-bas initiatique. André vit ses aînés comme des classiques, ils exhibaient la récurrence d'un geste de toujours fait par l'art et les lettres en défi au néant. « En cessant de subordonner le pouvoir de création à une valeur suprême, l'art moderne allait en révéler la présence sous toute l'histoire de l'art[2]. » André fouillait les quais mais aussi les bibliothèques, les galeries, les musées, pour récolter tous les signes de ce geste, il rapprochait, il comparait.

Et à force de pousser les portes des libraires bibliophiles, des Crès et compagnie, pour offrir les témoignages de ce geste qu'il glanait, le chineur en bouquins et images finit par intriguer l'un d'eux qui tenait « La Connaissance » dans le coin d'un passage à la Madeleine. Jean-Etienne Doyon se décida à demander à André de le pourvoir régulièrement en livres rares et de qualité. Il avait des acheteurs, on plaçait alors dans les collections par prudence, le franc était fragile, et lui-même rééditait à petits tirages. Il appointa donc ce très jeune homme, ils prirent langue. Après quelques semaines, ils conclurent qu'il serait bon de faire une petite revue, une de plus, mais à eux et sérieuse, *La Connaissance* pardi ! Doyon la destinait à combattre la décadence ambiante. « Voici venu le temps des constructeurs », annonçait-il dans le numéro un, en janvier 1920. André y signa son premier texte publié, « Des origines de la poésie cubiste », d'une plume sobre et tendue, et en février une critique de trois livres de Tailhade.

Il y passait donc, à l'écriture, il s'exposait au risque d'être à son tour comparé ? La revue de Doyon n'était qu'une occasion un peu latérale de publier. André était allé chercher son habilitation ailleurs, deux mois plus tôt, en novembre 1919. Quand le garçon de dix-huit ans à peine était venu, rue Gabrielle, frapper à la porte de Max Jacob, il n'avait en poche que les premiers feuillets d'un long poème en prose à la manière cubiste. Peu importait, il venait surtout déposer auprès du maître la demande d'ordination ès lettres qui presse les novices en écriture. Il avait lu *Saint Matorel*, édité par Kahnweiler en 1911 avec les quatre eaux-fortes de Picasso, et les *Œuvres burlesques et mystiques de saint Matorel*, illustrées par Derain un an plus tard dans la même collection. La *Défense de Tartufe* venait de sortir. Partout le ton l'avait frappé, l'humour, le désespoir, le récit de Jésus apparaissant à Max sur un mur de sa turne, rue Ravignan en 1909, une extase pascalienne moderne, et l'écriture cinglante. Libertin et mystique : André pensait retrouver dans Max à la fois son « qu'importe » et son « viens » les plus intimes. Un soir de 1950, Malraux descend avec Picasso de l'atelier des Grands-Augustins à

Paris : « La nuit est belle – comme lorsque Max Jacob, jadis, m'a montré pour la première fois le Bateau-Lavoir amarré dans la nuit d'été : les arbres, le réverbère devant la fenêtre de Juan Gris, personne sur la petite place intime comme un rêve[3]. »

Jacob était de la confrérie sordide et magnifique de peintres et d'écrivains qui inventaient une nouvelle modernité dans la grande bâtisse délabrée de la rue Ravignan à Montmartre. Il avait baptisé « Bateau-Lavoir » un dédale d'ateliers et de chambres abandonnés, et André l'imaginait travaillant auprès des autres, spéculant, s'engueulant, buvant avec eux, Picasso, le camarade du premier jour, les Braque, Apollinaire, Salmon, Laurencin, Léger, Derain, Reverdy… Ils avaient aux yeux d'André une civilisation d'avance, « une culture qui ne se conçoit pas. Qui oppose un domaine de recherches à un système d'affirmations. Dans laquelle l'artiste – et peut-être l'homme – ne sait que d'où il part, quelles sont ses méthodes, sa volonté et sa direction. Un art de Grands Navigateurs[4]… » Ils avaient levé l'ancre. On les avait vus cingler déjà au large, lors du Salon des Indépendants en 1911. Les peintres avaient accroché tous ensemble, dans la salle 41, un échantillonnage de leurs vues sur l'espace et la couleur qui parut si bouffon que le sobriquet de cubistes leur resta. En déambulant dans Paris en quête de livres et d'images qui pussent alimenter ses légendes d'appareillage, André avait trouvé les « Chroniques d'Art » d'Apollinaire et ses *Méditations esthétiques* publiées en 1913. Ainsi le cubisme, enfin, était l'insurrection du style contre l'imitation et l'expression, le découplage de l'œuvre et de la vie. Ignorer la nature, qui est la mort, « se rendre inhumain », déconstruire les récits, faire fi de toute donnée en somme, concevoir lucidement des objets de couleur ou de mots, à prendre en bloc, simultanés avec eux-mêmes, ici maintenant, dans une présence hors temps : André vit aussitôt le moyen offert à son désir d'évasion dans cette discipline presque mystique.

Apollinaire mort en 1918, ce fut chez Max Jacob qu'André se présenta, ayant trouvé dans *Le Cornet à dés* de ces poèmes en prose taillés façon facette, bijoux de mots, et dans la Préface à ce livre, datée de septembre 1916, les aperçus d'une poétique qui le frappèrent comme des éclats de cristal : on lui disait en six pages que l'art, c'était s'affranchir du monde, et comment essayer. Etudes, romans, films, discours, essais, actions même, tout Malraux, jusqu'au bout, sera signé cubiste. Il se présenta chez Saint Matorel pour honorer l'apparition. Il se fit aussi beau, aussi paré en « beau » qu'il le pouvait, canne, gants et perle à la cravate, on l'imagine même une cape de soie jetée sur les épaules comme il aimerait à faire de ses manteaux plus tard, jusqu'à la fin, en mémoire de ses mousquetaires d'enfance, mais ici pour faire hommage, sait-on, à ces mots du *Cornet* qu'il citait dans son article : « En bonnet de folie, le rémouleur (c'est la mort) écarte un mantelet doublé de soie cerise pour repasser un grand sabre. Un papillon sur la roue l'arrête. »

Entouré de fervents, une espèce de petit drôle vêtu de bure, clochard inspiré, le regarda et lui apprit en un instant qu'André ne serait pas des siens. Dans une lettre de février 1916, Max faisait à Tristan Tzara cet autoportrait :

> J'ai écrit à vingt ans un conte qui était un livre de prix pour enfants (déjà) (il y a ici un calembour intraduisible mais vous le traduirez si vous m'aimez un peu). J'ai vraiment un peu souffert à cette époque. J'ai connu Picasso en 1901 ; j'avais déjà été étudiant, chic précepteur, employé de commerce, critique d'art dans les revues officielles, puis balayeur puis jeune homme riche, puis lauréat et amateur de coulisses, mais ce n'est qu'en 1905 que j'ai été poète. En 1909 j'ai vu notre Seigneur sur le mur de ma chambre ; j'ai appris depuis que plusieurs personnes l'avaient vu à Paris le même jour. Entre autres le peintre Ortiz de Savate qui est un saint mais un peu buveur. Picasso a été mon ami depuis 16 années : nous nous sommes haïs et nous nous sommes fait autant de mal que de bien mais il est indispensable à ma vie. En 1906 nous avons connu Apollinaire qui était blond, et ressemblait à la fois à un Hercule Farnèse et à un esthète anglais. C'était un improvisateur : il est au front. Vous savez ! je connais beaucoup de monde et beaucoup le monde. Quand j'ai écrit Saint Matorel *qui est un chef-d'œuvre* (je le jure)

de mysticité, de douleur, de réalisme minutieux et sans aucune affectation, j'étais le petit rigolo le plus danseur de la terre.

Que faisait donc le papillon Max, le petit drôle, pour stopper un instant la meule de la mort ? Il allait s'envoler, voilà tout, et l'art n'était rien d'autre. Surtout pas exprimer la vie, juste bonne à moudre, mais travailler à sa « distraction », comme avait dit Baudelaire, s'en distraire à l'improviste. Le secret de l'œuvre tenait tout à la « mise en œuvre des matériaux », c'est-à-dire du vécu, dans la « composition de l'ensemble ». Le poème ne concédait rien au charme et à la séduction, à la surprise de l'amateur. Il était d'autant plus œuvre, au contraire, qu'il ne permettait pas d'abord qu'on s'y attachât. L'écrit devait résister à son lecteur comme une sorte de météorite restée au loin. Jacob nommait « style » ce qui séparait l'œuvre et en donnait « la sensation du fermé ». L'écriture du poème ne devait rien à l'idiome de l'artiste, à ce que Buffon nommait style et qui n'était que l'homme. Et pour renforcer l'étrangeté de l'œuvre, son estrangement, Jacob ajoutait à ce style la « situation » : une « marge spirituelle », une auréole christique qu'elle irradiait et qui contraignait l'amateur à reconnaître qu'elle était intouchable alors qu'il prétendait en jouir. Le poème était le corps du Christ. Ecrire était vouloir la transcendance, mais sans symbole, saisie dans l'ordinaire des choses les plus humbles et sans transiger. « La volonté joue dans la création le rôle principal, le reste n'est que l'appât devant le piège. »

Cette poétique de détachement voulu, André y entendit son désir de trancher. Elle opposait à la vieille accointance de l'homme avec le monde et à la complaisance la règle d'une sécession. Et que Dieu fût mort, que le Christ n'eût pas ressuscité et qu'en dépit du poème, la chair restât cadavre, peu importait. Dans son article de *La Connaissance*, il fit louange à Max Jacob d'avoir rétabli l'objet poétique dans sa sainte extériorité, dans son lointain, à l'écart du « sujet », du « développement », des contenus, et remis à vif le geste de désengluer, dans sa violence principale. Mais plus encore sa dévotion alla à Reverdy pour une rigueur plus sévère même, presque mutique, le « dépouillement chirurgical » de ses œuvres, la rigueur d'un Saint-Just en littérature. Entre Jacob et Reverdy, il y avait un déicide. Dans sa préface au *Saint-Just* d'Ollivier en 1954, André cite les mots du Jacobin tourné vers la Gironde pour expliquer son vote. Il désigne le roi : « Cet homme doit régner ou mourir. » La poétique de Reverdy exigeait qu'on coupât net à l'autorité du motif, jusqu'alors prince des arts. Écriture et peinture ne tenaient leur vertu que de leur propre geste. Représenter, imiter, interpréter, décrire, c'était la soumission. L'art était de pure « conception », de création, ne devait rien à du donné. Non pas cet homme seulement, Louis Capet, mais l'homme ne pouvait pas régner sur les œuvres et il devait mourir. Apollinaire avait dit : « Les artistes aujourd'hui doivent se rendre inhumains. »

Y a-t-il plusieurs manières d'inhumanité ? Reverdy se retire à Solesmes en 1925, comme en un désert sans dieu ni homme, et Jacob à Saint-Benoît-sur-Loire en 1921, puis de nouveau en 1936, pour adorer le dieu-fait-homme loin du monde. Le premier s'éteint en 1965 comme une flamme privée d'air, Max se laisse mourir en saint, ou en dernier des Justes, au camp de Drancy, en 1944, où la Gestapo l'a déporté parce que ce catholique est juif. Sous quelque livrée qu'elle se joue, l'intransigeance cubiste se paie au plus haut prix. André l'entendait ainsi.

C'est pourquoi il n'aima pas que persistât chez Max et dans son écriture une pente à l'arlequinade, « les jeux de mots exaspérants », qui se prêtaient, quoi qu'il en eût, à faire recette dans le suivisme épate-bourgeois. Il y avait du pitre dans Max, une tentation de pécher contre lui-même, et il fallait qu'il succombât toutes les semaines à cette corruption, chez la mère Anceau, au bistrot La Savoyarde, rue Lamarck, à faire mourir de rire ses petits camarades par mille mascarades. Debout dans un coin, André ne riait pas. Le temps pour lui n'était plus qu'un artiste s'occupât à mimer l'imbécillité du monde et de soi-même. Assez avec les oripeaux. Il fallait être un penseur consacré à déchaîner les idées, comme le poète les mots, sans tolérance. Et Jacob n'aima pas qu'André ne l'aimât pas : « Les idées sont bonnes pour les critiques de salon. On devrait les discuter à table, écrit-il à Leiris en janvier 1923, ou à la table à

thé avec Henri Valensi et quelques Malraux de passage. »
André ne fut en effet qu'un passant dans le cercle de l'En-
chanteur, comme on nommait Max Jacob, même s'il y revint
souvent. Il était désenchanté par principe.

Ce fut au point que, rendant compte trois ans plus tard de
L'Art poétique de Jacob dans la *NRF* (août 1922), il s'autorisa
de reprendre respectueusement mais d'un peu haut les bévues
du vieux maître : sous-titres arbitraires, erreurs sur l'art chrétien. André avait alors lu Nietzsche et Dostoïevski, Stendhal et
Gide, il écrivait pour *Action* la même année en mars, une étude
sur les « Aspects d'André Gide », et il faisait savoir à Max
qu'une sérieuse méditation sur l'art s'intitule désormais « psychologie » du sentiment artistique, au sens où Nietzsche
déclare n'avoir appris quelque chose « en psychologie » que
de Stendhal et Dostoïevski. Quant à l'art chrétien, loin de
« réprouver la passion », il permettait sûrement que s'exprimât
l'amour de Dieu, et jusqu'à la démesure. Que le poéticien aille
un peu voir, conseillait le jeunot, du côté des Ruysbroek, Eckhart, Thérèse d'Avila, Jean de la Croix ou Catherine Emmerich. S'il suffisait d'avoir de « la tenue » pour être chrétien en
art, comme disait Jacob, alors béni serait Chénier, et banni
Dante. Froid et bref, en deux pages, André opposait à une
manière d'être et d'écrire presque réconciliée, graciée, sous
ses airs de dureté, la leçon de séparation qu'il avait retenue du
Cornet à dés.

Ce n'était pas une rupture, il avait continué à voir Max
malgré sa répugnance, mais c'était une relève. La mystique
flamande, espagnole et rhénane était citée à comparaître pour
témoigner : si un objet fut de haute tenue, au point de faire
perdre au croyant sa contenance, un objet tout proche et hors
de prise, « situé » cubiste par excellence, ce fut bien Christ
autrefois. Il n'était plus vénéré dans l'Occident moderne ?
Mais sa place vacante n'en restait pas moins l'index d'une
tension toujours actuelle. « S'efforcer vers un but imprécis,
lisait-on dans *Action*, en considérant la valeur que l'on possède
et la possibilité où l'on est de l'augmenter, c'est la manifestation de toute intelligence et de toute véritable foi. » Le Gide
nietzschéen fut alors prétexte pour André à suppléer la

défaillance poétique de Jacob par une mystique du vouloir et de l'intelligence.

André avait obtenu de Doyon en 1920 que La Connaissance éditât la peu rentable *Passion de Jésus-Christ* où étaient recueillies les visions de la nonne de Dülmen, Anne-Catherine Emmerich précisément, et programmait la publication d'extraits de la *Mystique divine, naturelle et diabolique*, version française de la *Christliche Mystik* de Görres (1836-1842), un visionnaire un peu sorcier et théosophe, un romantique amer. Doyon, prudent, refusa.

Mais André ne désarmerait pas. Dieu n'existait-il plus, on lutterait avec son ange. Le jeune homme mince, le dandy dispendieux, qui fréquentait restaurants chics et boîtes troubles, prêtait des Sade à Gabory – expert en érotisme, et l'autre espoir de la jeune critique avec lui-même et Radiguet –, André qui faisait mine de lever une poule à Tabarin et vivait désormais à Paris en meublé ou à l'hôtel Lutetia, jouait en Bourse et ne croyait à rien – ce m'as-tu-vu ivre d'avoir quitté Bondy fit oublier quelques mois sous ses dehors voyous l'anachorète qui s'insurgeait en lui. Les sots se laissèrent prendre à son genre affranchi et lui aussi peut-être, mais en même temps il lisait en solitaire comme à Bondy, il allait voir les œuvres. Que Dieu était bien mort, ou que la mort était le Dieu moderne, il le savait depuis beau temps, de l'épicerie ; il se disait : mais alors l'Homme peut-être peut faire l'affaire ? Il se mettait à lire France et Barrès, et Gide encore, mais l'Homme aussi, c'était trop tard, on avait trop tué dans les glaises des Flandres et de la Marne.

Il retournait à Mallarmé et à Laforgue et se convainquait quand même que dans les ruines, quelque chose pouvait encore à l'abaissement et à la vulgarité faire front, un coup de dés mallarméen, cubiste, la force encore de faire quelque chose avec le néant, d'Artagnan mais en œuvres et sans cause connue à défendre. Et comme un sot, peut-être comme tout artiste, il s'inquiéta alors d'apprendre comment on fait pour sortir du fossé. Les entreprises du grand-père, les opérations du père, les grands trafics et les petits, jouer à la Bourse, à la vie, il connaissait, ce n'était que détours pour finir sans reste. Mais le coup de dés qui ne rentrerait pas dans le cours ordinaire des fluctuations, qui ne serait pas après trente ans anéanti, le miracle d'une œuvre dont la cote échappait au marteau du commissaire-priseur, comment, se demandait André, comment diable arrivait-on à sortir cette combinaison du cornet de la fortune ? Il cherchait le moyen.

Pour le dehors, mon Dieu, ce fut parure et bluff, l'affabulation était requise. Ne fallait-il pas faire comme si, en attendant, et se parer, pour afficher le mensonge des apparences ? « Non, les hommes n'existaient pas, puisqu'il suffit d'un costume pour échapper à soi-même, pour trouver une autre vie dans les yeux des autres[5]. » Il mettait une rose à sa boutonnière et un pistolet dans sa poche. Plus tard, colonel par-ci, ministre par-là, trafiquant, maquisard, mèche du tribun, casquette, béret galonné, casque en cuir des tankistes et pilotes, feutre gangster, l'éternel travesti s'affublerait de tous les couvre-chefs, sachant qu'aucun n'est bon sauf à couvrir. Duperies sur des scènes truquées, la réalité étant nulle. Mais sous les rôles d'emprunt, où la vérité se fuyait, elle se cherchait. Elle était d'affronter l'épouvante, je l'ai dit, de payer le vrai prix de la séparation. André essayait alors de le solder en dandysme, petite monnaie de l'absolu, qu'il dépensait à toute vitesse. Ce ne furent alors, autour de l'année vingt, que gestes de froid déni pour se soustraire à cette épreuve.

A ce train de fugueur en cavale, il quittait *La Connaissance,* à l'instant même où il y sortait un recueil d' « inédits » de Laforgue. C'était son premier acte d'éditeur, au sens anglais, métier fort scrupuleux et savant, qu'André exerça au galop. Il ramassa des textes épars dans des revues introuvables, qu'il trouvait, chroniques de la *Revue Indépendante,* poèmes en prose, nouvelles, souvenirs et études, pris à *La Vogue, La Vie moderne,* etc., les groupa en deux volumes, *Chroniques parisiennes* et *Dragées* et fit imprimer le tout, en 1920, sans corrections ni mention d'origine. Doyon, l'année suivante, ajouta de son chef à ce gâchis un troisième tome de même farine, *Exil, poésie, spleen.* Jean Ambry, spécialiste de Laforgue, qui préparait alors l'édition de *Berlin, la cour et la ville,* esprit sévère comme sont les érudits, dénonça le bâclage et la supercherie. Doyon polémiqua, André n'entendit rien, déjà parti sur un autre coup. On peut parier qu'il ignora le mépris dont François Ruchon, trois ans plus tard, dans son *Jules Laforgue,* accablait encore l'édition de La Connaissance.

La nouvelle affaire s'appelait Librairie Kra, rue Blanche. André se saisit, impassible, de la direction littéraire et de la responsabilité des maquettes pour des éditions qu'il venait d'inventer, à l'enseigne du Sagittaire, signe zodiacal qui était à peu près celui de sa naissance et serait celui de sa mort. Entre juillet 1920 et le milieu de l'année suivante, Kra publiait à la cravache un Tailhade, les *Causeries* de Baudelaire, deux Gourmont, *Cœurs à prendre* de l'ami Gabory, un Reverdy, un Jarry, un Max Jacob, tous ornés de bois et de dessins d'artistes parfois réputés, Derain, Max Jacob, ou proches et de qualité, Galanis, Moras, Drains. André s'étourdissait froidement d'imposer à la réalité tous ses désirs à la fois. « Diriger. Déterminer. Contraindre. La vie est là. » Garine dans *Les Conquérants* poche en trois mots le portrait d'un des Malraux possibles[6]. Commissaire à la culture, ou plutôt le savant prieur d'une abbatiale riche : ordonnait tout, veillait à tout ; recueillait les œuvres où s'entend la voix qui, dans les gorges, dit le désastre et la résistance ; faisait illustrer cette voix d'images propres à la faire retenir en visions d'outre-monde ; organisait lui-même avec un soin de grand scribe la composition des enluminures avec les oraisons désespérées ; éditait les textes ainsi enrichis comme les livres d'une piété impossible ; les livrait à la circulation comme autrefois les meilleurs ateliers fournissaient les sanctuaires érudits en trésors d'écritures. Enfant têtu surtout, qui veut faire merveille de la déception même. Il programmait un Radiguet, *Jouets du vent.* Mais c'était trop tard, Lucien Kra en avait assez des manières du Bonaparte de librairie, elles lui coûtaient très cher, on s'engueula, on rompit.

Ce cheval-là crevé, André courait déjà son gibier sur un autre. En l'année 1920 encore, Florent Fels créait avec trois sous (sa prime de démobilisation) et deux amis, Max Jacob et Salmon, une petite revue, *Action,* d'inspiration d'abord anarchiste individualiste, où Gabory publiait aussitôt, en février, un très provocant « Eloge de Landru » (l'année même où s'instruisait le procès de ce fou). Par Salmon ou Jacob, André fut introduit à ladite *Action* au moment même où elle se réorientait. « Révélation d'œuvres ardentes et novatrices qui garantissent notre force vitale », « puissance de volonté », « de style viril, combattant toutes décadences et avant tout créatrice… », tel se déclarait le nouveau cours en juillet 1920. Rien qui pût rebuffer André, au contraire, qui n'avait cure de ligne politique, et soit dit en passant, ignora tout du Congrès de Tours, la même année, d'où sortit le parti communiste français. La virilité vague affichée dans la déclaration le fit sourire mais il y entendit une résolution de faire front à la débandade.

Tout indifférent qu'il était aux affaires du monde de l'après-guerre, et s'il concédait à la foire des années folles ses manières de je-m'en-foutiste pressé, l'urgence d'affronter l'épouvante ne laissait pas de lui serrer les mâchoires, il lui fallait du dur à saisir pour échapper à l'enlisement général et au sien. Il fallait discerner dans ce que la crise libérait de possibilités celles qui pouvaient la contrecarrer. Il avait besoin de sec, de cube, et que la vie facile et bête se cassât les dents sur l'os d'une discipline. « Les poèmes doivent être carrés, construits comme des blocs », avait écrit Reverdy. Encore une fois, filer, mais filer dur, comme Nietzsche. Non pas filer ailleurs, mais ici même, avec « des œuvres qui, en se détachant de la vie, y rentrent parce qu'elles ont une existence propre, en dehors de l'évocation et de la reproduction des choses de la vie ». Reverdy ajoutait en 1917 : « Chaque poème est […] un fait poétique présenté, au lieu d'être une anecdote représentée », et Braque notait dans ses Cahiers : « Le peintre ne tâche pas de reconstituer une anecdote, mais de constituer un fait pictural. »

En cette année 1920, Cendrars écrivit à Jean Epstein une lettre au sujet de son livre *La Poésie d'aujourd'hui, un nouvel état de l'intelligence*. Cette lettre fut publiée avec le livre par les éditions de la Sirène en 1921. Nul doute qu'André la lût. Elle annonçait que le temps d'une autre rupture était venu : « Vous tracez la psychose générale d'une fin de génération, écrivait Cendrars, plutôt que celle plus évoluée de quelques-uns d'entre nous qui ont déjà franchi l'étape que vous indiquez […]. Marquez-vous bien la fin de l'ancienne crise et le début de la nouvelle ? […]. / Brisure nette, nouveau départ sur la ligne d'acier. / Il y a à l'époque : Tango, Ballets russes, Cubisme,

Des cubes

Mallarmé, bolchevisme intellectuel, insanité. / Puis la guerre : un vide. / Puis l'époque : construction, simultanisme, affirmation. Calicot : Rimbaud : changement de propriétaire. Affiches. La façade des maisons mangée par les lettres. La rue enjambée par le mot. La machine moderne dont l'homme ne sait se passer. Bolchevisme en action. Monde. »

Dans l'article de *La Connaissance* sur le cubisme, André avait cité en exemple, après Reverdy, les *29 poèmes élastiques* (par antiphrase) publiés la même année par Cendrars. C'est qu'ils étaient faits d'acier, morceaux chus de tanks et de trains blindés, éclats de la fabrique mécanique en quoi, partout, depuis Ford jusqu'à Lénine, la société raidissait son après-guerre. Or cette ligne de fracture, c'était celle qui était passée entre Max et André, et les avait disjoints.

NOTES

1. Clara 2, 24.
2. *VS*, 614.
3. *ML*, 804.
4. *VS*, 602.
5. *CH*, 727.
6. *Conq.*, 268.

SECRET DE FABRICATION

Maintenant, se demande-t-il, cette écriture de casse, par quels moyens l'obtenir ? Certainement pas en en confiant la fabrication aux rébus de l'inconscient, à l'écriture automatique, ou aux fariboles du répertoire dada. On verra Malraux s'écarter de *Littérature* créé par Breton et ses amis trois ans plus tôt, et résolument hostile à la stratégie du non-sens jusqu'au-boutiste que Tristan Tzara, arrivé de Zurich en 1920, tente alors d'introduire dans la revue, au demeurant sans succès. André entrera en contact avec les dadaïstes par son ami Marcel Arland rencontré dans l'atelier de Galanis fin 1920, mais sans conviction et au moment même où les essais de Dada pour se regrouper autour de nouveaux périodiques échouent l'un après l'autre : *Sic, Dés…* Le freudisme approximatif dont Breton se prévalait pour révolutionner les lettres paraissait à Malraux flatter leur laisser-aller. « Je tiens ce que nous appelons inconscient pour la confusion même[1] », note-t-il en marge du livre de Picon en 1956, et, un peu plus haut : « Si, comme on l'affirme, le romancier créait pour s'exprimer, ce serait plus simple. Mais vous savez que je pense qu'il s'exprime pour créer, comme tout artiste[2]. » Il gardait du cubisme la conviction que l'œuvre s'obtient par des moyens conçus et dominés. Mais plutôt que « bijou », éclat d'acier tombé d'un assaut contre l'Informe.

Il n'avait cure de perfection. Il écrit à Eddie du Perron, l'ami hollandais à qui *La Condition humaine* est dédiée, dans une lettre du 20 avril 1929 : « Il y a des gens qui ont quelque chose à exprimer et qui ne font jamais des chefs-d'œuvre (Montaigne, Pascal, Goya, les sculpteurs de Chartres) parce qu'on ne domine pas une passion qui attaque le monde ; et il y a ceux qui " font des objets " [...]. Le critique, au fond, c'est un homme qui aime " les objets " et non l'expression des hommes[3]. » Le regain, ici ou là, de l'harmonisme néoclassique lui semblait futile : la base du grand classicisme païen et méditerranéen, la compénétration de la nature avec la culture, l'union de la lumière et du discours, a disparu avec les dieux. Si les formes qui furent alors créées nous émerveillent encore, ce n'est pas à dire qu'il faut les restaurer : ce serait mentir à leur désertion présente. Gardons seulement de cette époque le principe d'une rigueur lucide dans l'acte créateur. *La Tentation de l'Occident* nommera cette discipline « classicisme négatif[4] » : une discipline de limpidité maintenue lors même qu'il n'y a plus de divinité ni de nature pour en agréer l'offrande, seulement le néant à défier. En 1923, Florent Fels demanda à André de préfacer l'édition de *Mademoiselle Monk* de Maurras.

Celui-ci défendait alors un apollinisme purement païen contre les romantismes et les christianismes venus du Nord. Sa poétique de l'ordre avait trouvé, dès l'affaire Dreyfus, la politique qui lui convenait. Il fallait détruire la démocratie individualiste, expression et cause du désordre décadent, et restaurer une autorité permanente. Seule la monarchie héréditaire sauvegarderait la communauté nationale en protégeant en elle sa culture latine. L'Action française, fondée huit ans après l'*Enquête sur la monarchie* (1900), rassemblait Daudet, Bainville, Lemaître et autres Bourget, attirait Barrès et Sorel, influença un temps Maritain, Gaxotte, Massis et Brasillach, tenta Bernanos même. Il y avait là tout un parti intellectuel qui au nom de l'idéal grand siècle athénien et français, prônait tout simplement la réaction. Lors de l'invasion de l'Ethiopie par Mussolini, en 1935, que ce parti applaudit bruyamment au nom de la civilisation, Malraux administra aux « intellectuels réactionnaires » une cinglante leçon d'intelligence historique et d'éthique culturelle, dans sa « Réponse aux 64[5] ».

S'il accepte de préfacer *Mademoiselle Monk* en 1923, ce

n'est pas qu'André ignore à qui il a affaire en Maurras. Il avait au moins lu *Anthinéa* en compagnie de Clara dans le wagon-lit pour Florence : « L'homme qui a trouvé " Salut, belle guerrière ! " ne saurait être mon ennemi que par erreur[6] », écrivait l'ingénue. Mais André trouve occasion dans les écrits du monarchiste de déterminer ce qu'il cherche alors : le pouvoir d'une discipline. « Son système est formé de théories dont la force que représente leur application fait une partie de leur valeur [...]. Qu'importe, pour son œuvre et pour lui, ce qu'il a voulu supprimer ! [...] Charles Maurras est une des plus grandes forces intellectuelles d'aujourd'hui[7]. » André, on le devine, n'avait que faire desdites théories et n'adhérait aucunement à l'idéal d'harmonieux équilibre dont la France était supposée la dépositaire : auprès d'un masque nègre, d'un bouddha khmer ou d'un Juan Gris, l'art versaillais des Lebrun et Le Nôtre laissait indifférent le franc-tireur cubiste. Après la cruauté shakespearienne, l'élégance de Racine fleurait surtout les bonnes manières de cour. Quant à l'absurde restauration d'un classicisme latin, Malraux généreusement pouvait y distinguer l'effort d'une « construction », un travail « pénible », « douloureux » même, pour s'arracher aux facilités du moment. La force de séparation l'intéressait, non la réparation.

Dans le Catalogue qu'il fait en mars 1928 pour l'exposition des tableaux de Galanis, André défend la fermeté du dessin dans l'œuvre de son ami. C'est à la discipline du trait qu'elle doit toute sa valeur. La couleur exprime un « tempérament pictural », mais son charme est extrêmement fugitif. Par la « simplicité » de son dessin et l' « équilibre » de sa composition, Galanis au contraire supporte la comparaison avec les meilleurs maîtres, Giotto par exemple ; mais aussi bien avec les contemporains, car les cubistes n'ont nullement inventé le « désir de discipline », ils en sont « une conséquence magnifique ». L'art s'est toujours obtenu en disciplinant ses moyens. Ce n'est pas tant Maurras qu'évoque ici la requête d'une règle, que Mallarmé, dont *L'Après-Midi d'un faune* est cité[8], et sans doute Valéry. Mais chez ce dernier, moins l'éclat méridional de *Charmes* que la détermination de *M. Teste*.

Dans *Note et digression*, publié en 1919, André avait pu lire : « J'avais la manie de n'aimer que le fonctionnement des êtres et, dans les œuvres, que leur génération. Je savais que ces œuvres sont toujours des falsifications, des arrangements, l'*auteur* n'étant heureusement jamais l'*homme*. » Le lecteur de Reverdy entendait à sa manière cette éthique poétique de l'effacement du pathos. La sensualité de *La Jeune Parque*, en 1917, avait été déduite selon le principe exposé par Poe dans la *Genèse d'un poème*. Le charme même devait se conclure d'une conception complète. Car quant à la beauté spontanée qui émane des choses données, des nuits, des cieux, des femmes, on subissait sa séduction, lors même qu'on l'exprimait, et elle reconduisait au néant. Il n'en restait que la vaine plainte, que rien ne vaut, et l'humiliation.

De même pour les idées, on se refusait à leur fascination, à l'adhésion qu'elles suscitent. « Il n'y a que les huîtres qui adhèrent », disait Valéry. L'idée n'importait qu'autant que l'intellect pût y exercer sa puissance de possibles. « Inventer un personnage capable de bien des œuvres », lit-on dans *Note et digression* : tel se voulait alors André, incapable peut-être d'aucune œuvre, comment savoir ? En attendant, faute de pensée bonne pour écrire, il abondait en pensées « bonnes pour parler ». Et il parla abondamment, parfois avec Valéry, en ces tournois éblouissants qui frappaient de paralysie toute l'activité des bureaux de la NRF, quelques années plus tard. Discussions qui n'étaient bien sûr que monologues affrontés, joutes destinées à éprouver la capacité de l'esprit à former des modèles au sujet de toutes choses, et à faire monter en lui la légère ébriété de se sentir tout-puissant.

André exerçait son intelligence à l'exploration des possibles. En 1928, il expliquait, narquois, à Simone Martin-Chauffier : voyez-vous, chère amie, « quand par exemple je marche dans la rue, je réfléchis à un sujet précis, choisi avant que je sorte [...]. Je ne rêvasse jamais, c'est du temps perdu [...]. Je me fixe un sujet de réflexion. Quand il est vidé, j'en change ; que la réalité extérieure s'impose, je l'écarte un moment, puis le reprends. – Là où vous en étiez ? – Là où j'en étais, bien sûr[9] ». Clara qui rapporte la scène se souvient qu'en 1933, André commenta sa liaison avec Josette Clotis, qu'il venait de lui apprendre, sur ce même ton très M. Teste : « L'ennui de ces choses, c'est qu'elles vous amènent à rêvasser[10]. »

Suffisance juste bonne à faire ricaner l'ancienne maîtresse, la venger de la nouvelle.

Valéry avait trente ans d'avance sur André, ayant pris lors de sa « Nuit de Gênes » en 1892, la décision que la pensée se suffisait de vouloir s'exercer lucidement, « mécaniquement », sur tout objet qui lui venait. En conséquence, toute œuvre était futile : « désœuvrement » revient souvent sous la plume d'A.D.[11], l'interlocuteur de *La Tentation de l'Occident*. Le Livre même où Mallarmé voyait la fin de toutes choses, c'était encore trop de métaphysique. Valéry concédait trois heures chaque matin à l'exercice « physique » de son intelligence, dont il consignait les performances dans ses *Carnets*. Après quoi, il traînait son aimable désœuvrement dans les salons et les assemblées où son art de parler, hésitant, fulgurant, s'amusait à méduser les comtesses, les généraux et les académiciens. André le sentait maître en désespoir et solitaire, mais ne consentait pas à ce pur désenchantement. Il n'était pas vrai que tout fût fini[12]. Il reprocha son spenglerisme à l'auteur de la « Crise de l'esprit » : nous autres civilisations, nous savons désormais que nous sommes mortelles... André chercherait justement dans « la mort » de l'Occident le motif d'une immortalisation des œuvres.

Et quant à l'exercice de l'intelligence, il lui fallait un partenaire. Il en aura quelques-uns, Arland trop doux, Groethuysen trop systématique, Raymond Aron trop insensible à la passion, Drieu la Rochelle si doué, parfaitement accordé à l'angoisse d'André sous son dandysme. Giono raconte à Jean Amrouche que vers 1930-1931, il fut prié, avec Gide et Drieu, à déjeuner à la Rôtisserie Périgourdine. André voulait avoir avec Drieu la Rochelle une conversation devant témoins. « Le sujet du débat était un sujet extraordinairement intelligent, tellement intelligent que la conversation s'engagea immédiatement vers midi et demi entre Malraux et Drieu la Rochelle et qu'elle dura jusqu'à vers six heures du soir [...]. On avait apporté des cafés, on avait apporté des alcools, on avait fumé des cigarettes, et je voyais que Gide était muet. Quand la conversation a été terminée, que nous sommes sortis, je me suis excusé, Malraux nous a serré la main, Drieu la Rochelle aussi. Ils sont partis chacun de leur côté. J'ai fait un petit pas de conduite à Gide et je me suis excusé auprès de lui en lui disant : – Je n'ai pas dit un mot parce que je dois avouer que je n'ai absolument rien compris à tout ce qui s'est passé, je n'ai pas compris un seul mot à la conversation. Gide, à ce moment-là, certainement par la plus grande des gentillesses, toucha mon bras et dit : – Mais rassurez-vous, Giono, moi-même je n'y ai rien compris. Au bout de quelques pas, il ajouta : – Et je crois qu'eux-mêmes n'y ont rien compris[13] ! »

Drieu était bon bretteur, il avait le même plaisir qu'André à la joute orale, et sa haine de la bêtise. Et le même désarroi sous son air résolu. Leur escrime ne visait nullement à établir quelque vérité dont persuader l'autre. Les combattants essayaient leur aptitude à faire fonctionner les idées, quelles qu'elles fussent, à monter des machines de mots et à les démonter. Rapidité de la feinte, endurance, chacun teste sur l'autre par le verbe la subtilité et la force de son entendement. C'était un art martial, tout de « lucidité ».

Gide et Giono n'avaient pas tort de faire les ânes : ils aimaient la sincérité, que pouvaient-ils entendre à ces assauts fantômes ? Alain Malraux, le fils de Madeleine et de Roland, qu'André éleva comme le sien, note que Drieu « épatait » Malraux[14]. Ce fut l'un des rares à qui le vertigineux orateur dût concéder l'égalité. Il le sentait son maître en désespoir. Drieu avait sur lui l'avantage de parcourir à toute allure les aspects d'une question, ses tenants et ses aboutissants, non pas pour en faire quelque chose, écrire, agir, non plus par amour du possible, comme André, mais par haine de l'exiguïté de la vie et pour détruire toute alternative. André trouvait dans Pierre la conviction matricielle que tout est perdu d'avance. Le verbe de Drieu mettait en discours le triomphe de la mort et le différait, grâce à l'intelligence virile. L'attachement d'André à Pierre passait par la figure de sa mère : une Berthe devenue folle d'impatience contre la nullité de la vie, et qui la précipitait. Malraux ne s'étonna pas que Drieu choisît le parti nazi pendant la guerre : c'était celui du néant. Ni qu'il se suicidât.

L'intelligence qui ne connaît pas d'objet où s'attacher, sinon son propre exercice, est hantée de cultiver en tout le procédé. Les tours du comédien, le jeu des doigts autour de la cigarette, le réglage des regards, le vêtement irréfutable, la face impassible que déchirent les tics annonciateurs, le verbe ironique et passionné ou le silence, les entrées et les sorties fulgurantes, André avait déjà le contrôle de la sorte de présence qu'il concéderait aux autres. Il ne fut jamais assidu au Lapin à Gilles ou chez Azon, à la Closerie des Lilas, au Dôme ou à la Rotonde, ni chez les Gertrude Stein rue de Fleurus ni à Puteaux dans l'atelier des Villon et Duchamp, ou celui de Gleizes à Courbevoie, toutes places où les diverses bandes cubistes avaient leurs habitudes. André gardait ses distances avec toutes, ce n'était pas par morgue, il était fort courtois, mais il avait ses propres copains, Chevasson, Gabory, et il avait surtout sa compagne, qui l'attendait aux rendez-vous des musées, des galeries et des bibliothèques, la solitude. Certain qu'on apprend plus par les œuvres que par les hommes. Jamais il ne se mêlera au milieu intellectuel parisien[15].

Mais en ces premières années 1920, l'autodidacte fut près de succomber à la tentation du procédé. Appelons ainsi ce péché de l'intelligence qui, affrontée à n'importe quelle donnée, serait-ce une passion, une extase, et surtout si elle est obscure, se demande : comment est-ce fait, que puis-je en faire ? Et se met en quête des moyens possibles de l'exploiter. Le même tour qu'il admirera dans *Les Liaisons dangereuses*. Ce n'est pas du réalisme, plutôt le contraire, une imagination mécanicienne, la balistique dans les lettres. L'intelligence alors ne compte que sur ses propres ressources. Et ce n'est pas qu'elle ignore ses limites, elle les force. Comme la Merteuil, il lui faut s'éduquer toute seule.

André avait peu retenu de ses maîtres d'école. Ils pouvaient bien tenter de lui apprendre à démonter les ressorts d'un poème ou d'une prose, il avait compris avant eux, il dessinait sur ses cahiers des petits *dyables* drôles et méchants, il lisait sur ses genoux sous son pupitre quelque auteur hors programme. Que pouvait-il entendre des autres ? La réponse lui venait avant qu'ils questionnent, ou sa question à lui rendait futiles les leurs. Il ne fut pas autodidacte par infortune sociale, mais parce qu'il ne pouvait apprendre que de lui-même. Il parlait tout seul, il parlait à sa question, toujours la même. Les autres, répète-t-il, on les entend avec ses oreilles, mais soi, on s'entend par la gorge. Sa question l'étranglait, comme un chat dans la gorge. Dans l'année 1920, au moment d'entrer dans la vie, l'angoisse l'étreignait, de se savoir et de se vouloir impropre à toute « fonction », sans vocation, sans intérêt particulier. Seule l'intelligence des procédés passionnait son sens des possibles. N'était-ce pas assez d'exercer cette lucidité pour desserrer l'étreinte du dégoût ? Ce fut un moment valéryen.

Il fut porté à lire les œuvres comme on déchiffre les plans d'une campagne et la disposition des troupes à l'Ecole de guerre, pour déterminer la tactique de l'auteur et la prendre en défaut. Les comptes-rendus qu'il écrivit pour *Action* ou la *NRF* pendant ces quelques mois, parfois fort perspicaces, à propos d'un Salmon en octobre 1920 dans *Action*, d'un Gobineau pour la *NRF* en juillet 1922, eurent ce tour de bulletin militaire. Un jeune général exposait en trois phrases quel était le dispositif adverse et comment il l'avait percé.

Ainsi s'enchevêtrait à la tenace phobie des fosses une arrogance de l'intelligence décidée à ne pas laisser parler ce qu'il y a d'humiliation nécessaire dans l'écriture. L'écrit tenait au contraire toute sa valeur d'avoir conçu et dominé ses moyens : c'est par là qu'il ne cédait rien à l'expression de la réalité. La misère de la vie était commune, mais le procédé singulier, irréductible à tout contexte quand il était puissant. Ce qui invitait Baudelaire au voyage, ce n'était pas les pays inconnus, c'étaient des assonances et dissonances, un choix de mots, des décisions de syntaxe, des ruptures de rythme perpétrées. « Mon âme vers d'affreux naufrages appareille », assurément, mais grâce à l'inversion. Glacé dans son col dandy, le jeune impatient fut alors décidé à ne pas s'en laisser accroire, même par l'évasion, et chercha à en inventorier l'arsenal. Le résultat fut qu'il lisait sans lire et se mit à écrire sans âme, comme on recense un magasin d'effets spéciaux pour l'exploiter. En 1932, il écrit dans sa présentation des documents *Jeune Chine* : « La fonction de la pensée européenne est la transformation du monde par l'homme [...]. Toute pensée européenne peut être réduite à un secret de fabrication[16]. » En 1920 il en passait par là. On ne s'évade pas parce qu'on aime la liberté mais si l'on a conçu un plan exact et rassemblé jusqu'au menu détail les moyens de prendre le large. « La guerre est un art simple et tout d'exécution », fait-il répéter à Bonaparte. Pourquoi pas l'écriture ? On pouvait désarmer une œuvre en établissant le plan de sa manœuvre ; on pouvait peut-être aussi la fomenter.

Les surréalistes découvraient alors Lautréamont. Breton rassemblait en 1920 la *Préface à un livre futur*. L'occasion était belle de faire d'une pierre deux coups : montrer à ces dévots de l'inconscient comme ils étaient dupés par le petit Ducasse, révéler que les *Chants de Maldoror* n'étaient dus qu'à un faux en écriture. André exerça donc sa lucidité de stratège en recensant *Maldoror* pour *Action* en avril 1920. Parvenu au milieu de son ouvrage, expliquait-il, en soulignant, Lautréamont « eut l'idée d'un PROCÉDÉ qui a donné à l'œuvre son originalité : il remplaça *toutes les abstractions par des noms d'objets ou, de préférence, d'animaux n'ayant avec les poèmes aucun rapport* LOGIQUE ». On trouvait la preuve de cette supercherie en comparant l'état du texte en 1874 avec celui de 1868. Et la comparaison révélait encore un stratagème, énorme celui-ci : systématiquement, le nom de Satan avait été substitué à celui de Dieu… L'effet, concédait André, est d'un visionnaire et d'un fou, mais, demandait-il patelin : « Même lorsqu'il donne des résultats aussi curieux, quelle est la valeur littéraire d'un procédé[17] ? »

La valeur critique de ce dernier, du moins, ne faisait pas de doute pour le signataire, semblait-il : il jubilait. C'est à vrai dire un procédé éprouvé, d'accuser l'autre de procédé. Mais cette rétorsion fort commune frôlait ici le déni de justice. André ramenait à l'invention de deux ou trois ficelles ingénieuses la portée d'une œuvre évidemment exemplaire de la crise dont la littérature souffrait depuis Baudelaire. La Crise du vers, la question du Livre, les poétiques de toutes sortes, à commencer par la cubiste, propres à faire état de ce désarroi, tout cela qui s'entendait dans Lautréamont (et que, je pense, André entendait) ne procédait donc que d'une petite habileté ?

Quant à Satan, qu'il pût se faire passer pour Dieu, n'était-ce pas précisément la cheville de son malheur à lui, André ? Que la vie puisse n'être que la mort déguisée, l'Enfer de la *Saison* ? N'est-ce pas le soupçon d'une telle confusion qui hantait ses écrivains préférés, Dostoïevski déjà, le Claudel du

Partage, et Max Jacob, et Bernanos qui finissait alors *L'Imposture* ? Que ce vertige fût bien le sien, il suffit de s'arrêter un instant au compte-rendu de ce dernier ouvrage qu'André écrit en 1928 pour la *NRF*. Car alors la tentation du procédé a passé, et Malraux reconnaît dans la détresse de l'abbé Cénabre le désarroi dont se soutient toute écriture moderne, et son propre malaise.

« Soudain, le personnage découvre qu'il vient de faire un geste grave auquel il se refusait, d'exprimer ce qui se cachait à lui-même. Là commence l'intervention de Satan[18]. » Malraux parle de lui-même. A lui aussi un geste, irréductible à aucun procédé, dévoile alors l'épouvante que l'intelligence mécanicienne, cinq ans plus tôt, avait tenté de maquiller. Ce geste lui échappait comme à l'abbé de Bernanos. La prétention de l'intellect à gouverner la manœuvre n'avait pas disparu, mais l'ennemi n'était pas la confusion de la bêtise, comme le pensait Valéry, c'était la Confusion même, la toute-puissance très réelle du mal infiltrée dans les œuvres du bien et la Redite qui rampait jusque dans l'entreprise intelligente. L'ennemi, c'était l'Asie du laisser-être, assurément, c'était aussi l'Occident du vouloir dominer.

Cette poétique ou cette éthique du soupçon se disait en clair dans le même numéro de la *NRF*, mars 1928, où paraissait la première prépublication des *Conquérants*. Ce roman de la terreur était le « geste grave » de Malraux : pour la première fois, son écriture consentait à confesser qu'il y a de la glu dans la réalité, bien sûr, mais jusque dans les actes qui s'insurgent contre elle. Elle représente la vanité de la conquête au regard de l'histoire, on le sait, elle se mesure aussi à la réalité poisseuse des mots qu'il faut pour le dire sans jongler. Dans cette œuvre maladroite, la première qui ne s'abritait pas sous la facilité du farfelu cubiste, l'esthétique du procédé, la subtile stratégie du faire-comme-si, faisait place à une discipline sévèrement réaliste de la langue, à la violence d'écrire au plus près du désastre de vivre et d'entreprendre.

Et en recensant *L'Imposture*, André fixait cette poétique du mal et ce mal poétique qu'il avait refusé à Lautréamont : « La crise obsède l'auteur beaucoup plus que le cas de l'abbé Cénabre. C'est à dessein que je parle d'obsession. » L'obsession, c'est : suis-je mort ou vivant ? Question à quoi le procédé ne répond guère : donne-t-il une « raison de vivre[19] » ? Et ce n'est pas le personnage qui se pose la question mais celle-ci qui pose les personnages et les distribue. Ils sont les « facteurs » d'un drame qui se joue sur la scène du conflit où Satan et Dieu échangent leurs rôles. Par rapport à ce réel plus réel que toute réalité, à l'enchevêtrement inextricable du bien et du mal, les individus sont à peine individués, à la limite interchangeables. « Dans le premier carnet de *L'Idiot*, l'assassin n'est pas Rogojine, mais Muichkine[20]. » « Ce n'est pas la réalité que suit M. Bernanos, mais une réalité particulière, réduite à des traits essentiels – et pour cela bien différente de l'autre – analogue à celle que traduit Claudel dans ses drames. » L'essentiel des traits tenait en cette incertitude terrible : que la vertu elle-même, d'échapper à la mort, c'était peut-être la mort qui la soufflait à l'abbé. Et l'écriture affrontant le désastre, n'était-ce pas le désastre qui la fomentait ?

A la Salpêtrière où il pensa mourir, en 1972, Malraux se redira les mots de Bernanos : que la foi aujourd'hui, ce n'est pas croire en Dieu mais en Satan. Dans l'angoisse constante des mystiques d'être mystifiés par l'objet de leur passion, André avait aussitôt reconnu la sœur de sa terreur à lui, que la volonté d'œuvre ne fût qu'un leurre monté par le destin de mort pour faire croire qu'on peut triompher de lui. Les *Mémoires* de Chateaubriand qu'il lisait et relisait, « avec Michelet en contre-poison », ravivait en lui l'archaïque évidence qu'on était né posthume et que le néant seul, Satan, avait signé d'avance tous les exploits.

Mais en l'année 1920, cette horreur ou cette sagesse n'avait pas trouvé ses moyens, cela faisait trop bête. Elle fut donc oubliée dans cette décision que la folie d'un Lautréamont n'était que pantomime de littérateur, et le tapage des *Chants* une ruse de guerre. Et que lui, André, ne se laissait pas confondre, plus malin stratège que son auteur. Or c'est en ce même temps, on l'a dit, et dans cette disposition, que l'amateur de procédés s'essayait à écrire son premier livre de fiction. *Lunes en papier,* que Kahnweiler publia en 1921 aux éditions de la galerie Simon (celui-ci avait été son associé et l'avait remplacé pendant la guerre) avec des bois de Fernand Léger, portait les traces d'une facture laborieusement débutante. Le titre le disait, ce n'était que fantaisies sans consistance et paperolles bonnes à chiffonner. « Gloire de café », décrète Malraux en 1972. Une note placée en tête après la dédicace à Max Jacob soulignait qu'« il n'y a aucun symbole dans ce livre », afin que nul n'ignorât que le signataire entendait être classé cubiste. Et non content de souligner son allégeance, le pourvoyeur en ouvrages oubliés mettait en exergue au Prologue des vers de Claude d'Esternod, un burlesque du XVIIᵉ siècle, qu'un article récent de Gourmont venait d'exhumer : « Ainsi qu'on voit une Panteine / Des bécasses serrer le cou. » Pantène ou pantière est le filet que tendent les chasseurs pour arrêter les vols d'oiseaux en bandes.

Or le canular ne cherchait en effet qu'à prendre aux filets de ses leurres tous les canards possibles de l'imaginaire littéraire le plus chic, se targuant ainsi (sans humour) de mystifier la bécasserie des lecteurs. Mais qu'il se tordît lui-même le cou, André, dans sa pantène, et que s'y étranglât sa voix de gorge, sa vérité, il ne pouvait l'ignorer, tant sa prose était compassée et proprement surfaite. Farfelue, se défendait-il, mais c'était au vieux sens de gonflée (comme on gonfle une affaire, un moteur) plutôt que de bizarre. Elle racontait si l'on peut dire, elle dressait plutôt à l'étal, une suite d'épisodes circonstanciés où MM. les Péchés Capitaux, sous la conduite d'Orgueil, menaient expédition en vue de traquer la mort et de la tuer. Il fallait faire étrange, se disait l'apprenti, étrangissime, si bien qu'il alla puiser ses motifs dans les trésors de « rares » qu'il écumait depuis deux ans, les fatrassiers et les rhétoriqueurs du Nord aux XIIIᵉ et XIVᵉ siècles, les montreurs de marionnettes à qui Ghelderode empruntera la *Farce de la mort qui faillit trespasser,* le James Ensor des carnavals funèbres et du *Christ à Bruxelles,* Cyrano et Rabelais, une lune de Max Jacob, les monstres de Jérôme Bosch, le fantastique drolatique d'un Méliès.

« Je mets en garde les auteurs de poèmes en prose contre les pierres précieuses trop brillantes qui tirent l'œil aux dépens de l'ensemble. Le poème est un objet construit et non la devanture d'un bijoutier. Rimbaud, c'est la devanture du bijoutier, ce n'est pas le bijou : le poème en prose est un bijou. » En dépit de cet avertissement lancé par Max Jacob en 1916, *Lunes en papier* mettait à l'étalage tout le fond du fouineur de bouquins. Le résultat fut sans âme, tape-à-l'œil, parce que le motif n'était que de n'être pas bête, sous prétexte de style. Encore une fois c'était l'heure du procédé, André forçait le trait.

Or en dépit de la défense expresse qu'il faisait à sa prose de signifier quoi que ce soit, quelque souffrance pourtant perçait ici et là, un cri étouffé. La Mort y figurait en squelette d'aluminium et de laiton, une mort à la Cendrars, qui souffrait de langueur, et un Orgueil travesti en médecin, qui lui administrait des bains d'acide azotique sous couvert de la revitaliser, de sorte qu'elle périssait dans sa baignoire. A travers ces mascarades laborieuses et empruntées, quelque chose pourtant se disait : que la mort vit, que la vie est un mannequin de la mort et que la volonté s'efforce de la détruire. Et si la Mort, avertie du complot, se prêtait à sa propre disparition en disant à sa confidente : « Oui, chère amie, j'en ai assez. Le monde […] ne nous est supportable que grâce à l'habitude que nous avons de le supporter. On nous l'impose comme nous sommes trop jeunes pour nous défendre et ensuite[21]... », n'était-ce pas que l'enfant de Bondy, soumis et insoumis, lui prêtait l'accent de sa fatigue ? André avait d'abord écrit : « Trop jeunes pour nous défendre – songez ! nous ne sommes pas même conçus ! – et ensuite […][22]. » Il ratura ce cri mais qui revint plus tard à l'heure de la mémoire en 1941 dans *La Lutte avec l'ange* : « Nous savons que nous n'avons pas choisi de naître, que nous ne choisirons pas de mourir. Que nous n'avons pas choisi nos parents. Que nous ne pouvons rien contre le temps[23]. » Encore trop jeunes, déjà trop vieux, morts quand nous naissons, « on m'appelle la Mort, mais vous savez bien que je suis seulement l'Accident », l'accident d'être né, cette « crevasse » reprenait André dans la *Lutte,* qu'il y a entre « chacun de nous et la vie universelle », le leurre de se croire une vie distincte dans la redite des vivants et des morts. L'enfance est vaincue d'avance, elle est, dit Gisors, « la soumission au temps, à la coulée des choses[24] ». Dans les *Lunes*, la Mort abattait sa dernière carte, « la destruction lente même n'est qu'un de mes déguisements[25] », « l'usure », avait d'abord écrit André au lieu de la « lente destruction ». La vieillesse aussi n'était qu'un leurre. Il dit à Picon en 1953 que le sentiment de vieillir lui est inconnu[26]. Ce n'est pas qu'il se sentît toujours jeune, comme il avait l'air, mais parce que cette prestance tenue jusqu'à la fin était un prestige d'origine, une prestidigitation de la mort, et qu'il ne pouvait pas vraiment vieillir, n'ayant jamais été jeune, disait-il. Depuis les *Lunes* jusqu'à *Lazare*, l'œuvre n'aura été que mémoire d'outre-tombe, que futur antérieur. « Vous ne savez pas ce que c'est que le destin, dit Perken à son jeune compagnon de *La Voie royale*, la certitude que vous *aurez été* cela et pas autre chose[27]. »

A la fin des *Lunes,* le jeune niais qui ne voulait pas entendre parler de sa terreur et n'écrivait alors que pour la brocarder, lâcha pourtant ce trait – sur sa vie et sur l'œuvre : « La Mort était morte [...] – Et maintenant, à l'œuvre ! dit l'Orgueil. – A l'œuvre ! répétèrent les péchés. – Par quoi commençons-nous ? ajouta Hifili. Il y eut un long silence [...]. » Les Péchés « se regardèrent, leurs visages étaient mornes. Alors ils laissèrent tomber leurs têtes dans leurs mains et pleurèrent. Pourquoi avaient-ils tué la Mort ? Ils l'avaient tous oublié[28]. » Un trait évangélique à l'envers, le morne d'un *mourning* impossible, le deuil de *Finnegans Wake*, la Mort prétendument vaincue par l'exploit orgueilleux et qui ressuscitait dans l'amnésie de cette victoire. « Anémie », disait le texte de *Lunes*, là où *Antimémoires* dira « torpeur », et *Lazare* « maladie du sommeil ». A l'œuvre ? Quelle œuvre ? demande le désœuvré.

A travers le procédé et la pantène, l'autre chose affleurait donc, la glaise horrible, et la glissade au rien. Le petit parvenu des lettres s'escrimait pourtant, on le voit crispé sur sa copie dans sa garçonnière rue Brunel, résolu à ne pas laisser parler les mots et à vaincre leur glu, impatient de sortir, d'aller régenter Kra ou impulser *Action*, de traîner Chevasson dans les galeries et les ateliers ou au Tabarin, d'aller boire un cocktail avec Gabory chez les « tantes » de la Petite Chaumière, place Ravignan. Il s'applique, mèche au front, chemise roulée sur le poignet nerveux, un clope au bec, à trancher dans la langue qui parle trop, s'y faire prendre à moitié, les bêtes de Saint-Maur ont les bras longs, on les coupe et ça repousse, elles ventousent le papier blanc, elles collent au stylo. Il se reprend, il rature, cherche les mots qui leur disent non, fignole un royaume de farfelus qui font la nique à toute vraisemblance. Il machine une parade lunatique. Et puis merde, ce Max Jacob l'énerve avec son talent, ça ne va pas comme il veut. Suffit pour aujourd'hui, il se lève, se rase, gomina, chemise fraîche, enfile le pantalon de ville, décroche sa veste, vérifie billets de banque, briquet, les cigarettes, la pochette, le revolver, la montre-bracelet, coup de chiffon aux richelieus, la canne.

Il dévale l'escalier, passe prendre Chevasson pour aller voir les cours de la Bourse à sa banque et les antiques au Louvre. Louis s'éprend d'un mauvais putto roman et André, gentil, trouve cette erreur intéressante. Il déjeune avec Gabory chez Larue, pourboire princier, ils montent à Montmartre voir l'ami Galanis rue Cortot. On trouve l'artiste, de vingt ans leur aîné, entouré de copains, on discute, on boit trop, on sort prendre l'air dans le village. On entre au Panorama, « immense bâtisse » en face du Sacré-Cœur où un Christ délavé subit depuis longtemps sa Passion « sur deux cents mètres de toile ». Des peintres ont squatté la baraque, on bavarde avec Elie Lascaux (qui l'introduira chez Kahnweiler), on entend des bruits, c'est plein de rats, on va voir à tâtons, on descend l'échelle à la lumière d'une lampe-pigeon, on trouve un tas d'aveugles, les mendiants de Montmartre qui viennent dormir là, et « je revois la forme de ces hommes appuyés les uns sur les autres, nos silhouettes sortant à peine de l'ombre, et dans la lumière, le peintre, stupéfait, les cheveux en broussaille, tenant par la main un fleuret dont il s'était armé à tout hasard et qui accrochait une ligne droite et mince de lumière jaune[29] ». Petit tableau fixé, le peintre et les aveugles, un Breughel, plus tard il dirait un La Tour, la lumière et la nuit, le fil d'une lame qui tranche des ténèbres molles. Encore les mères obscures et les lunes en papier, ah non ! On retourne chez Demetrios Galanis qui se met à l'harmonium, fait et orné de sa main, le peintre joue du Bach. Nous y voilà : cette scène qu'André épingle à la fin du Catalogue de 1922, elle était pour dire que le secret du peintre, c'est l'art de la Fugue. En 1949, André fait imprimer pour Reverdy un « Tombeau de *Jean-*

Sébastien Galanis »[30]. Et Manuel conclut *L'Espoir* à l'orgue et au piano.

Qui voyait-il ? Tout le monde et personne. La midinette anonyme dont il faisait usage et qui, dit Gabory, « montrait la grâce enfantine d'un singe », la voyait-il ? Chevasson, son inconditionnel, qu'il tutoyait, Gabory, un tantinet pervers, expert en mauvais lieux, qui l'épata deux ans ? Les artistes, les écrivains qui passaient rue Feydau chez Florent Fels, Derain, Vlaminck, Léger, Laurencin, Delaunay et Chagall ; et encore Paul Derdée, Artaud, Arland, Pascal Pia ? Et ceux qui fréquentaient chez Max Jacob, Picasso, Juan Gris, Henri Laurens et Braque, ces deux derniers amis de Galanis, et puis Cendrars un peu, Reverdy, Salmon ? Mais qui pouvait l'attacher dans sa course ? Presque jamais les personnes, parfois l'œuvre, seulement la merveille. Il arpentait Paris par tous les temps en compagnie de Gabory, ils déclamaient Baudelaire, Mallarmé, Laforgue, Hugo, Vigny dans les rues vides à l'aube.

Pascal Pia fit exception qui avait deux ans de moins que lui et une hauteur grand-bourgeoise dans la désinvolture et dans le canular érudit, auprès de quoi André se sentait plébéien. Ils furent aussitôt complices en recherche de textes et d'images rares, en découverte d'auteurs oubliés, en édition et commerce de libertins, en contrefaçons diverses, en hypothèses fabuleuses – l'un et l'autre obstinément dérisoires. Il y eut une autre figure, presque secrète et toute contraire, qui affecta André au point qu'il lui dédia *Les Conquérants*, huit ans plus tard, une petite silhouette de misère, un employé à Clichy-la-Garenne, copain de Gabory qui le lui présenta, René Latouche. Il boitait, aimait une femme et rêvait littérature. Je l'imagine en contrôleur de tramway dans *L'Espoir*, fusillé par erreur parce que sa sacoche a lustré l'épaule de sa veste comme aurait fait une bretelle de fusil. Or ce Latouche se laissa noyer sans bruit par la marée sur un îlot normand, ayant perdu son job et son amour. Claudiquer après l'écriture et la confiance, s'en fatiguer et mettre fin à ce bagne, sans éclat, le désespoir d'André pouvait vibrer à cette vérité. Ce sera la dignité de son père, après tout, le suicide, et celle des vaincus. « Etre pauvre empêche de choisir ses ennemis[31] », lit-on dans

La Voie royale. Mais non sa mort. Latouche, c'était la banlieue, l'écrasement, mais relevé *in extremis* par une « distraction » sans réplique. La conquête des *Conquérants* fut placée sous l'égide de la défaite conquise. « On ne se tue jamais, dit Perken, que pour *exister*[32] ». C'est-à-dire s'évader, faute de mieux.

NOTES

1. Picon, 60.
2. *Ibid.,* 58.
3. Vandegans, 284.
4. *TO*, 93.
5. *Commune* 28 (décembre 1935).
6. Clara 2, 16.
7. In Charles Maurras, *Mademoiselle Monk*, Stock, 1923.
8. Exposition D. Galanis, Argenteuil, imprimerie Couloma, 1922.
9. Clara 4, 82.
10. *Ibid.*, 83.
11. *TO*, 81.
12. Lettre à Paulhan (1928 ou 1929), citée par Claire Paulhan et Christiane Moatti, *Europe*, 727-728 (nov.-déc.1989).
13. Giono, *Entretiens avec Amrouche*, Gallimard, 1990, 38-40.
14. *Marronniers*, 149-151.
15. *Ibid.*, 86-90.
16. *NRF* 220 (janvier 1932).
17. « La genèse des *Chants de Maldoror* », *Action* 3 (avril 1920), 13-14.
18. *NRF* 174 (mars 1928).
19. « Jeune Chine », *NRF* 220.
20. Picon, 41.
21. *LP*, 24.
22. *OC*, 863.
23. *NA*, 127.
24. *CH*, 742.
25. *LP*, 24.
26. Picon, 32.
27. *VR*, 411.
28. *LP*, 25.
29. Exposition D. Galanis, *op. cit.*
30. *Exposition André Malraux*, Fondation Maeght, 1973, 39.
31. *VR*, 393.
32. *VR*, 376.

6

ENTRÉE DE CLARA

Là-dessus, Dieu ou Satan, sait-on, lui envoya une femme, au Bonaparte. Ce ne fut pas une Beauharnais, pas du tout. Ce fut Clara de Magdeburg entre Prusse et Saxe, née en France de la branche Goldschmidt établie à Auteuil, avenue des Chalets, depuis une vingtaine d'années. Une femme fort claire de quatre ans son aînée qui lui fit entendre tout net qu'elle serait son égale. Il laissa dire...

Voyons un peu la petite là-bas au nez trop long, bouche trop haute sur le menton, mais regard intrépide, de l'élégance, beaux cheveux, beaux bijoux. Et qui ne cesse de surveiller son amie Jane avec qui il dansait depuis une heure, au Caveau révolutionnaire. Prié pour un tango qu'il ne sut pas danser, Clara entendit le dégingandé lui verser dans l'oreille un petit poison à tout hasard : la Jane cherchait à écarter Clara.

C'était un soir du printemps 1921, on avait dîné au Palais-Royal, une trentaine de convives, Florent Fels traitait l'équipe d'*Action*. André avait exercé sa faconde. Péremptoire et farfelu, il diagnostiquait sans appel et contait mille anecdotes savantes et drôles, et sa voisine, une Jane envoûtée, riait aux éclats. A l'autre bout de la longue table, Clara s'ennuyait ferme, elle se penchait pour voir ce qui mettait en joie son amie, un grand maigre à peau pâle, cheveux beiges, gros yeux verdâtres, tout camaïeu, belles mains agiles comme papillon quand même, et la mèche en bataille. Connais pas ce génie. A la fin du repas, sur la demande de Jane, ils s'étaient éclipsés à quatre ou cinq pour aller danser audit Caveau.

Point de suite à donner avec Jane en tout ça, une proie trop futile, mais que voit-il le dimanche suivant chez les Goll à Auteuil, dont c'est « le jour », comme on disait, et qu'il connaissait par Fels ? La petite effrontée qui l'examine tandis qu'il inspecte une fois de plus aux murs le Javlinsky, le Delaunay, et l'Archipenko sur la cheminée. Elle s'étonne du regard, en dresse l'inventaire détaillé : « Ses yeux plafonnent, ils sont trop grands, les prunelles ne remplissent pas l'immense globe bombé : une ligne blanche se dessine sous l'iris d'un vert délavé », on dirait qu' « il ne sait pas regarder les gens en face[1] ». Mais ce n'est pas cela. Ils s'assoient dans une embrasure de fenêtre, il met en marche sa machine à faire taire, la formule dense, le trait rigolo, l'érudition précise ; déballe tout le fourbi de son ton « comme vous savez, et comme je vais vous expliquer », les poètes du XIe siècle, les satiriques, les chers mystiques, Nietzsche, le Greco, Dostoïevski, le nihilisme ambiant. Or la petite tient tête, avec sa voix qui saute entre l'éclipse et l'éclat, avez-vous lu Storm et Kleist, non ? et les grands romantiques, Novalis, Hölderlin ? (C'est donc ça, son accent, Allemande ; elle fait des traductions) et Heine et Tolstoï ? *Les Nourritures* de Gide bien sûr et Laforgue et Nietzsche encore. Elle réplique à l'Espagne d'André par son Italie, Giotto, l'Angelico, les Siennois, elle a déjà été seule à Florence, elle y retourne au mois d'août. André s'entend dire : bon, je vous accompagne.

Le lendemain, il l'appelle, l'appelée passe une heure radieuse au téléphone, vautrée sur le lit de maman Goldschmidt, qui s'impatiente. Le surlendemain, il vient la prendre dans sa chambre, ils sortent, musée Gustave Moreau, albums d'Ensor, Toulouse-Lautrec, elle lui montre à son tour les quartiers secrets du musée du Trocadéro, le serpent emplumé du Mexique, la section folklore français, « mannequins poussiéreux, aux têtes recouvertes de coiffes, familialement groupés dans des cuisines provinciales ». Il rit, il s'enchante avec elle de possibles et d'improbables : « J'aime les musées farfelus, parce qu'ils jouent avec l'éternité. Aucun n'approchait de notre vieux Trocadéro, où l'on voyait les icônes d'Abyssinie

en s'accroupissant et en allumant un briquet [...]. Réserves du
Trocadéro, où les mannequins en costumes exotiques regar-
daient pendre une sorte d'oiseau mort fixé à un fil de fer par
des épingles à linge, et qui était le diadème de Montezuma[2]. »
Ils vont au Bois, il s'essaie pour elle à ramer, l'incapable ; et
aux courses d'Auteuil, pour jouer, elle a plus d'argent que lui ;
ils divaguent ensemble dans leur bibliothèque et leur musée
imaginaire, citent et récitent par cœur des tirades entières, peignent batailles et Pietà avec leurs mains dans l'air[3].

Il n'en revient pas : une garçonne, et cultivée. Presque
aussi intelligente que Max Jacob, lui déclare-t-il, et cosmopolite comme un Cendrars. Une femme qui n'est pas un ventre.
Ils font l'amour et elle en parle dans le détail, non pas libertine, enfantine plutôt, curieuse de plaisirs et le faisant savoir
sans rougir. Comme pour débusquer la virginité d'âme du
grand dadais. Elle a été fiancée, elle a rompu, elle a aimé un
Jean mais ne s'est pas donnée. Si elle ne trouve pas la qualité,
alors tant pis, la quantité, dit-elle avec l'aplomb d'une demoiselle qui se veut à la page. Elle le voudra toujours. Elle est bien
plus moderne qu'aucune Française d'alors. Elle rit : vous comprenez, à l'entrée du lycée Molière où j'ai passé quatre mois,
une surveillante nous plaquait sur la bouche un papier pour
s'assurer qu'on n'avait pas de rouge à lèvres. Alors qu'en Allemagne, c'était les écoles mixtes, les filles libres de sortir
seules, les « fiançailles » de plusieurs mois avec contraceptifs
libres à la vente. Et puis, dans les vieilles familles juives
comme la nôtre, c'est la tradition que les garçons soient commis aux affaires pour accroître le patrimoine et le transmettre
accru tandis que les filles sont consacrées à la culture des
lettres, des arts et des idées, pour le plaisir de tous à table, à la
veillée et pour l'honneur du nom. Et quel nom, forgeur d'or...
J'ai perdu mon père il y a dix ans, et ma mère m'a mise à sa
place. Figurez-vous que pendant la guerre nous avons été
menacés d'une procédure en dénaturalisation parce que nous
étions boches. Et juifs, en plus. L'affaire a été classée, maman
a su pleurer comme il fallait dans le bureau du juge. Clara ne
dit pas qu'elle avait déniché toute seule, à dix-sept ans, les avocats qu'il fallait et préparé avec eux tout le dossier[4]. Et vous,
André ? Racontez.

Il raconte les Malraux, il embellit, il invente une mère vivant dans une suite au Claridge, rien de crédible pour une gosse de riche qui s'y connaît. Il sait qu'elle le sent évasif sur sa famille mais il s'affiche précis et ordonné, cinglant dans la problématique du monde contemporain, dans les littératures et les arts. Il l'emmène un soir rue Broca près de la Mouffe, un coin plus *up to date* que la Bastille, au bal-musette, tous deux parés en riches bourgeois qui s'encanaillent, elle se laisse inviter à danser par un marlou, ils sortent, fort tard, et sortis derrière eux, quelques apaches les dépassent, se retournent et tirent sur le beau manteau blanc de la demoiselle aux bijoux. La main gauche d'André étendue devant elle reçoit la balle mais de la droite, il sort son revolver de poche et tire, la bande file, pansement chez maman à Auteuil, pas d'effusions, mais décidément le rat de bibliothèque aux yeux tristes et au verbe haut n'a pas peur des coups, on dirait[5].

Mais Clara comprit-elle ceci ? l'entendit-elle jamais ? « Il avait préparé un poison, m'a-t-on rapporté, pour le cas où le véronal eût été... sans effet ? – Le revolver était sous le traversin, le cran d'arrêt dégagé[6]. » Walter Berger épilogue avec son neveu Vincent à l'Altenburg, sur le suicide de Dietrich, son frère. André, qui écrit cela en 1942, réfléchit au suicide de son père. En 1921, celui-ci vivait encore, mais il y avait le grand-père supposé tué par sa hache, et André, s'il avait son revolver « sous le traversin », dans sa poche de pantalon sur la fesse, n'est-il pas vrai, c'est qu'il voulait traverser travesti le désert et qu'au cas où il ne passerait pas, le canon de cet ami fidèle serait pour sa tempe ou sa bouche. Et ce fut sa joie méchante, sa revanche de pauvre, que la Clara pût croire qu'il était un bravache, un chevalier, et qu'elle se méprît sur la destination de l'arme. Qui ne se trompera pas, Malraux lui-même, sur le destin des armes pour Malraux ?

Même geste dans le train qui les emporte à Florence. André entre en clandestin dans le compartiment de couchettes réservé à Clara, à peine le train parti et Mme Goldschmidt laissée au bout du quai en gare de Lyon. Et puis, la nuit passée, voilà le train qui roule en Italie au petit matin, ô délices, et le contrôleur du wagon-lit qui frappe à la porte et dit à Clara que le monsieur du compartiment d'à côté lui a demandé la liste des voyageurs pour vérifier l'identité de Mademoiselle, et qu'il a dit : si c'est pas malheureux, une jeune fille de bonne famille ! Clara s'inquiète, demande à consulter le registre à son tour, c'est un vague ami de ses frères, il va tout raconter à Paris, elle s'angoisse, que va dire maman, la pauvre, et les deux frères, et les oncles, et l'oncle qui gère leur fortune, enfin tout, et que dirait mon père dans sa tombe au cimetière Montparnasse ? André, impassible, lui demande : si l'on se mariait, ça arrangerait les choses ? Bien entendu, dit-elle exaspérée. Eh bien, dit-il, faisons-le. Mon père maintenant ne peut plus s'y opposer. Quinze jours avant, Fernand avait dit non : André, blé en herbe, Clara une Allemande, et surtout la vie de famille n'était pas son fort, à Fernand. Clara humiliée accepte et minimise : nous divorcerons dans six mois. Très bien, dit André, et je vais liquider cette histoire avec le type d'à côté. Il revient : quel crétin avec ses curiosités déplacées ! Il lui a expliqué qu'ils sont fiancés, autorisés à voyager ensemble par leurs parents. Mais auparavant je lui ai, dit-il, proposé un petit duel. Clara se dit : au fond il s'en fout. Il ne se foutait pas de montrer son revolver[7].

Arrivée à Florence, elle télégraphie leurs fiançailles à sa mère. Elle présente Florence à André, elle l'introduit au grand décor tout près, les Offices, la place de la Seigneurie, les Giotto, Uccello, les églises, les façades, les lumières du soir et du matin, elle lui offre son italien, il ne parle aucune langue étrangère. « A peine entré dans une salle, il se met à courir comme s'il était en danger[8]. » Et lui rapporte le butin de l'inspection éclair, lui explique les trois œuvres qui parmi cent valent la peine. Il compare, juxtapose à ce qu'ils voient ce qu'ils ont vu ou jamais vu, le cubisme des tours de San Geminiano au géométrisme de New York vue de la rade, qu'ils ne connaissent ni l'un ni l'autre. Il la monte dans ses bras en haut de l'hôtel Moderne, il l'emporte dans le montage fébrile d'un musée mondial, indifférent aux lieux et aux temps. Il ne visite pas la terre comme Morand en touriste, il ne l'arpente pas comme Cendrars pour se trouver et se perdre, il la refait. Géographie et histoire sont mises à sac comme des trésors de formes et ces formes sont inspectées non pour le plaisir qu'elles donnent mais à partir de l'émotion violente et singulière, différente, que chacune d'elles engendre, serait-ce après des millénaires. Il interroge les énigmes de cette fécondité étrange qui les fait toujours possiblement présentes. Clara sent bien que lâché dans la Toscane entière, ce musée de cités, de palais et de collines, André est pris par une sorte de panique, « comme s'il était en danger ». Lequel ?

Allongés l'un et l'autre près du cimetière de San Miniato, il lui dit : « Comme nous sommes heureux. » Il lui dit : « Si vous deviez mourir, je me tuerais. » Il répète : « Je me tuerais. Et vous ? » Elle s'interroge avec scrupule : maintenant oui, plus tard je ne sais pas. Elle doute : « J'ai peur de ses mots à lui, je ne sais pas s'il y croit, je ne sais pas ce que signifient certains de ses mots, pas tous, j'avance comme à colin-maillard, les bras en avant, les mains chercheuses, peureuses, les mains pleines de tendresse. » Mais lui, il dit : nous, il dit : bonheur, et il dit : suicide, au bord du cimetière de San Miniato. « Je vous croyais tendre, écrira-t-elle, vous étiez simplement bon. » Bien bon d'y être, en effet, quand on est toujours ailleurs[9].

Heureux pourtant, dans cet instant sépulcral, pour la première fois. Est-ce que l'archaïque horreur des fosses en vient alors à se surmonter, que s'écarte la phobie des femmes qui pleurent et rient sur leurs bords, et que commence à se réaliser la promesse d'échapper à la vie morte ? C'est cette promesse qu'André poursuit en courant les salles à Florence et qu'il cherchera en courant le monde. Et ce n'est pas pour collectionner les œuvres, ni pour s'assurer que lui-même est capable de son œuvre, mais pour savoir comment le miracle des œuvres est possible au milieu de la vanité des choses et des vies, pourquoi il persiste, imprévisible. A Florence, il éprouve en direct qu'il arrive que la promesse soit tenue, et en grand. Mais son bonheur se double de ceci, qu'il n'a jamais connu : d'être partagé sans réserve, croit-il (mais il se trompe : Clara déjà s'interroge), et par une femme, justement. Il lui faut, bien sûr, mettre celle-ci au tombeau et se suicider sur sa dépouille pour qu'elle mesure comme il faut l'intensité de sa nouvelle joie. Ne sont-ils pas couchés auprès d'un cimetière ? Pas de vraie vie si elle n'est pas ajustée à l'imminence de la mort, pas d'exaltation sans la menace de la rechute. L'épreuve du désespoir s'obstine à tester la valeur de la joie. Reste que c'est à cette femme, ici et maintenant, que la rémission est due. « Notre amour est pour lui comme une conversion[10]. » Son intelligence à elle, sa culture, son alacrité, sa sensualité violente et bavarde, sa curiosité pour tout, son courage de petite fille renversent tout à coup chez André étonné la figure qu'il porte en lui du féminin. Il apprend de Clara que toute femme ne voue pas toujours tout homme à la vanité de survivre, qu'elle n'est pas nécessairement une mère funeste ou une putain frivole, qu'elle peut être sa sœur et sa maîtresse dans l'insurrection de l'âme et du corps. Celle qui soutient la promesse d'enfance, et non qui la déçoit.

Le moment florentin fut peut-être le seul moment de grâce dans la vie disgraciée de Malraux. Aussi transitoire fût-il (Clara commença à tenir son « Livre des comptes » dès 1924, c'est dire non pas comme André la déçut, mais comme la déception était prête en elle, son narcissisme à elle, sa jalousie enflammée de n'avoir jamais à jouer que le second rôle), aussi précaire que pût être cet instant bouleversant, il délivrait une vérité secrète dans la vie et l'œuvre de Malraux. Cette vérité a rapport au sexuel.

Parlant avec Grover de Drieu la Rochelle, Malraux lui confie : « Il n'était certes pas misogyne au premier degré, croyant la femme inférieure, mais il l'était au second degré : il en voulait aux femmes de ne pouvoir se passer d'elles... comme moi[11]. » Drieu était misogyne des deux façons en vérité : il lui fallait des femmes, et qu'elles n'eussent pas d'âme, comme il disait. Quant à Malraux en avouant comme par raccroc sa dépendance au sexe, il trahit peut-être son vrai désir. La conversion de tout amour en son contraire rythmera régulièrement le rapport d'André avec les femmes qui seront ses compagnes, et cela quoi qu'elles soient et fassent. A commencer par Clara elle-même. Il est victime d'une compulsion à tuer les femmes, qui arrivera presque toujours à se satisfaire à son insu, et parfois pour son désespoir. « Pendant tant d'années, par quoi ai-je été obsédé ? Par les femmes. Eh bien ! si je pense à celles que j'ai aimées – beaucoup sont vivantes – je pense à un cimetière, Malraux. J'en oublie la moitié[12]. » Méry, « rencontré » à Singapour et qui sera mort avant un mois, fait ses comptes en maîtresses en buvant du whisky au bar du Raffles. « Malraux » écoute avec complaisance cette « voix soumise [qui] fait passer dans la nuit le cortège millénaire de la dérision ». Il ajoute pourtant : « Il y aurait aussi un autre cortège, celui des femmes avec lesquelles nous avons rompu – si elles étaient mortes quand nous les aimions encore[13]. » Procession des abandons ratés : j'aurais rompu, mais elle est morte avant. La séparation était préinscrite dans l'attachement. Inévitable : alors qu'on prend encore, on a déjà rejeté. Et voilà que la mort de l'aimée vous prive de cet accomplissement. « Si vous deviez mourir », Clara, je me tuerais. Dépit d'avoir alors été doublé par quelque aléa, ou le coup du destin, d'avoir à subir la rupture. Méry à voix basse insiste : « La mort d'une femme aimée... C'est... la foudre, Malraux[14]. »

André est ainsi foudroyé en novembre 1944, quand Josette lui est enlevée par un accident affreux. Il commande alors la brigade Alsace-Lorraine engagée sur le front des Vosges. Il fait un saut en Corrèze pour l'inhumer et retourne au combat. Tente de s'y faire tuer. Il l'aimait. Ce qui n'empêche pas, bien au contraire, qu'il cherchait à se protéger d'elle. Vivante et déjà morte, aimée et déjà écartée, qu'elle ait éveillé la tendresse ou ne serve qu'à calmer l'irritation du fantasme, une existence féminine met toujours en alerte l'ambivalence majeure et l'angoisse. Les femmes sont les agents de la nécessité, la volonté échoue à repousser leur séduction. Et c'est pourquoi elle s'y efforce. Toujours déjà, elles vous habitent et l'on est termité. En 1972, sur son lit de mourant à la Salpêtrière, André fait ce parallèle : « Comme la sexualité indépendante de tout objet (mais non de nous-mêmes), l'épouvante indépendante de toute peur[15]. » Le sexe, c'est comme les bêtes. « La femme, elle finit toujours par s'arranger avec les bêtes[16]. » Dans l'isba d'un kolkhoze, quelque part sur la plaine russe, où l'avion de Malraux a dû se poser d'urgence, on bavarde entre hommes des choses de la vie, tard dans la nuit, on boit, on fume, on y va de sa sagesse. Ses grosses mains sur la table et l'air ailleurs, un moujik en trois mots rassemble tout ce qu'il sait du sexe. Et c'est la même sagesse que d'André, ou sa folie.

Reste que Clara, en 1921, fit exception. A Florence, pas une seconde (même lors de l'allusion à leur mort), André n'a senti qu'il devait « pouvoir se passer d'elle ». C'est qu'elle fut alors, dans la chair de son corps et de son esprit, confondue avec la chair des œuvres. Je dis « chair », un mot de théologien, pour faire entendre que sa présence fut à André une grâce, comme était une grâce la présence des œuvres innombrables dans le sanctuaire toscan. Il dira : métamorphose. Clara fut le nom de la première évasion, celle où un instant l'évadé oublie la prison qu'il fuit. Il s'échappait des femmes, et ce fut sous l'égide d'une femme qu'il s'échappa en cet instant. En 1933, l'enfant qu'elle eut de lui, contre son gré, il proposa pourtant de l'appeler Florence. C'était déjà l'heure de leur séparation. Pourquoi la baptisa-t-il du nom de leur union ?

De ce paradoxe se conclut ceci : qu'à poursuivre toute sa vie, dans ses actes et ses écrits, les signes d'une puissance créatrice, à la fois immanente et transcendante à l'ordinaire des choses déjà mortes, dont Florence fut le premier nom signé à même son corps, Malraux n'a jamais fait que chercher à discerner une figure féminine dont *il n'essaierait pas de pouvoir se passer*. Il cherchait à inventer dans l'histoire, dans les écrits et dans les arts une dépendance voulue, une allégeance à la Féconde. Désir toujours déçu dans la réalité, toujours dénié sous les masques, toujours travesti en respect des pères et en « fraternité virile », désir aveuglé et désemparé, mais immuable, de se placer sous la tutelle de la vraie Génitrice, celle qui peut donner vie aux œuvres dans la mort des siècles. Telle fut « présente » la féminité chez André, beaucoup plus secrète qu'il ne lui parut et qu'il ne le laissa paraître : être le fils adoptif de la mère des créations. Il se sépare, il fuit la mère funeste et la mère de la mère sur leur ordre, il croit ainsi accomplir sa volonté d'homme, sa virilité, mais évadé du gîte et du ci-gît, il court après le giron de la grâce. Il a pu croire longtemps signer sa vie comme son œuvre à lui, mais ce fut enfin pour obtenir le contreseing de la donatrice inconnue.

Mme Goldschmidt a répondu au télégramme de Clara :
« Reviens immédiatement sans ton camarade. » La fille part
pour Venise avec le camarade. Il dévore la Sérénissime comme
il a avalé la Toscane. On l'imagine fixant à jamais en un éclair
le geste en Z que le Tintoret imprime à la Montée au Calvaire
sur le mur de San Rocco : quinze ans plus tard dans le film
Sierra de Teruel, le cortège des aviateurs internationaux abattus en montagne et descendus sur des brancards de fortune par
les paysans aragonais refera ce même geste en sens inverse.
« Et toute cette marche de paysans noirs, de femmes aux cheveux cachés sous des fichus sans époque, semblait moins descendre pour une marche funèbre que pour un austère et mystérieux triomphe », avait écrit Malraux pour le roman *L'Espoir*.
Sur épreuves il corrige : « […] semblait moins suivre des blessés que descendre dans un triomphe austère[17]. » La correction
isole l'essentiel, le mystérieux triomphe attend ici comme à
San Rocco la misérable victime et la sanctifie. Les saintes
femmes et Simon le Cyrénaïque ne font pas non plus un cortège funèbre. Ce que Malraux hallucine dans le Z, c'est la
zébrure d'une foudre qui joint l'invisible au visible. Importe
peu qu'elle descende ou monte. Elle inscrit sous nos yeux non
le mystère de la Crucifixion, mais de la révolte et de l'art. Golgotha agnostique, que gravissent les aviateurs foudroyés tandis
qu'on les transporte en bas.

Pour sa part, Clara résiste aux couleurs trop somptueuses,
à ce qu'elle appelle le baroque vénitien, aux séductions du
show permanent que la cité des Doges offre aux regards. Son
âme reste attachée au clair dessin toscan. C'est par lui que la
grâce s'est signée pour eux et entre eux. Venise en est déjà le
brouillage, la rature et la trahison. Et l'appétit intact d'André
pour les architectures arabo-gothiques, les mosaïques byzan-
tines, les ors, les ornementations, les espaces courbes et les
éclairages maniérés des peintres, elle le ressent comme la rupture du pacte de San Miniato, une indifférence boulimique. Le
miracle florentin n'a donc été pour lui qu'un cas, premier
certes, mais il va continuer à fuir en avant à la rencontre de
tous les cas, œuvres et gestes où se reconnaît la « présence »
d'une créativité intraitable. « Chaque étape, écrit-elle, suscite

en lui le désir d'une prochaine étape[18] », mais non, c'est son désir, en voyage vers la Signataire secrète, qui fait de chaque chef-d'œuvre un simple échantillon de la signature.

Ils rentrent à Paris, ils se marient.

Chaplin souffle à Clara le script de l'épisode.

A la gare, maman m'attendait avec ma tante Jeanne, celle que les choses de la chair intéressaient si intensément et si vainement.

Ma tante Jeanne m'a dit : « Est-ce que ça vaut la peine ? »

Maman m'a dit : « Est-ce que tu es heureuse ? »

Mon frère Maurice ne m'a pas demandé si j'étais heureuse. Assis sur son lit en train d'essayer d'enfoncer dans une chaussure trop étroite un pied inhabile, il m'a dit : « Tu nous as déshonorés. Je pars pour l'Amérique. »

Je lui ai dit : « Mets d'abord tes chaussures. »

[...]

« Ton oncle est un mendiant et tu n'es qu'une pauvre fille », me dit mon oncle quand je lui demandai de me remettre l'héritage de mon père. « Je vais confier l'affaire à un avocat », ai-je dit à mon oncle. Là-dessus tout s'arrangea, après que j'eus encore rejeté la proposition d'une assez forte pension, mon oncle pouvant être généreux quand il s'agissait de garder les gens sous sa tutelle.

[...]

« Votre oncle ressemble à un pot à moutarde », me dit mon fiancé. Bien que ce fût évident, je n'y avais jamais pensé.

[...]

« Je me suis commandé chez Poiret un tailleur en velours noir garni de petit-gris, pour la mairie », ai-je dit. Puis, j'ai ajouté un peu honteuse : « Est-ce que nous ne pourrions pas faire un truc en plus, enfin, quelque chose du style religieux, de n'importe quelle religion, vous savez, comme Laforgue qui, après son mariage, a passé dix minutes dans le fond d'une église avec sa femme ? ... »

« Entendu, m'a-t-il dit, mais alors nous ferons le

tour de tous les endroits de culte ; nous irons au temple, à la synagogue, à l'église, dans une mosquée, dans une pagode si nous en trouvons, chez les *christian-scientists* et chez les antoinistes. »

[...]

« Qu'est-ce qu'on fait avec ça ? » dit mon mari en descendant l'escalier de la mairie[19].

Ça, c'étaient les alliances. Le troc fut conclu : la petite fortune de Clara que le frère de son père gérait pour elle passe aux mains du couple. André sans hésiter fait des placements spéculatifs en Bourse. Ils vivent en rentiers jusqu'à l'été 1923, où partirent en fumée non seulement les actions des mines mexicaines Pedrazzini, mais les Pedrazzini eux-mêmes, qu'André prétendait avoir connus lors d'une réunion du conseil d'administration de la société. Auparavant, le couple a couru l'Europe. A Strasbourg, Clara oublie dans la chambre du Chapeau Rouge, leur hôtel, un Sade, *Le Bordel de Venise*, illustré par Derain, qu'André édite sous le manteau dans sa série d'érotiques avec la bénédiction de Clara. Ils prennent l'avion pour Prague.

Premier vol aérien, chose fort rare encore et aventureuse. André jubile. Quoi ! se dit-il penché sur la Bavière et la Bohême qu'on devine à travers les nuages, voilà donc D'Annunzio, voilà le futurisme, voilà Fonck et Guynemer. Et voici bientôt Saint-Exupéry dont les ailes ourlent la côte du Sahara occidental vers Port-Juby, voici Malraux lui même survolant dans un Farman 291 avec Corniglion-Molinier et Maillard le désert du Yémen en quête de Saba, et voici Kassner dans *Le Temps du mépris* fuyant la geôle nazie vers Prague lui aussi et rencontrant le même cyclone qu'André essuya au-dessus du Constantinois au retour d'Arabie et voici Magnin embarqué sur un zinc de son escadrille España dans la bataille de Teruel. L'enfant en lui jubile d'être grandi si vite et si haut, et le voyeur de couvrir des yeux tant d'étendue à la fois, et le héros nargue l'abîme sous lui, le guerrier imagine la puissance de feu d'un tel engin, le fugueur mesure sa capacité d'évasion, et le conquérant d'invasion. Il écrira à la Salpêtrière : « Mon vertige m'obsède. Je ne connais pas le vrai vertige. L'expression : perdre pied de la vie, ne me quitte pas, liée à une glissade sur l'aile – celle de l'avion que l'air ne soutient plus[20]. »

Retour de l'escapade – vingt-cinq mille kilomètres aller et retour sur le Farman équipé d'un moteur Gnome et Rhône Titan Major gonflé – au-dessus du désert nord-est du Yémen, André donne en avril 1934 au *Gnome et Rhône Journal* quelques réflexions intitulées « L'homme et le moteur ». Entre les deux, explique-t-il, le rapport n'est pas de personne à instrument mais de personne à personne. « Etrange union », « rapport presque sexuel » (il le note déjà dans la scène de Bône), le halètement du moteur s'éprouve comme la pulsation d'un cœur. Le pilote habite la machine et la machine l'habite, à travers tous les sens en alerte, vue, toucher, ouïe, « et ce sens de la montée et de la descente qui n'a pas encore de nom ». Comme entre amants de longue date, la défaillance est toujours possible, mais son idée ne fait plus peur. « Je crois que le courage est une destruction d'idées. » Au premier vol, premier coït, « le passager pense aux raisons de chute. Au centième, il a cessé d'y penser, non qu'elles se soient affaiblies, mais parce que seule une habitude du corps est plus puissante qu'une notion de l'esprit ».

Habitude : formation d'un corps pilote-moteur, hermaphrodite ou centaure plutôt qu'engin cybernétique. « A tel point que lorsque, après vingt-cinq mille kilomètres sans accident de moteur, l'orage contraint l'avion à piquer et que nous voyons soudain la terre verticale, il y a quelque chose en nous pour qui ce n'est pas l'avion qui tombe sur l'aile, mais la terre qui est devenue folle[21]. » C'est une définition de l'art et de l'écriture : l'objet devenu fou sous le pinceau du Greco ou de Chagall, la forêt qui marche sous la plume de Shakespeare, sans qu'aucun raté de style en soit cause. Il y aura à la Salpêtrière la découverte d'une « conscience d'exister » pareillement invulnérable à la glissade de l'appareil appelé corps. Au cœur du vertige où André s'abîme et tâtonne dans sa chambre, ce n'est pas la peur qui le prend, mais la terre n'est plus à sa place. L'arrière-cerveau est comme un bon moteur, comme l'amour ou le style : même quand tout va à sa perte, cela tient, et c'est l'apparence qui divague.

Paul-Louis Weiller, directeur de la société Gnome et Rhône, avait dit à Malraux : « Si vous venez visiter notre usine d'essais, je vous montrerai tout un cimetière de soupapes. » Chaque soupape au trou, se dit André, c'est un homme sauvé. Donc nous sacrifions aux dieux des « offrandes d'acier » pour qu'ils nous épargnent. « Magie mécanique et moderne », nous la pratiquons sur les bancs d'essai, nous y sélectionnons ce qui résiste au trépas de la vie ordinaire. Le texte est de 1934. André est affairé aux luttes antifascistes, amoureux de Josette, et prépare des expositions. Cependant le jeune avion a crispé sur lui-même d'un coup et l'enfance et la modernité. La machine qui vole, c'est l'acier de Cendrars, le bolide de *L'Homme foudroyé*, opposé aux paysages intérieurs de Gide et du surréalisme : la volonté qui dénature le destin. Une sorte d'objet cubiste, le papillon de Max Jacob motorisé, le blindage révolutionnaire de Trotski. La vie voulue et confiée à l'artefact complètement conçu d'un moteur, suspendue à lui et pilotée. Signée, en un mot.

Arrivée à Prague, 1921. Clara le fait entrer au vieux cimetière juif, aux maisons de prière, le présente aux doux vieillards à papillotes. André lui dit : « Soyez le plus juive et le plus femme possible, c'est ainsi que vous m'intéressez[22]. » L'enfant tyrannique et triste veut qu'on l'intéresse. Il lui faut de l'inconnu, de l'étranger, quelque chose qui résiste. Toute culture est merveille, elle défie la vie morte, elle est une œuvre inexplicable. André arpente le monde pour se gorger des preuves que les civilisations donnent du pouvoir de dire non. Et les juifs entre tous, chassés, dispersés, persécutés partout, sont à ses yeux l'exemple d'une résistance plusieurs fois millénaire à l' « à quoi bon ? ». Et par la seule vertu d'un livre, qu'ils n'auront jamais fini de lire. Aucune trace d'antisémitisme dans l'œuvre ni la vie de Malraux, fait rarissime à l'époque. En 1955, il préface un *Israël* composé d'images d'Izis et de Chagall, d'extraits réunis par Lazar et d'un texte de Neher. En juin 1960, il célèbre à l'Unesco le Centenaire de l'Alliance israélite universelle : « Le rationalisme ne détruisit pas la spiritualité hébraïque agonisante, il la ressuscita[23]. » En 1956, lors de la crise de Suez, il s'apprêtait à mobiliser une brigade de volontaires juifs au service d'Israël menacé par le déluge arabe[24]. La même année, il dédiait à Jenka Sperber un texte sur la résurrection de ce « peuple courageux[25] ». Même s'il ne fit aucune déclaration, on savait le ministre profondément hostile à la politique anti-israélienne du président de Gaulle, surtout lors de la guerre des Six Jours, en juin 1966[26].

De Prague, ils passent par Vienne plongée dans la misère de l'après-guerre, et montent par Nuremberg à Magdeburg voir le grand-père Goldschmidt dans son fief. C'est décembre 1921, on traverse à pied la ville sous la neige pour aller au musée. André admire : « Quel solide vieux chêne que votre grand-père ! », d'un regard qui l'enveloppe dans sa fable de vieux entrepreneurs intrépides et condamnés : chêne qu'on abat[27]. Le soir, l'aïeul lit Heine solennellement devant l'âtre, en allemand. Clara traduit. Contentement général. Le couple saute à Berlin, capitale du cinéma et de la peinture expressionnistes, des cabarets, des travestis, des Anges bleus et des Docteur Caligari, des Spengler et des Keyserling. Les arts et les pensées se livrent ici sans frein à l'exploration des angoisses d'une Europe en perdition. La Mort de *Lunes en papier*, fatiguée d'exercer, trouve sa réplique dans la *Müde Tod*, la Mort lasse, de Fritz Lang. Ici l'on n'oublie pas comme à Paris la détresse et l'engluement nihiliste, on l'affronte, on en fait œuvre, et André qui reconnaît aussitôt cette force de séparation noire songe à inoculer sa violence dans l'insouciance française. De retour à Paris, ils achètent des copies de Murnau, de Fritz Lang, de Robert Wiene pour les programmer en salle, mais ils n'obtiennent pas les droits d'exploitation.

NOTES

1. Clara 1, 268.
2. *ML*, 47, 756.
3. Clara 1, 273-275.
4. *Ibid.*, 230-235.
5. *Ibid.*, 281-283.
6. *ML*, 24.
7. Clara 2, 15-23.
8. *Ibid.*, 24.
9. *Ibid.*, 22-30.

10. *Ibid.*, 29.
11. Grover, cité in Desanti, 400.
12. *ML*, 366.
13. *Ibid.*, 367-368.
14. *Ibid.*, 369.
15. *Ibid.*, 892.
16. *Ibid.*, 367.
17. *E*, 343 ; *RAMR*, 19.1/2 - 20.1, 50.
18. Clara 2, 30.
19. *Ibid.*, 36-39.
20. *ML*, 892.
21. *Gnome et Rhône Journal* 38 (avril 1934) ; *MMM* 2, 2.
22. Clara 2, 44.
23. *ML*, 973.
24. Robert Mallet, *NRF* 295 (juillet 1977).
25. *Marronniers*, 293.
26. *Ibid.*, 293-294.
27. Clara 2, 51.

7

L'ÉCRITURE OU LA VIE ?

Le voici donc, en ce début 1922, retourné au premier étage de la villa des Chalets, de nouveau prisonnier dans la maison des femmes. Prison dorée : la fortune de Clara vaut au couple de mener bon train. Aisance ou non, était-ce l'impasse, après l'échappée dans l'Europe et l'amour ? Il n'était pas question de faillir à la résolution. Mais par où s'évader ? Par les œuvres, bien sûr, mais lesquelles, et comment ? L'œuvre de sa vie ou de sa plume ? Ou encore la découverte des œuvres, leur édition et leur négoce ? Ou bien une grande querelle quelconque à soutenir dans le monde, une action à signer ?

Depuis le début de 1921, il avait un deuxième écrit en chantier, un Conte « farfelu », dont le titre restait incertain, et qui ne fut jamais achevé ni publié. Mais André s'obstine à en placer des extraits dans différentes revues d'avant-garde jusqu'en 1927 alors que *La Tentation de l'Occident* et l'essai « D'une jeunesse européenne » avaient déjà révélé combien son écriture s'était guérie du pastiche cubiste. En octobre-novembre 1923, en route pour l'Indochine, il demandait encore, depuis l'escale de Djibouti, à Paul Budry, qui dirigeait à Paris *Ecrit nouveau* et coopérait à *Action*, de porter le manuscrit de l'un de ces extraits chez sa belle-mère. « Je ne l'ai pas en double », s'excusait-il. Le projet du livre ne semblait donc pas abandonné, même s'il était brocardé : ne faut-il pas « conserver les preuves de ses erreurs, dit Tartuffe, pour s'en corriger ? », fausse confidence qu'André signait d'un chat portant cravate.

« Ecrit pour un ours en peluche » ou « Ecrit pour une idole à trompe », le titre à donner aux erreurs de jeunesse restait incertain, mais l'intention (ou l'incantation) de futilité ne l'était pas. En août 1921 *Signaux de France et de Belgique*, que dirigeaient Franz Hellens et André Salmon, ce dernier ami d'André depuis leur rencontre autour de Max Jacob, en avait publié un extrait : « Les hérissons apprivoisés » ; et *Action* un autre : « Journal d'un pompier du jeu de massacre », soustitré : « Où vont les chats qu'on voit la nuit ? » En avril 1922, Marcel Arland publiait le premier numéro de *Dés*, hommage à Mallarmé et Max Jacob. Ce coup-là fut le seul qui sortit du cornet. Trois mois plus tôt, Arland avait mal supporté les manœuvres et les calomnies par lesquelles Breton avait éliminé les dadaïstes de l'équipe qui faisait *Aventure*. Le chef surréaliste intriguait ferme à cette époque pour conquérir les moyens d'imposer sa doctrine et de museler les concurrents. Arland réunit les partisans de Tzara et il convia Malraux dont il venait de faire la connaissance et dont il estimait l'indépendance à donner quelque chose à la nouvelle revue. Dans l'article leader de celle-ci, Arland fustigeait l' « arrivisme », seule tendance commune aux jeunes d'*Aventure*, disait-il ; « on ne trouvera ici que tentatives et contradictions ». Il plaidait un anarchisme sans principe : « Les idées ont trop peu d'importance pour qu'on s'y maintienne. Je ne suis pas responsable du crime qu'hier j'ai commis. Pas plus que de cette préface. » André nourrissait en la matière un scepticisme analogue : j'étais prêt à adopter la doctrine qu'on voudrait, si elle pouvait me porter plus loin. Tzara bien sûr fut des élus, avec Crevel, Ribemont-Dessaignes, Dhôtel et Limbour, et même Eluard. André n'aimait pas Dada, faussement radical en matière de langue, mais il avait besoin de paraître. Il donne « Lapin pneumatique dans un jardin français », un texte tiré du « Journal d'un pompier du jeu de massacre ». En 1924, Malraux et Chevasson, condamnés en correctionnelle à Phnom Penh pour tentative de vol d'œuvre, s'apprêtent à comparaître devant la cour d'appel de Saïgon, quand la revue *Accords* publie encore deux extraits du livre fantôme, l'un « Divertissement » qui reprend le texte d'*Action* ; l'autre « Le triomphe » était introduit par un texte véhément d'Arland en défense de son ami. Et en l'été 1927 enfin, la revue franco-italienne *900* publie une version remaniée de ce dernier texte sous le titre « Ecrit pour un ours en peluche ».

Le disciple de Max Jacob s'obstinait-il ? En vérité, c'était trop tard pour l'écriture laborieusement farfelue. La séparation voulue par la poétique cubiste et par l'éthique chrétienne qui en soutient la décision ne pèse plus assez à l'aune de l'angoisse dont souffrent l'Europe et Malraux. Paris farde le malaise sous l'élégance et la dissipation. Mais à Vienne, à Berlin, André a senti la crise moins superficiellement, la misère matérielle et morale des vaincus, qui touchera bientôt les vainqueurs, l'effondrement des valeurs humanistes, incapables de riposter au désastre. Les avant-gardes là-bas ne sont pas des fantaisies, elles cherchent comment signer la détresse, c'est-à-dire comment l'attester et comment lui résister. Quand une civilisation entière, épouvantée par les millions d'hommes mis à mort en quatre ans, voit ses idéaux anéantis, l'heure n'est pas à fabriquer des petits « bijoux » poétiques en prose ou à exhiber la bimbeloterie des fantasques. Dans la nuit qui tombe sur l'Europe, les lunes ne sont pas en papier, ce sont les traités et les constitutions qui vont l'être.

Clara lui traduisait dans le texte le *Déclin de l'Occident* trouvé à Berlin. André y entendait son propre désespoir, mais aussi une pensée qui acquiesçait pleinement au cours des choses au point d'en faire leur loi. Sa secrète phobie de la vie morte suffit, avant toute réflexion, à lui désigner dans Spengler l'ennemi par excellence. Il ne cessera de le réfuter, et pour cela même, d'en aggraver la menace. L'anatomie des civilisations comme d'organismes soumis sans reste à la redite oublieuse de la vie et de la mort trouvera en 1942 un médecin légiste implacable en la personne de Möllberg dans *Les Noyers de l'Altenburg*. Mais très vite, Malraux aura élaboré sa riposte au nihilisme. « D'une jeunesse européenne », l'essai qu'il publie en 1927, esquisse déjà le double motif de la résistance : les œuvres du moins ne périssent pas avec les cultures dont elles semblent émaner ; et l'Occident moderne parce qu'il s'est justement rendu incapable d'aucune croyance, d'aucune symbolique, parce qu'il ne sait pas quel est le but de l'homme, peut accueillir toutes les formes essayées et en imaginer d'autres : l'art moderne se connaît comme question, et sans réponse. Musée et laboratoire de la création, il est la première civilisation dont le sort échappe au destin du vivant. Une nouvelle histoire peut commencer avec l'évidence désastreuse que rien ne vaut. Le « Si Dieu est mort, tout est possible » de Dostoïevski doit s'entendre comme promesse d'aventure en même temps que cri de désespoir.

Les surréalistes ayant enlevé *Littérature* aux dadaïstes, ils s'attaquèrent à *Aventure* et Marcel Arland abandonna la place avec l'aide de Tzara pour fonder *Dés*. C'est dans la perspective d'une collaboration suivie à cette revue qu'il fait plus ample connaissance avec André. Celui-ci est foncièrement hostile au spontanéisme, réticent encore aux bouffonneries dada. Il retrouve bientôt Arland dans les étroits couloirs de la NRF, rue de Grenelle, qu'il commence à fréquenter et il le présente à Clara, avenue des Chalets. « Il devait, dit-elle, se révéler par la suite le plus réel ami du couple que nous formions et de chacun de nous quand il se défit[1]... » Arland est un homme rond et doux qui porte le désespoir du monde avec une sagesse songeuse ; cet anarchiste est le contraire d'un enragé. Les deux jeunes gens débattent sans fin de ce que l'art et la littérature peuvent valoir dans le désastre de tous les sens. Anéantis les formes et les genres légués par la tradition, à quel prix l'art et l'écriture peuvent-ils conserver quelque légitimité, et sur quoi celle-ci peut-elle se fonder ? Ne vaut-il pas mieux, somme toute, abandonner l'écriture pour « l'action » dite directe ?

En février 1924, les Malraux assignés à résidence rongent leur frein à l'hôtel Manolis de Phnom Penh, et Marcel publie dans la *NRF* « Le nouveau mal du siècle », un petit essai qui recense « le désordre et le tumulte des esprits » en proie aux incertitudes du temps. C'était un compendium des discussions du signataire avec son ami. La voix d'André s'y entend parfois distinctement, faisant écho à quelques autres, Max Jacob, un certain Gide, Cendrars et Reverdy, Drieu, et annonçant Bernanos : « L'actualité de Dostoïevski est un signe fort net ; jamais l'on ne s'était en France senti si près de certains des héros des *Possédés* ou des *Karamazov* ; l'angoisse de ces personnages, l'allure tragique de leurs gestes, et le mysticisme évangélique que le romancier partage parfois avec ses héros, ce sont autant de traits que nous pourrions retrouver chez certains de nos contemporains[2]. »

Cependant Arland concluait sur « une nouvelle harmonie », non pas certes classique mais intégrant, sans gesticulation, le drame de l'homme contemporain « avec les cinq misères de ses cinq sens, avec l'enivrante misère de penser et d'être ému ». Une éthique littéraire faite de désespoir sceptique et de fermeté stoïcienne, un programme exposé sans nerf, un peu confus, assez compassé. Jacques Rivière ne crut pas bon que la revue qu'il dirigeait publiât sans réplique ce manifeste des enfants du siècle. Dans « La crise du concept de littérature », au même numéro, il les réprimanda. « Les jeunes écrivains […] se débattent dans une conception déplorablement romantique de leur rôle. S'il leur paraît dérisoire d'écrire, c'est qu'ils croient encore que c'est très important. » Ils se font en effet les importants prophètes d'un Dieu qu'ils déclarent pourtant disparu, la littérature leur tient lieu de rite épiphanique alors même qu'on considère la révélation impossible. A l'égal de l'expérience mystique, l'exercice littéraire doit aller jusqu'à anéantir l'illusion du moi pour que le miracle ait lieu d'une présence réelle, et pourtant l'on désespère. Rivière concluait en tranchant net dans le *double bind* : ou bien la foi religieuse donc, ou bien le suicide. L'alternative semblait claire mais c'était pour sauver la littérature de l'extrémisme. « Il y a une attitude intermédiaire qui consiste justement à distraire son esprit de cette question, à remarquer certains plaisirs possibles, à les poursuivre, à laisser faire la vie en nous[3]. » Il fallait cesser d'interroger le sort de l'écriture aujourd'hui dans les termes qui étaient ceux à la fois de la révélation religieuse et de sa déception. Voyez la modestie d'un Proust, avançait-il, voyez le relativisme des sciences, c'est cela qui est moderne.

Rivière devait mourir l'année suivante. Ce testament de morale littéraire et artistique resta lettre morte pour Malraux, on s'en doute. Laisser faire la vie comme si l'on ignorait ce qu'elle fait, où elle va, quand on la laisse aller ! L'écriture et l'art ont pour tâche de s'efforcer vers l'impossible, au contraire, quand vie et réalité sont irrévocablement nulles.

« D'une jeunesse européenne », qu'André publie trois ans plus tard, sera une sorte de réfutation point par point du parti modéré. Aussi bien, Rivière n'avait ouvert à André les pages de la *NRF* que pour des notes de lecture – qui sont à vrai dire des modèles de justesse laconique.

Les Malraux explorent encore l'Europe en cette année inquiète, la Grèce, et souvent la Belgique, où ils ont des amis. André laisse Clara et Arland à Bruges pour aller visiter James Ensor dans son atelier d'Ostende. Le scandale de *L'Entrée du Christ à Bruxelles* avait plus de trente ans : tumulte des couleurs, silence des masques hagards, les salauds et les prolos côte à côte, la troupe en armes, les calicots socialistes et anarchistes, une Kermesse de Breughel sans joie et les damnés d'un Enfer de Bosch répandus dans les rues de la Jérusalem moderne à l'annonce d'un Sauveur dérisoire. Ensor avait signé d'avance en ce tableau la même angoisse sur fond de fin de christianisme et d'humanisme qui motivait aujourd'hui l'expressionnisme allemand. André reconnaissait en elle son désespoir, mais transformé en œuvre.

Entre Galanis et Ensor, où donc se nichait alors son esthétique ? Elle paraissait éclectique et « sans goût », comme disait Clara, voire inexistante. Le goût, en effet, à commencer par le sien propre, André n'en avait cure. Affection désormais désuète, il avait été une régulation des sensibilités, une manière d'apprécier le bon ton des formes. Les sociétés de cour, les communautés de fidèles, les villages et les tribus, la classe bourgeoise au XIXᵉ siècle avaient eu des goûts. Mais l'Europe aujourd'hui n'avait le goût de rien, étant curieuse de tout. Malraux pas davantage ne trouvait dans les œuvres cette paix frémissante que donne, paraît-il, le sentiment du beau, la promesse d'un bonheur. Il courait, a-t-on dit, il comparait sans cesse, essayant d'étendre sa prise à cela même qu'il n'aimait pas pour y saisir les moyens par lesquels l'Absolu s'y était laissé « prendre ». Les moyens de la lucidité chez Galanis, ceux de la mascarade chez Ensor, les grandes œuvres sont sœurs, pourquoi choisir entre elles ?

Quand Alfred Salmony, conservateur au musée de Cologne, sortit un soir de sa serviette et étala sur la table des Malraux, au début de 1923, des reproductions de sculptures

Taï, de têtes Han et de faces romanes qu'il rassemblait pour une exposition Orient-Occident, et qu'il les combina (« avec une adresse de caissier », note Clara) pour en manifester la parenté secrète, André reconnut aussitôt sa « méthode » spontanée[4]. Qu'avait-il fait d'autre en fouillant les bouquinistes, en recueillant les éditions rares, en éditant les artistes et les écrivains les plus divers sans souci d'école ? Et quoi, en courant les musées, les galeries, en feuilletant les albums d'art ? Salmony pourtant ouvrait immensément le paysage, il y jetait toute l'Asie des merveilles. André fréquentait le musée Guimet et son regard était déjà formé aux sculptures bouddhiques et aux miniatures persanes. Mais, comme il le fit dans *Les Voix du silence,* il vit alors qu'on pouvait placer côte à côte en double page l'Ange de Reims et une tête de Gandhara du IVe siècle, non certes pour en extraire l'essence d'un homme-qui-sourit, ni bien sûr pour imaginer quelque influence menant d'une œuvre à l'autre, mais pour manifester qu'entre toutes les formes une parenté insiste, qui n'est pas thématique : « Elles imposent la présence d'un autre monde. Pas nécessairement infernal ou paradisiaque, pas seulement monde d'après la mort : *un au-delà présent*[5]. » Je souligne.

Il ne s'agissait pas, il ne s'agira jamais, de faire une histoire de l'art ni une esthétique. Il fallait rendre visible, ou plutôt audible, « la signification que prend la présence d'une éternelle réponse à l'interrogation que pose à l'homme sa part d'éternité – lorsqu'elle surgit dans la première civilisation consciente d'ignorer la signification de l'homme[6] ». Modernité désabusée seule possible à ces « hommes pour qui l'art existe – auxquels on donne encore le singulier nom d'amateurs, parce que leur civilisation n'a pas encore trouvé le leur[7] ». Les amateurs « ne s'unissent point par leur raffinement ou leur éclectisme, mais par leur reconnaissance du mystérieux pouvoir qui, transcendant l'histoire grâce à des moyens qui ne sont pas ceux de la " beauté ", rend *présentes* à leurs yeux telles peintures préhistoriques […][8] ». Il s'agissait de manifester par montage, comme avait fait Salmony, cette « présence » énigmatique et récurrente. Et le texte, dans les écrits sur l'art, ne viendrait jamais qu'en support aux reproductions photographiques, comme un guide, mais ici métaphysique, vient servir la vision des pièces reproduites dans un catalogue de musée. Service de l'œil pour qu'il s'évade de l'apparence et voie l'apparition. Bien sûr il fallait pour remplir ce service le pouvoir de la langue. Car l'apparition, c'est l'apparence menacée de disparaître et, seule, la parole menace d'inexistence l'existant dont elle parle. Mais non moins importantes assurément étaient les opérations de cadrage photographique, le découpage des séquences et leur assemblage qui sont l'écriture du visuel, d'où devait s'offrir, aux yeux de l'amateur, cela même qu'aucune pièce ne lui présentait dans sa visibilité immédiate, l'invisible qu'elle alléguait, l'autre chose, autre que son sujet, que son objet ou son contexte culturel.

Salmony, en distribuant ses images sur la table d'André comme pour un jeu de patience, lui découvrit le sens d'une pratique qu'il n'avait jusqu'alors que mise en acte quand il courait les bouquinistes de Paris et les musées toscans. L'amateur devenait créateur des créations, une sorte de méta-artiste. Une vocation surgissait, compositeur d'images, une réponse possible à l'angoisse de la crise. La passion de tout voir pouvait s'y assouvir, mais sans faire oublier, bien au contraire, que le regard moderne est en manque d'idoles. « Le soir, souvent, écrit Clara, mon compagnon étalait sur le vaste plateau […] des papiers recouverts de caractères d'imprimerie, d'ornements typographiques, d'illustrations ; après quoi, muni de ciseaux et d'un pot de colle, il " montait " des livres, comme une couturière une robe[9]. » Il travailla ainsi pour Doyon, pour Simon Kra, Florent Fels ou Kahnweiler. Il fut inspiré sans doute par les premiers collages, les Braque, Juan Gris ou Picasso d'avant la guerre, mais en ce début 1923, il entrevit beaucoup plus : que son rôle à lui, d'amateur visionnaire, ne se bornerait pas à découper et à introduire des bouts d'objets « réels » dans des œuvres, il serait de faire avec toutes les œuvres du monde, à coup de ciseaux et de colle, un montage qui donnerait à la civilisation contemporaine la seule œuvre qui convenait à son désœuvrement, la seule exposition appropriée à un monde qui appelait tous les mondes passés et présents à venir s'exposer. Avant d'en venir là, il lui faudra sans doute mettre sa capacité d'émerveillement à l'épreuve de l'écriture romanesque et de l'exploit vécu, comme pour tester son enfance. Mais au total sa biographie surchargée ne sera faite, jusque dans son décousu, que d'un travail de coupe préparatoire à un chef-d'œuvre de haute couture.

A quel corps en avait-il, à cisailler ainsi et à recoller des apparences ? Etaient-ce les « petites mains » de Bondy qui continuaient sous ses doigts à tailler à l'enfant les costumes d'apparat dans lesquels elles voulaient le pousser sur la scène du monde, mousquetaire, éclaireur, matelot de la Navy ? Etait-ce le corps de Berthe qu'il exécutait, démontait, remontait pour désenchanter le pouvoir de soumission qui émanait de son charme ? Voyez André debout, devant le tapis de coupures illustrées jonchant le sol du grand salon de Boulogne vers 1950, quand il prépare *Les Voix du silence* : ravi comme un gamin qui aurait fait un puzzle de tous les albums de la maison. Ou bien assemblait-il des chutes dérobées aux apparences pour y tailler le patron d'une robe de majesté en offrande à la mère des merveilles ?

Qu'une telle demande d'amour fût en jeu dans l'agitation impassible et pressée d'André, l'écrit en laisse passer parfois l'aveu. Ceci par exemple, tout à la fin, dans *Le Surnaturel*, en regard du masque du pharaon Djôser, sculpté trois millénaires avant le Christ : « Avec l'auteur de cette statue, nous n'avons pas même en commun le sentiment de l'amour, pas même celui de la mort – pas même, peut-être, une façon de regarder son œuvre ; mais devant cette œuvre, l'accent d'un sculpteur oublié pendant cinq millénaires nous semble aussi invulnérable à la succession des empires que l'accent de *l'amour maternel*[10]. » Je souligne...

Ce à quoi cherche à s'égaler l'œuvre du visionnaire, c'est, paradoxalement, l'accent d'une langue maternelle, dont André prétend qu'elle ne lui a rien dit. Une mère inaudible appelle à travers le visible, elle souffle qu'il faut s'en évader. Son murmure anime les chefs-d'œuvre et les exempte de la mort. « Si atroce que soit un temps, son style n'en transmet jamais que la musique ; le musée imaginaire est le chant de l'histoire, il n'en est pas l'illustration[11]. » La vraie vie, celle des œuvres, est « comme le livret d'une musique inconnue[12] ». Etouffé dans le chant des sirènes qui séduit la vie morte et la noie dans l'histoire, un doux timbre en silence appelle l'oreille à une autre harmonie. Ainsi chez Galanis, les formes dessinées qui entrouvrent l'espace compact de la prison visuelle ne font rien voir d'autre, elles font entendre une fugue de Bach. La robe de majesté qu'André compose, c'est la partition d'une Cantate.

Au printemps 1922, Clara lui rappela que, lors de leurs noces, ils avaient convenu de divorcer six mois plus tard. Il était donc temps. Clara aimait les plaisirs qu'ils partageaient, mais détestait l'équivoque. André ne songe qu'à s'esquiver : écoutez, l'argent du divorce, si on l'employait à aller voir El Djem, Kairouan, Carthage et Syracuse ? Nouvelles évasions, en Sicile, en Tunisie. Un an après, juin 1923, André est appelé sous les drapeaux, à Strasbourg. Au conseil de révision, deux ans plus tôt, il avait excipé de rhumatismes articulaires (réels) et avalé une solide dose de caféine pour se faire réformer. « En 1918, j'étais pacifiste, mais j'attendais impatiemment l'âge qui me permettrait de m'engager[13]… » La guerre finie, sa doctrine était devenue plutôt celle de Tchen : « Ce n'est pas par obéissance qu'on se fait tuer. Ni qu'on tue. Sauf les lâches[14]. » Il avait été déclaré bon pour le service auxiliaire. Mais à Strasbourg, l'autorité militaire le versa au régiment de hussards de la Robertsau. Décision ubuesque : André mesurait près d'1,80 m, un hussard réglementaire jamais plus d'1,60 m. « Les pantalons, sur lui, se transformaient en culottes[15]. » Clara est venue habiter près de la caserne, et envoie Paul, son jeune frère, courir Strasbourg pour dénicher parmi les relations de la maison Goldschmidt, qui avait une succursale dans la capitale alsacienne, quelqu'un qui pût intervenir auprès du major. Sitôt libéré, André propose encore à Clara un petit voyage sur le Rhin en bateau. Elle lui récite Heine en passant devant la Lorelei : thème chéri du garçon, les femmes sirènes engloutissant les navigateurs. Clara songe à son père mort qui l'emmena jadis sur le fleuve, devant le rocher, cependant qu'André lui expose la mystique des dominicains rhénans, l'Admirable Ruysbroek, le Maître Eckhart et Tauler son élève, Suso le Bienheureux. Voilà, pense-t-il, comme on résiste au charme :

ils écoutaient l'autre chant. Très bien, se dit Clara, mais comment allons-nous résister, nous, au naufrage ?

Voyager et récolter, collectionner et composer, dénicher et éditer, jouer en Bourse, se cloîtrer pour des extases mystiques ? En tout cas, on n'envisageait pas sérieusement d'écrire, semblait-il. André restait peureux comme un autodidacte devant la langue écrite. Pas plus fier que ça des pénibles *Lunes en papier* ou de l'inachevable « Journal d'un pompier du jeu de massacre ». Il faisait aisément la différence entre ses lourds pastiches et la justesse foudroyante des proses poétiques de Max Jacob, Cendrars ou Reverdy. Même ses notes de lecture, fort intelligentes, avaient une sécheresse un peu contrainte. Quand il découvre Gide dans les *Morceaux choisis* publiés par Gallimard en 1921, André est accablé : quel art d'écrire ! Classique et sinueux dans la syntaxe, un lexique immense et rare, un tracé de phrases qui s'aventure dans les surprises de la langue sans éclat, sans pose, avec humour, Gide fait dire à la langue ce qu'elle n'avait jamais dit. Des bienséances délicatement pesées pour faire entendre la malséance inhérente à toute âme, et surtout à celle de cet immoraliste. André adora *Paludes*. Mais aussi, se défend-il, quel narcissisme, quelle patience dans l'examen de soi et quelle attention à ses propres défaillances, pour muer ainsi en joyau la poussière ordinaire des jours ! André n'aime pas assez la langue pour exercer sur elle ce sertissage minutieux, il se fuit trop lui-même pour s'obliger à ces introspections.

Il va se débarrasser de son dépit en rangeant bientôt Gide, avec Proust, du côté de la littérature individualiste et intimiste. Ce seront les ultimes héritiers, après France, du roman psychologique bourgeois et « humaniste ». Il se défausse de sa réticence à écrire en jouant la carte de la nouvelle génération : Gide est encore XIXe siècle, il croit au moi ; nous, jeunes Européens, n'en sommes plus là, le nihilisme s'est aggravé. Vaste vision d'un Occident voué à creuser son manque. Mais l'ampleur du tableau cache mal le vrai motif, encore une fois la peur de la langue. Car en écrivant, on ne sort pas de la langue, au contraire on y entre, et l'on ne s'en évade pas, on ne la domine jamais. S'il y a des moyens du style, ils ne sont jamais pleinement maîtrisés, toujours à négocier. L'écriture de Mal-

raux tremble de hâte et d'insoumission, Gide en 1945 dira :
« Il écrit à plume abattue. » La patience lui manque, de laisser
la langue se déranger et s'arranger sur le papier pour qu'elle
finisse par dire ce qu'il y a à dire. Comme si sa plume le savait
déjà (et c'est qu'il n'y a rien à dire, sinon dire le rien) et qu'elle
bousculait les mots et les phrases pour que ce soit aussitôt dit.
Malraux traite la langue en moyen, et un moyen est un obstacle. Il écrit pour agir sur le lecteur comme un tribun vaticine
pour remuer l'auditoire. Ou comme d'Artagnan crève un cheval pour rattraper Milady. La brusquerie borne ainsi son
idiome à trois ou quatre tons : la proclamation militaire, la
dépêche de journal, les évocations d'outre-tombe, la prédication, l'anecdote tragique ou drôle, ou les deux, c'est-à-dire édifiante, qui se répètent tout au long, depuis les premiers romans
jusqu'aux derniers écrits sur l'art et la littérature.

C'est qu'il s'agit de frapper, de faire faire, d'émouvoir :
affecter et mettre en mouvement. Son trait est de rhétorique
plutôt que de littérature. Il écrit au galop, pour entraîner,
comme il parle à la tribune de Moscou ou de Paris, dans un
taxi ou dans le salon de la rue Vaneau. Il y a peu d'écrivains
français moins pervers que Malraux. La comtesse de Ségur est
un monstre auprès de lui. André lit donc Gide en le réglant à
son train et croit ne pas pouvoir lui faire plus grand hommage
qu'à le poser en directeur de conscience, en mentor d'une jeunesse perdue. « Aspects d'André Gide » paraît dans *Action* en
avril-mai 1922, et « Ménalque » en février-avril 1923 au
Disque vert. André n'a d'éloge que pour l'« action » d'affranchissement que l'auteur des *Nourritures terrestres* exerce sur
« la conscience intellectuelle » des jeunes : « Vous n'avez pas
une influence, vous avez une action. » Malraux s'applique,
non sans malice peut-être (au fond il ne peut pas l'aimer), à
célébrer le maître de vie, le moraliste immoraliste, le nietzschéen à la française. Henri Albert, qui traduit Nietzsche au
Mercure de France depuis vingt ans et qu'André a rencontré,
préface en 1924 les *Œuvres choisies* sur le même ton : « Ce
que Schopenhauer fut pour le jeune Nietzsche, vers la ving-
tième année, Nietzsche peut le devenir pour nous : un merveilleux éducateur. »

En vérité Gide se disait embarrassé de retrouver dans le

« philosophe au marteau » un renversement éthique qu'il avait, pour sa part, tiré de ses propres déchirements à force de scrupule et par souci de probité sereine. Et rien plus que le prosélytisme bruyant du *Zarathoustra* ne pouvait rebuter ce moderne très classique, presque murmurant, qui confiait le soin de faire entendre *sa* vérité à la justesse parfaitement policée de sa langue. Que la vérité de Ménalque pût paraître exemplaire à la jeunesse, c'était, assurait-il, en dépit de lui-même. « Jette mon livre, Nathanaël » faisait écho pour lui à l' « Adieu donc, lecteur » de Montaigne. Pas plus que les *Essais*, *Les Nourritures* n'ouvraient une succession. Si leçon il y avait, elle ne résidait pas en un message, c'était le polissage de la langue qui seul témoignerait du travail sur soi en quoi consiste l'éthique. A chacun de faire à sa propre voix l'hommage de la langue qu'il lui faut. En matière d'écriture, Gide était tout protestant : chacun s'efforce vers sa propre vérité, et nul n'est exemplaire. Malheureux écrivain, celui qui croit délivrer un message !

Dans le commentaire des *Nouvelles Nourritures* qu'il publiera dans la *NRF* en décembre 1935, en pleine activité antifasciste, Malraux simulera de s'incliner devant cette exigence. Il se déclare affecté depuis toujours, chez Gide, par le « ton de la voix », le « ton du style » ou la « saveur de l'intelligence » bien plus que par « l'œuvre elle-même ». Qu'est donc l'œuvre sans cette saveur ? Un message encore, sans doute. Ainsi, explique le bon André, nous rejetons la vérité de Pascal ou de Nietzsche (nous sommes, je le répète, en 1935), tandis que leur ton nous retient encore. A cette date, Malraux a derrière lui, outre ses aventures, quatre romans et une notoriété d'écrivain. Sous les noms de « style » et de « vérité » il distingue toujours le ton et le message, semble-t-il, mais c'est au bénéfice du premier. Sa pratique d'écrivain, son exercice de la langue lui ont-ils appris à patienter, à supporter la rumeur des mots jusqu'à négocier avec eux et contre eux son propre ton ? Et à reconnaître ces vertus dans les livres des autres ?

Pas encore. D'abord, l'œuvre d'un écrivain, maintient-il, exerce en effet une action, mais il ajoute que celle-ci trouve son moyen dans l' « obsession particulière » qui hante l'auteur. Ecrire n'est certes pas exprimer une compulsion, mais du moins la métamorphoser, en faire une arme pour toucher les lecteurs. L'obsession appartient au destin subi en solitaire, l'écriture transcrit ce destin, le rend exemplaire à autrui et arrache l'auteur à sa schizophrénie. Anticipons un peu jusqu'aux *Antimémoires* : « L'orgueilleuse honte de Rousseau, lit-on au début de ce livre, ne détruit pas la pitoyable honte de Jean-Jacques, mais elle lui apporte une promesse d'immortalité. Cette métamorphose, l'une des plus profondes que puisse créer l'homme, c'est celle d'un destin subi en destin dominé[16]. » Ainsi en est-il de ces Confessions ressassées que forme le *Journal* de Gide.

Cela posé, qu'en est-il des *Nouvelles Nourritures* ? Le diagnostic de Malraux vaut confession poétique, à son tour. Gide a commencé à publier des pages de son *Journal* en livraisons dans la *NRF* depuis quelques mois. L'écriture de son livre a subi l'attraction du *Journal*. Elle s'attache au petit fait quotidien, à la rencontre, à l'anecdote. Et par là, le ton s'est infléchi vers une sorte de réalisme fort éloigné de l'exaltation des *Nourritures terrestres*. Ce changement n'est nullement dû, affirme André, à l'activité politique antifasciste dans laquelle Gide est en fait engagé depuis plusieurs années aux côtés de Malraux. Non, c'est le « ton Journal » qui timbre à présent toute l'écriture, et il rend vain le lyrisme des premières *Nourritures*, caduc aussi le recours à la fiction romanesque, au point que semble désormais inutile tout autre écrit que le *Journal* lui-même. L'« obsession particulière » de Gide a trouvé dans ce genre l'authentique moyen de sa métamorphose.

Est-ce à dire que les *Nouvelles Nourritures* sont faites de simples extraits du journal ? A ceci près, et c'est « une idée, écrit Malraux, à laquelle je tiens, que tout art repose sur un système d'ellipses ». En conséquence c'est « dans ses blancs » que le dernier livre de Gide exerce « l'action la plus pressante ». André prête ici, non sans malignité, à son homonyme une poétique du découpage et du montage qui est la sienne. Or celle-ci est supposée d'autant plus agissante qu'elle opère directement à partir de la vie quotidienne et qu'on peut reconnaître obliquement les réalités dont l'œuvre est faite. Disjointe et remontée, la « vie » laisse passer par les interstices ainsi ménagés le souffle non pas d'un autre monde mais de celui-ci quand l'anime un pouvoir qui l'excède : ce que Malraux nomme, on l'a lu, « un au-delà présent ».

C'est assurément selon ce système d'ellipses, par cet art de coupe et d'assemblage, que l'obsession particulière de Malraux s'était rendue agissante dans ses romans, et avec quelque perfection dans *La Condition humaine*. Mais « l'oncle Gide » dut être effaré de se voir ainsi pris en otage par le sectateur en anacoluthe. Rien ne lui était plus étranger, plus redoutable que cette politique segmentaire : il y détectait une éthique sectaire. Après trois prépublications dans la *NRF* entre mars et mai 1935, *Le Temps du mépris* paraît chez Gallimard le 15 mai. Huit jours après, Gide l'a lu et confie à la « petite dame », son amie et toute proche voisine, Maria Van Rysselberghe : « Certes je ne doute pas qu'il [Malraux] ait l'étoffe d'un grand homme ; à mes yeux, son prestige est très grand, très réel, mais je ne pense pas qu'il devienne un grand écrivain. Il n'a pas une bonne langue, il ne connaît pas d'instinct son métier et il aboutit malgré tout à une pseudo-écriture d'artiste. Je lui fais là-dessus toutes les remarques utiles, mais il y a des choses qu'on ne peut pas dire, il ne faut faire que les critiques efficaces ; chez lui, on sent toujours l'intelligence d'auteur ; pour moi, ça coupe l'émotion qu'il veut produire[17]. »

Verdict sans appel : il n'écrira jamais, il agira peut-être. Il essaie d'agir par l'écriture ? C'est qu'il n'a pas choisi entre l'œuvre et la vie. Son style se taille au sabre. Mais la langue est de l'eau, on ne la tranche pas, il faut s'y plonger, s'y glisser tout nu, nager. Pas moins cubiste que Gide. Quant au désastre de l'Occident contemporain en ces années 30, morts et chômeurs par millions, démocraties exsangues, totalitarismes sauveurs, Gide est loin d'y rester insensible : « Pour un long temps, il ne peut plus être question d'œuvre d'art, écrit-il en juillet 1934 dans son *Journal*. Il faudrait, pour prêter l'oreille aux nouveaux indistincts accords, n'être pas assourdi par des plaintes. Il n'est presque plus rien en moi qui ne compatisse. Où que se portent mes regards, je ne vois autour de moi que détresse. Celui qui demeure contemplatif, aujourd'hui, fait preuve d'une philosophie inhumaine, ou d'un aveuglement monstrueux. » Mais là encore, Gide témoigne à la manière de Montaigne, plongé dans les guerres incessantes entre chrétiens et les massacres, et qui prend sa part du forçage de l'unité française par le despotisme monarchique. Notules intimes, observations prises à soi et aux autres sans distinction, non pour agir sur le lecteur (adieu !) mais pour se maintenir au rythme juste d'une manière d'être. Cette ultime ressource n'empêche nullement Montaigne d'approuver le *Contr'un* de son ami La Boétie, qu'il retirera pourtant de la place centrale qu'il lui réservait dans son livre, ni Gide, moins prudent, et pour cause, de publier (contre l'avis de Malraux) ce *Contr'un* contemporain que fut le *Retour de l'URSS*.

Gide, en somme, doutait que Malraux fût capable de cette manière instinctive et choyée, cette libre manière d'être, qui est pour lui l'écriture selon sa vertu même, qu'il pût laisser la langue couver *sa* langue et la faire éclore. Il ne doutait pas qu'il y eût un doute chez Malraux, être grand homme ou grand écrivain. Ou trancher dans les choses d'une intelligence résolue, ou accepter l'adroite bêtise de s'accroupir sur la coque des mots comme une poule frileuse pour aider la merveille à paraître. Mais André, disait Gide, portait le fer dans la langue en homme d'action, et il montrait par là son irrésolution d'enfant hâtif.

Au tournant des années 1922-1923, le doute d'André touche à l'angoisse. Le nœud qui l'étrangle paraît inextricable. Se faisait-il trafiquant en merveilles, « amateur », il partageait son enfance avec celle des autres et sortait ainsi de sa mélancolie ; mais il ne faisait pas une œuvre. Ecrivain alors ? Il fallait accepter de lutter longuement avec les mots et les phrases, ces espèces de bêtes qui vivent dans la langue, sans espoir de leur échapper, de trancher. Homme d'action, comme on dit ? Sitôt accomplie, l'action sombrait dans l'oubli si nul écrit ne venait en relever la vertu pour la métamorphoser en œuvre...

L'incertitude pesait, on l'a compris sur la *biographie*, sur le rapport à établir entre un corps dit vivant, le *bios*, et l'écriture, qui est *graphè*. Les racines de l'équation « Malraux » commencent à se dégager.

La vie, tout ce qui est là, donné avant tout choix, la vie et ses intrigues, n'a aucun sens que d'aller se jeter au fond pourri des fosses et de resurgir, amnésique, de sa putréfaction même. Identique, annulée comme par une balance qui revient à sa position d'équilibre. Et la mort, dans l'équation à résoudre, n'est pas le décès, qui au contraire est un moment de la vie, celui du retour à zéro. Non, la vraie mort est la répétition du mouvement tout entier, la reproduction, la grande Redite que la vie a l'air de contredire avec toutes les histoires qu'elle fait, si intrigantes, quand en vérité leur tapage abrite et couvre le silence du cycle.

Voilà pour *bios*, le brave corps, dressé en vain, innocente pâture vouée aux vers de terre. Dans l'espèce humaine comme dans les autres, la mort a pour agent le ventre de la reproduction, la femelle. Conséquemment, Malraux hait son temps d'enfance passé sous la tutelle des femmes. Silence de plomb sur la généalogie maternelle.

La filiation virile qu'il oppose à celle-ci opère par la seule vertu de l'exploit, elle ne doit rien au *bios*. Les hommes ont en charge de transmettre l'énigmatique pouvoir de la *graphè*. On appelle écriture toute passion dont l'acte a chance d'échapper à la Redite. Non pas l'acte lui-même, à vrai dire : il sera nécessairement emporté à l'oubli avec tout le reste. Mais une *trace* de l'acte fou. L'énigme est dans le pouvoir des traces : il inscrit l'œuvre dans le *bios* mais pourtant lui donne une chance de s'en ex-crire. « Exister dans un grand nombre d'hommes, et peut-être pour longtemps. Je veux laisser une cicatrice sur cette carte[18]. » La filiation virile se fait par héritage *graphique* : est père, quel qu'il soit dans l'ordre biologique, celui qui tente le geste de résigner cet ordre et en transmet la trace. L'étrange pouvoir s'appelle encore « volonté », il exige l'intelligence de ses moyens et leur domination, aussi dément soit-il.

L'équation paraît facile à résoudre : sacrifier le corps à l'écriture, dit M. Teste. Or telle n'est pas la solution « Malraux ». Car la *graphè* n'atteste sa vertu que si elle s'expose à la Redite bestiale. Sans cette épreuve, elle est loisir, dissipation, une petite intrigue fomentée par l'illusion d'être un moi-qui-vit, un auteur. Elle oublie qu'il y a l'oubli dévorant. Non, la *graphè* doit se *faire signer*, saigner, par le *bios* et son ressassement funèbre. Etre consignée à l'épouvante de la vraie mort. Alors seulement elle peut faire trace *contre* elle, à la toucher et à s'en excepter. La contresigner.

Un peu abstrait ? Chez Malraux, cette équation s'expose sous le motif des mains, on l'a vu : la paume est la main morte, la mort au creux de la main ; les doigts tiennent la plume ou l'arme qui signe, l'index désigne l'au-delà présent dans le présent. Lors du décès, la paume rétracte sur soi les doigts, l'araignée étreint sa proie. Mais l'ombre de l'index, encore dressée, échappe peut-être à la prise, suspendue dans les limbes.

NOTES

1. Clara 2, 57.
2. *NRF*, 126 (février 1924).
3. *Ibid.*
4. Clara 2, 78.
5. *Surnat.*, 7.
6. *Ibid.*, 35.
7. *Ibid.*, 1.
8. *Ibid.*
9. Clara 2, 79.
10. *Surnat.*, 33.
11. *VS*, 622.
12. *ML*, 4.
13. *ML*, 453.
14. *CH*, 616.
15. Clara 2, 107.
16. *ML*, 6-7.
17. *CPD* 2, 446.
18. *VR*, 412.

8

RAID EN ASIE

En ce début d'été 1923, la fortune venait donc au secours de l'indécis : elle le ruina. Une fois envolé le portefeuille de Clara en Bourse, André se trouve dans le cas d'avoir à décider quoi faire. Décida-t-il ? « Ce n'est pas moi qui opte : c'est ce qui résiste », répond Claude Vannec à Perken. Dans la cabine du paquebot qui les emporte en Extrême-Orient, les héros de *La Voie royale* font connaissance. L'aîné, Perken, a quelque quarante ans, Claude l'âge d'André quand à Saïgon il commence à jeter sur le papier des ébauches de scènes pour un roman, peut-être. L'aîné résume son mépris de la biographie : « On ne fait jamais rien de sa vie. » A quoi Claude riposte : « Mais elle fait quelque chose de nous. – Pas toujours... Qu'attendez-vous de la vôtre ? – Je pense que je sais surtout ce que je n'en attends pas... [Beaucoup de je, et de dénégations]. – Chaque fois que vous avez dû opter, il se... – Ce n'est pas moi qui opte : c'est ce qui résiste [Eclipse du je, affirmation]. – Mais à quoi ? – A la conscience de la mort. – La vraie mort, c'est la déchéance [...]. Vieillir c'est tellement plus grave. Accepter son destin, sa fonction, la niche à chien élevée sur sa vie unique... On ne sait pas ce qu'est la mort quand on est jeune[1]. »

Les voilà presque à l'unisson. A quoi se passe une vie ? A tuer des possibilités. Inutile de vieillir pour l'apprendre. Avant ses dix ans, André sait cela, que la vie est morte. Et qu'il s'agit de résister à ce qui vous attend. Cela s'appelle volonté.

« Ce que doit exiger d'abord de lui-même celui qui se sait séparé, c'est le courage[2]. » J'exige ma *virtù* ; ce qui m'en fait cadeau, ce n'est pas moi, une chose en moi plus tenace que moi, une horreur du donné.

André vivait en fils de famille, sur la fortune Goldschmidt. Maurice (André de son vrai nom), l'aîné des frères, le chéri de Clara, un garçon fort déterminé, fulminait contre ce raté qui avait déshonoré sa sœur et maintenant la ruinait. André, toujours un peu voyou, n'en avait pas souci, il le rencontra, et ils conclurent qu'à tout prendre, la plus folle des trois était Clara. Mais quoi ! il n'allait pas continuer à exercer son caractère en visitant le monde et en manigançant des petits coups d'Etat dans l'édition et la librairie élitiste. L'aisance était en train d'endormir son énergie. Quant à ses essais de littérature, bons ou mauvais, la violence qui l'habitait n'y trouvait pas son compte. Le compte, c'était la Fossoyeuse qui le tenait, une fois pour toutes. Si l'écriture ne se signait pas à même l'épouvante, elle n'authentifiait rien. Joli coup de talent peut-être, voué à la vermine comme le reste.

En doublant la péninsule malaise, Claude Vannec regarde à la jumelle, vers Sumatra, « les monstrueuses frondaisons qui dévalaient du sommet des monts jusqu'à la grève, hérissées çà et là de palmes, et noires dans l'étendue sans couleur. De loin en loin, au-dessus des crêtes brillaient des feux pâles, d'où montaient lourdement des fumées ; plus bas des fougères arborescentes se détachaient en clair sur des masses d'ombre. Il ne pouvait délivrer son regard des taches dans lesquelles se perdaient les plantes. Se frayer un chemin à travers une pareille végétation ? D'autres l'avaient fait, il pouvait donc le faire. A cette affirmation inquiète, le ciel bas et l'inexplicable tissu de feuilles criblées d'insectes opposaient leur affirmation silencieuse[3]... »

Dévalement de végétaux et de bêtes ignobles jusqu' « au ras de l'eau décomposée » sous la « lumière blême » d'un soleil étranglé entre des nuages bas : le premier jour du monde et le dernier. Dans cette putrescence, toutes les formes descendent se décomposer et se recréer. Les larves scandent la redite perpétuelle des choses, qui ne sait rien des hommes et ne leur dit rien. Seule la volonté fait exception au ressassement.

En octobre 1924, Malraux va comparaître en appel à Saïgon. Arland publie « Ecrit pour une idole à trompe » dans sa revue *Accords* : Malraux « est de ceux, plaide-t-il, que la littérature ne peut pas satisfaire ». Plus d'un se contente à son âge de « gestes et de paroles », des « minuscules scandales » qui agitent les cafés parisiens. Mais Malraux est de cette génération d'écrivains qui soupçonne le fait littéraire jusqu'à l'abandonner. Le naufrage de l'Europe annoncé par Rimbaud, attesté par le massacre de la guerre, ne demande pas qu'on assoie son derrière devant une table et qu'on taille sa plume. Il faut désormais *acter* la banqueroute d'une civilisation, convertir en actions ses débris. Fini le temps des Gide et des Proust. Drieu la Rochelle dira que l'immensité du désastre ne peut s'inscrire à l'encre, on lui doit du sang. Malraux ajoute : de ce sang noir que procure l'horreur au fond des tranchées. Gide peut bien le juger piètre écrivain, la question n'est pas d'écrire bien, mais si l'écriture est initiée à l'abominable. Or de cela, le corps seul fait foi, l'esprit cicatrisant ses blessures prestement, comme on sait. Mais quel corps ?

Les appels à « l'action » abondent déjà en ces années 20, tous citent le corps, parfois le plus secret, le plus passible d'épouvante, à témoigner de l'ampleur de la décomposition. Que la volonté, la *virtù*, puisse défier la corruption, ce ne sera prouvé que si c'est éprouvé. On se condamnerait à ne rien comprendre aux terribles combats qui vont venir, ni à ce qu'on appelle futilement les idéologies, communistes, fascistes, qui s'y affrontent, si l'on n'entendait pas que, de toutes parts, meneurs et penseurs en appellent, pour convaincre et pour vaincre, à l'exposition des corps à la terreur. Cette impulsion prend un tour quasi sacrificiel dans les tout premiers textes de Georges Bataille, de cinq ans l'aîné de Malraux. *L'Histoire de l'œil*, écrite vers 1926, est publiée sous le manteau en 1928. La violence sexuelle culmine dans la scène de tauromachie où s'exalte, jusqu'à en être absorbée par la bacchante, la force bestiale rituellement affrontée à la virilité. Quelque dix ans plus tard, dans le Prière d'insérer de *L'Age d'homme* écrit en 1939 et dont il fait, dans l'édition de 1945, une introduction

intitulée « De la littérature considérée comme une tauromachie », Michel Leiris, anxieux de donner à l'écriture littéraire
l' « authenticité » d'un acte, lui assigne pour modèle la cor-
rida, *l'aficion*. Comme l' « étiquette » de la mise à mort dans
l'arène a pour effet d'aggraver le danger fatal que court le
matador, et ainsi d'authentifier son geste, de même l'écrivain
doit exposer son œuvre à la brute en lui qui veut le sexe et la
mort ; et c'est pareillement par le « cérémonial » d'un style
sévère qu'il la laisse s'approcher de l'expression et peut espérer la vaincre.

En 1932, Malraux compose *La Condition humaine* ; il y
fait dire au vieux Gisors : « Il y a ceux qui ont besoin d'écrire,
ceux qui ont besoin de rêver, ceux qui ont besoin de parler...
C'est la même chose. Le théâtre n'est pas sérieux, c'est la
course de taureaux qui l'est ; mais les romans ne sont pas
sérieux, c'est la mythomanie qui l'est[4]. » L'imaginaire n'est
rien s'il n'est pas incarné, et le signe qu'il l'est, son
« sérieux », réside en ce qu'il expose la vie aux affres de la
mort du dedans. Ce motif taurin qui émerge dans *La Condition
humaine* de façon incidente (et je crois, unique dans toute
l'œuvre), Malraux en est sans doute plus redevable alors à
Picasso qu'aux écrivains surréalistes ou aux penseurs du Sacré
groupés un peu plus tard dans le Collège de sociologie.

La morbidité qui obsède André ne se laisse pas affronter
comme un taureau, elle est un grouillement de larves répu-
gnantes. Le taurobole public et solaire, emprunté au culte de
Mithra, qui fait ruisseler le sang rouge aux fins de régénéres-
cence, ce n'est pas par ce cérémonial qu'André peut authentifier son écriture. La bête de mort dont il se sait débiteur n'est
pas le beau monstre phallique, c'est une vermine sans regard
qu'on écrase d'un coup de talon et qui vous transformera en
charogne à coup sûr. Quelle étiquette pourrait tenir l'immonde
en respect ? L'horreur ne donne pas lieu à affrontement. Une
modeste statue khmère qui résiste depuis des siècles à la putréfaction végétale et à la gloutonnerie des insectes témoigne de
la *virtù* bien mieux qu'une estocade en habit de lumière ou
qu'une parade sur le Zeppelinfeld à Nuremberg. Pas de régres-
sion sacrificielle permise à André, j'entends au sens des reli-
gions totalitaires. Ses bêtes à lui peuvent bouffer les parades à

la Riefenstahl. Il sera antifasciste non par humanisme, mais par probité envers ses phobies. Derrière les étendards et sous les casques étincelants, il voit la chose immonde. Et plus tard, antistalinien par cette même loyauté.

Cependant Clara ruinée commence à s'alarmer. Très jeune, elle a connu l'humiliation d'être juive au milieu d'une bourgeoisie bien-pensante et paisiblement antidreyfusarde. Mais elle n'a pas eu l'expérience de la pauvreté, et elle craint surtout l'hostilité que son frère et sa mère éprouvent au sujet de son alliance avec le gigolo. Que faire sans ressource, sans métier ? Elle s'inquiète. Réponse : « Vous ne pensez pas que je vais travailler ! » André allume une cigarette entre ses mains fines. Elle attend. C'est facile à comprendre, ma chère : n'étant plus rien, n'ayant plus rien, nous voici absolument disponibles. Nous irons donc nous saisir de quelques belles pièces d'un art khmer inconnu perdues dans la forêt au nord d'Angkor, et leur vente « nous permettra de vivre tranquilles pendant deux ou trois ans[5] ». Tics de jubilation, suivis d'un frais sourire d'enfant.

Ce qui a décidé en lui, ce qui résiste, c'est tout d'un coup le grand-père armateur, Rimbaud l'Abyssin, le démon de l'Asie. Route aux épices, itinéraire des pèlerins, piste des fouilles, chemin de larves, tout conduit là-bas. « Pourquoi l'Asie ? » lui demande Valéry. André esquive mais le saura-t-il jamais ? En marge de l'essai de Picon, en 1953, il pérore : « L'obsession d'autres civilisations [...] donne à la mienne, et peut-être à ma vie, leur accent particulier[6]. » Sans doute mais l'Orient ? L'Orient spécifiquement, obstinément ? Quelque chose en lui flaire la bonne trace, celle qui s'ouvre sur son arène à lui, sans taureau, son aire d'Empires millénaires qui s'affaissent et se soulèvent comme des saisons végétales et des générations d'insectes : la répétition du même, la région des Mères. Et c'est aussi bien la signature apposée à ce destin. L'énigme de l'Asie aux yeux d'André, ce n'est pas la soumission à la Redite, qui est universelle, c'est qu'elle y soit accueillie avec vénération et traitée sagement. Là-bas le vouloir est folie s'il prétend renverser le destin, l'effacer. Mais plus improbable encore, plus opaque à l'intelligence européenne, à celle d'André d'abord, est que des œuvres de pensée, des formes d'art aient pu venir à terme du sein de cette patience interminable. Ni vulgaire soumission ni volonté insoumise, l'écart entre le donné et ce qui lui est rendu est en Asie à la fois le plus court et démesuré. Au tout début des *Voix du silence*, Malraux place l'image d'une « Fécondité » sculptée il y a cinq mille ans par un artiste sumérien. Le gros abdomen piqueté, la gueule à mandibules ouverte, les pattes antérieures préhensiles, dont il ne manque pas d'exposer les détails, évoquent un fourmilion guettant ses proies au fond de l'entonnoir. André met un point d'interrogation à l'intitulé de l'œuvre. Ce point questionne la duplicité de la Vie : la Pourvoyeuse jumelée avec la Fossoyeuse.

Il n'a cessé de recroiser l'Orient au cours de ses pérégrinations de lecteur. Il dévore des bibliothèques depuis qu'il sait lire. Un titre appelle un titre, un nom éveille un nom. Ce héros, pourrais-je l'être ? ce pays, y aller ? Mais l'Asie revient, c'est sa patrie de cauchemar, son amour ébloui d'effroi, sa tentation. Dans les salles de lecture à la Nationale, aux Langues orientales, à Guimet, il est accoudé des heures aux grandes tables communes sous les lampes à double tulipe en opaline verte. Il n'y a pas longtemps qu'on a posé l'électricité. C'est un dominicain, ce dandy. Il lui faut le silence de l'étude, les vitrines savantes qui l'enveloppent, ces murailles de livres qui découragent les esprits morts. Elles lui font pousser des ailes. Comme au prof à barbiche et col celluloïd, à l'autre bout, qui s'absorbe à prendre des notes sur la vieille édition jésuite du Tao Teï King. Ici des mystères sont révélés et célébrés dans l'odeur d'encre violette des tables d'école communale. C'est l'hiver 1922-1923, sur la place d'Iéna : au premier étage de la Rotonde, le cabinet de lecture de Guimet fait luire doucement, comme dans un Rembrandt, ses parquets qui crissent.

André ne va pas aux Ecoles, il s'y ennuie. Il porte chemise à col demi-souple, cravate club. Les Parisiens revêtiront bientôt veston tweed et pantalon flanelle comme pour faire le tour du monde ou une partie de cricket. André embarque pour la bibliothèque de Babel. Quand il ne trouve pas son trésor, il se lève, va poser une question bien précise à un bibliothécaire, à un lecteur de passage. On le pilote dans les fichiers. Joseph Hackin, plus tard conservateur du musée, met sa science au service de l'enfant. L'ami Pascal Pia racontera : « Avant même qu'il se rendît en Extrême-Orient, Marco Polo, Rubruquis et Plan Carpin nourrissaient ses rêves. Au sortir de la BN, nous nous interrogions, mi-sérieux, mi-bouffons, sur l'identité du Prestre Jehan. Qu'avait-il été : prince ou *dyable* ? Grand Mogul ou négus ? Si on allait voir sur place ? » Dix ans plus tard, en mars 1934, André va voir. Il s'expédie au Yémen. A la Concorde, les anciens combattants et les fascistes assaillaient la Chambre le 6 février. Le 12 les Gauches faisaient l'unité dans la rue à la Nation, et les Malraux en sont, prêts à faire cette guerre de civilisation. Dix jours après, les camarades apprennent qu'André s'est envolé pour l'Arabie sur un coucou de rien avec un pilote et un mécanicien. *L'Intransigeant* du 28 avril annonce « le récit de cette périlleuse expédition », à paraître dans ses colonnes. L'appareil n'est pas de taille, Corniglion-Molinier, qui pilote, a fait gonfler le moteur, et d'ailleurs les tribus du désert de Sanaa sont insoumises.

Le raid arabe répète le geste de 1923, mettre en acte *in situ* ce qu'on a rêvé en lisant : la suite fabuleuse de la reine Balkis accueillie à la cour du tout-puissant roi d'Israël... Et le Négus ? Marco Polo situait le royaume de Jehan aux confins des Indes et de la Chine. Au XVIIe siècle, les navigateurs portugais le localisent en Ethiopie. A la faveur de leur arrêt forcé près de Djibouti, Hailé Sélassié donne audience en son palais d'Addis-Abeba aux « inventeurs » de la légendaire maison de Saba, son aïeule. Et l'enfant sera payé au centuple de cet exploit, cinq jours plus tard. Sur la route du retour, au-dessus des Aurès, le monoplan poussif est pris dans un ouragan. Corniglion-Molinier laisse tomber l'appareil de 1 800 mètres en chute libre dans la soupe de grêle noire et le redresse à 500 mètres, au ras des collines. Voilà pour la prime d'épouvante. André n'est-il pas désormais autorisé à écrire ? La terreur du moins doit suffire à authentifier la découverte archéologique. Les spécialistes contestent celle-ci ? Mais dans son avion, André n'allait pas identifier un site, il venait éprouver ce qui en lui résiste, comme Claude Vannec. Le monde est prétexte à terreur et, donc, à merveille, comme un livre d'enfance.

La vérité des experts, l'amateur s'en moque, le mythomane la détrompe.

Pressé par la faillite boursière en 1923, il a donc son coup prêt. Un bout d'Asie inexploité l'attend, dans le marais cambodgien au nord du Tonlé Sap, à l'orée des forêts qui montent jusqu'au Siam. Au milieu des pourrissoirs à bêtes glaireuses, trouver les restes attestés de temples khmers préclassiques laissés à l'abandon, admirables. Arracher les dieux et les danseuses à la vermine, les rapporter à Kahnweiler qui les vendra en Amérique. Le moyen de gagner sa vie vous semble un peu retors ? Il est dans le droit-fil de l'obsession. Clara ne s'y trompe pas, elle n'a pas d'objection. Elle se demande jusqu'où ira le dément, prête à relever ce défi comme les autres.

André avait trouvé ceci dans ses livres : on vient d'identifier au Nord-Cambodge une culture intermédiaire entre les temples en brique du royaume de Funan, aux premiers siècles, et les grands ensembles d'Angkor du IXe. En 1914, un officier français envoyé par le service géographique pour établir la carte de la région découvre par hasard les ruines d'un sanctuaire au nord-est d'Angkor-Vat, au lieu-dit Benteaï-Srey ou Bentay-Srei. L'Ecole Française d'Extrême-Orient (EFEO), qui avait été créée en 1898, envoie un archéologue étudier le site, Desmazure, qui disparaît accidentellement. La Grande Guerre éclate en Europe. En 1916, Henri Parmentier, directeur du service archéologique de l'Ecole, complète les premiers relevés et publie, photos à l'appui, la première monographie des temples dans le *Bulletin de l'EFEO* (1919), sous le titre : « l'Art d'Indravarman », du nom des souverains des royaumes intermédiaires, dits plus tard Chen-La, entre 700 et 1000 ap. J.C. Parmentier déplore que ce très beau monument soit laissé à l'abandon[7].

Déshérence propice à l'exploit et à l'exploitation : voilà un objectif tout trouvé. Une note dénichée dans la *Revue archéologique* en 1922 le lui confirme : le Fogg Museum de Harvard vient de « se procurer » une splendide tête de boddhisatva en provenance d'Angkor-Vat. On peut donc piller très bien. De plus Benteaï-Srey n'est pas classé. On ne sait même pas s'il appartient au roi du Cambodge ou s'il relève de l'autorité du protectorat français. André fouille les Bulletins officiels. Un arrêté du gouverneur général de l'Indochine, daté de 1908, avait déclaré monuments publics tous les édifices « découverts et à découvrir » dans les provinces occidentales du Cambodge. On le lui rappellera sur place. Mais dans une récente adresse à la Chambre des députés, Daladier, alors ministre des Colonies, a jugé cette procédure de classement par arrêté « d'une illégalité flagrante ». Et voici qu'en août de la présente année 1923, un décret du gouvernement général vient de créer une Commission de protection des sites. Il faut faire vite, avant que l'exclusivité de l'EFEO sur les trésors khmers soit promulguée dans les règles. En arrivant à Hanoï à la mi-novembre, André apprendra que le roi du Cambodge vient de signer un décret de protection des sites disséminés dans la jungle. André est enchanté d'avoir à défier des princes et des gouverneurs.

Il y a urgence. Les Malraux sont sans un sou. Et puis, le désir d'Asie n'attendra pas plus longtemps. Et d'ailleurs la promptitude d'exécution fait la moitié de l'art de la guerre, et tout son plaisir. André passe à l'acte. Le 1er octobre, il sort du ministère des Colonies avec un ordre de mission en poche : autorisé à se rendre au Cambodge pour explorer les sites du Nord-Ouest. Les frais sont à sa charge. L'EFEO le fournira en montures et charrettes attelées, sur présentation de l'ordre. Guère plus qu'un laissez-passer, en somme. Mais il permet d'entrer sur le terrain sans obstacle.

Le 23 octobre, à Marseille, les Malraux, Clara soucieuse, l'autre exalté, escaladent l'échelle de coupée de l'*Angkor* à destination de Haïphong, le port d'Hanoï où se trouve le siège de l'EFEO. La traversée prend quelque quatre semaines. Rendez-vous avec Chevasson est fixé à Saïgon pour la fin novembre. Leurs derniers sous sont partis en achat d'équipements, d'instruments et des deux billets aller simple en première. Fernand a financé, Berthe aussi peut-être. Qu'importe ! dans trois mois, on sera riche. Ou disparu.

Clara décidément a peur. Qu'elle soit de la partie n'a même pas été discuté. Est-ce bon signe ? Les amis et connaissances s'étonnent à peine, on envie l'audace, on la suspecte.

Dans une lettre à Kahnweiler, Max Jacob ricane : « Une mission à Malraux... Enfin il va trouver sa voie en Orient. Il sera orientaliste et finira au Collège de France, comme Claudel. Il est fait pour les chaires. » Le poète sait depuis leur première rencontre qu'André ne sera pas fidèle à la seule mission vraiment sainte à ses yeux, l'écriture. Malraux aime le siècle, croit Max. Mais non, la voie qu'André cherche en Orient ne conduit sûrement pas à l'Académie. Pour l'instant, il a dans son bagage une douzaine de scies égoïnes. Et les sept sculptures de grès qu'on saisira dans ses malles au bas du Mékong à la Noël prochaine lui vaudront non pas une chaire en vue, mais trois ans de prison ferme. Tout ce qui vaut s'évade et, rattrapé par la routine, aura dû moisir en prison. C'est en cellule que s'écrivent les vrais livres : Dostoïevski, Cervantes, Defoe, est-il dit dans *Les Noyers de l'Altenburg*.

Au siège de l'Institut français d'Hanoï, Léonard Aurousseau attendait le chargé de mission annoncé par le ministère. Il pleuvait à torrent, mousson interminable, le mur de la cour bleu de moisi. Le directeur en titre est en mission au Siam, Aurousseau le remplace. Philologue plus qu'archéologue, c'est la tradition de l'Ecole. Il reçoit M. Malraux avec civilité, l'assure qu'il aura les ordres de réquisition promis pour son transport dans la jungle. Bagage somme toute léger, n'est-ce pas ? – Mais les pierres... ? s'inquiète M. Malraux. – Il est ordonné qu'elles restent sur place (*in situ*, dit le savant. *In situ* ? répète André. C'est sa devise, la « situation » de Max Jacob prise au pied de la lettre) et que vous nous fassiez un rapport de vos découvertes, le cas échéant. Je vous adjoindrai notre chef du service archéologique, M. Parmentier. (Tiens donc, se dit André.) Sachez enfin que la région des Dangrek est dangereuse. Les tribus insoumises nous ont déjà tué deux chercheurs en mission. André sourit : cela, c'est mon affaire. Il avait lu en détail Odend'hal et Maître, les savantes victimes. Leurs livres et leurs contributions dans les bulletins et les revues spécialisées fourniront à *La Voie royale* sa substance d'horreur.

Qui sourit ? André, ou le Claude dudit roman ? Aurousseau s'y appelle Ramèges, rameaux et rémiges, arpèges d'envol ? Claude veut retrouver l'ancienne route khmère du Nord-

Ouest vers le Siam qui coupe la chaîne des Dangrek en plein pays taï. Il y trouvera les sanctuaires inconnus qui jalonnent la piste effacée par la jungle, ou quelque voie parallèle et fera commerce de leurs merveilles oubliées. Claude n'est pas André, il est Malraux se rêvant. Les peuples qui ont tué Oden-d'hal et Maître séjournent, de fait en Cochinchine, à l'est du Mékong et non sur la voie royale. L'écrivain déplace les Moï vers le Nord-Ouest où il a besoin d'eux : en vietnamien leur nom veut dire sauvages[8].

Dans ses bibliothèques, André avait défriché en détail l'*Inventaire descriptif des monuments du Cambodge* (qu'est-ce qu'un peintre ? un homme qui regarde des tableaux) publié par Lunet de Lajonquière en 1911. Clara avait été initiée. André lui expliquait en comparatiste, c'est très simple : entre la Flandre ou la Rhénanie et Compostelle, vous suivez une route jalonnée d'abbatiales et de cathédrales, étapes pour le repos des pèlerins et l'oraison. Maintenant vous imaginez la France comme elle était alors, couverte de forêts en friche. On peut parier que des oratoires, des chapelles furent aussi élevés sur des voies qui doublaient la principale. Eh bien, retrouvons les doublets de la voie royale khmère, dénichons les sanctuaires, et faisons fortune.

C'est ce qu'André disait à Clara. A l'intention de Ramèges, Claude développe un tout autre argument. Quelque vingt ans avant *Les Voix du silence*, rien de moins que la thèse du musée imaginaire. Pourquoi, demande Ramèges, Claude vient-il au Cambodge ? (Pourquoi l'Asie ?) Réponse : « On dirait qu'en art, le temps n'existe pas. Ce qui m'intéresse, comprenez-vous, c'est la décomposition, la transformation de ces œuvres, leur vie la plus profonde, qui est faite de la mort des hommes [...]. Les musées sont pour moi des lieux où les œuvres du passé, devenues mythes, dorment – vivent d'une vie historique –, en attendant que des artistes les rappellent à une existence réelle [...]. En profondeur, toute civilisation est impénétrable pour une autre. Mais les objets restent, et nous sommes aveugles devant eux jusqu'à ce que nos mythes s'accordent à eux[9]. »

Claude vient explorer la jungle khmère pour réfuter Spengler et Valéry : il y a peut-être autant d'humanités que de

117

cultures ; pire, l'esprit de chacune est sans doute inaccessible à celui des autres. Les humanités seraient alors entre elles comme des espèces animales, qui n'auraient même pas ensemble un commun instinct d'adaptation au milieu (dont chacune est une partie). Cependant les civilisations laissent des traces, leurs œuvres, qui sommeillent, ignorées, incompréhensibles, comme dans les réserves de ce musée qu'est la planète. Il faut l'œuvre d'un artiste aujourd'hui pour réveiller telle d'entre elles, c'est-à-dire nous la rendre sensible. Alors nous l'extrayons de l'oubli et l'exposons, nous pouvons la voir – au moins pour un temps.

Selon une première version de la scène, conservée dans le manuscrit Langlois-Ford, Claude esquisse même le motif majeur des futurs écrits sur l'art, celui du deuil, qui s'appellera plus tard la métamorphose : « C'est l'orgueil des artistes qui supprime de la vie de l'œuvre d'art l'un de ses pôles : la civilisation à travers laquelle elle se développe... – Le milieu [commente Ramèges] – ... du *spectateur*, non de l'auteur [précise Claude]. Je me résumerai en disant que l'œuvre d'art tend à devenir son propre mythe[10]... »

Ecrit dans la fébrilité des derniers jours et publié posthume en 1977, *L'Homme précaire et la littérature* rappelle comme au passage cet axiome de la métamorphose : « J'appelle mythe le style d'un artiste, d'un homme, d'un événement, lorsqu'on fait, de sa valeur spécifique, une valeur suprême et ordonnatrice[11]. » Précieuse définition : l'orgueilleuse poétique cubiste étend ici sa mouvance à l'éthique de l'« action » et de l'« aventure ». Le style de Max Jacob, tout de « situation » et de « séparation », peut selon Malraux et doit se saisir aussi bien des personnes et des circonstances que des écrits. Il n'y fait pas moins son effet de merveille. Ladite « expédition » indochinoise est un poème en prose mais qui style et situe l'événement à même la vie, et non dans la seule langue. Ainsi généralisé, l'axiome cubiste divulgue le secret de la biographie selon Malraux : elle n'est nullement le récit fidèle d'une vie, elle est, à même cette vie, la légende qui s'y fictionne en acte. Vérité de style, non d'adéquation.

Si André fut jamais nietzschéen, c'est ainsi. La « mythomanie » que Gisors oppose au roman (comme au théâtre la tauromachie) acquiert la vertu d'un geste artistique ; syndrome maniaque au point de vue clinique, elle exerce en vérité la puissance d'une mythopoïèse : elle fait de la vie une œuvre, elle peut la soustraire à tout contexte historique, la rendre exemplaire et la sauver de la putrescence ordinaire où elle est condamnée. « Un homme, un événement » : la réalité donnée, caractère, héritage génétique ou culturel, conjoncture, tout le gris, le mou, des choses de la vie singulière ou commune doit se muer en merveille, comme la simple vue en vision et les mots en poèmes, pour peu que la « volonté » lui applique les moyens du style. La littérature se voit ainsi déchue du privilège que, depuis Flaubert et Mallarmé, lui reconnaissent encore les Gide, les Proust, les Max Jacob. On *écrit* encore, on écrit seulement, quand on signe un geste à même la banalité, quand on métamorphose un fait en événement par ce geste, serait-ce en cessant d'écrire et en partant, comme fit Rimbaud. Quand ils forcent la vie des misérables à se faire légende, Alexandre, Gandhi, Trotski ou de Gaulle sont-ils moins écrivains que Dostoïevski ou Shakespeare ?

Entre écrire et « agir », il fallait donc résolument ne pas choisir. Fausse alternative qui opposait l'œuvre et la vie. La décision était ailleurs : ou bien laisser le temps couler et mettre en terre indifféremment les œuvres et les vies ; ou bien sur la peau de la réalité faire des incisions à l'épreuve, peut-être, de la dégradation. Cicatrices, dit Perken. Mais sans l'épreuve, les marques s'effacent. Rencontre limite sur les confins de l'horreur, l'œuvre-vie de Malraux vient toujours s'éprouver au frôlement lippu de l'araignée, à son « Qu'importe ? ».

Vers 1911, un tout jeune étudiant en archéologie à Oxford prétendait ceci : il n'est pas vrai que l'architecture militaire des Croisés au Levant ait subi l'influence sarrasine, c'est l'inverse. Intéressant, lui dit Hogarth, directeur de l'Ashmolean Museum : démontrez-le. Ayant fait ses repérages, « ce jeune pince-sans-rire, tour à tour timide et brutal », s'embarqua sans mot dire pour la Syrie et se mit à parcourir le désert, à pied, sans escorte ni argent, en saison chaude, vêtu à l'arabe, afin de prendre en photo les trente-sept châteaux forts qu'il avait recensés à l'appui de sa thèse. Un seul cliché manqua : avant qu'il l'eût pris, des bandits kurdes l'attaquèrent, le dépouillèrent et le laissèrent pour mort à 1 600 kilomètres d'Alep. Où il réapparut un mois plus tard, avec ses photos, ayant marché à travers le reg et l'erg. Il soutient sa thèse à Oxford avec succès[12]. Sept ans après, le même fou en turban et gandoura blancs tendait les clés de Damas au futur roi Fayçal et au général Allenby : la Turquie abandonnait le Proche-Orient, l'Arabie naissait mais sous tutelle anglaise, Lawrence disparut.

Quand Malraux le lut-il ? Il se prend à écrire la biographie du colonel en 1942-1943 entre l'évasion du camp de prisonniers de guerre et l'entrée dans un réseau de résistance. Il ne l'acheva pas. Elle devait être une sorte de « tombeau » célébrant le démon de l'Absolu qui pousse à engager l'âme et le corps dans les combats humains afin de l'exposer aux défaillances les plus sordides et d'exercer le moi au dénuement. Moi qui suis incapable d'acquérir une technique, écrivait Lawrence, « le hasard, avec un humour pervers, me jeta dans l'action, me donna une place dans la révolte arabe... m'offrant ainsi une chance en littérature, l'art sans technique ». L'art d'être hautement vaincu : Lawrence voulait égaler *Moby Dick*, *Les Karamazov* et *Zarathoustra*.

L'enfant de Bondy, lui, aimait les livres comme des armes et la rue comme un roman d'aventures. De quelques années plus vieux, le jeune monsieur qui erre dans la forêt khmère en tenue tropicale, mal assis sur son petit cheval cambodgien, avec ses leggings qui traînent dans la vase grouillante et la nuque assaillie par ce qui tombe des lianes, bien résolu à s'emparer de quelques divinités mythiques, ce monsieur écrit. Il est en train d'écrire à même la jungle une légende, il fabrique un livre rare, album d'enfance, Robin des larves. Il est horrifié, il s'émerveille. Et il s'amuse déjà de ce qu'on prendra cette vie pour « la vie de Malraux » alors qu'elle est celle d'un style : obsession lucide, « angoisse différée », dit-il ailleurs[13]. Le pas de Kyo arpentant Shanghaï, qui vaut définition de la métamorphose : « Depuis plus d'un mois que, de comité en comité, il préparait l'insurrection, il avait cessé de voir les rues : il ne marchait plus dans la boue, mais sur un plan. Le grattement des milliers de petites vies quotidiennes disparaissait, écrasé par une autre vie[14]. » André dans la forêt marche sur des relevés cartographiques. Joli mot, cette levée. Elle relègue la boue et la soulève, elle organise l'insurrection contre le grouille-ment morbide, à partir de lui.

A Claude qui discourt sur la mythification de l'œuvre d'art, Aurousseau-Ramèges a répondu en savant désenchanté : « Au fond, vous n'avez pas confiance, voilà la vérité, vous n'avez pas confiance... Oh ! garder sa confiance n'est pas tou-jours facile, je le sais bien[15]. » Il montre au jeune homme un tesson ornementé, Grèce archaïque, six siècles au moins avant notre ère. Or que voyez-vous sur le bouclier du kouros ? Un petit dragon parfaitement chinois. Bien obligés de réviser nos idées sur la relation de l'Europe avec l'Asie, non ? « Que vou-lez-vous ? Quand la science nous montre que nous nous sommes trompés, il faut recommencer... » Aurousseau pensait avoir établi que le site protohistorique du peuple annamite se trouvait à Shanghaï. La communauté savante ne le suivit pas. Avec Henri Maspéro, elle tenait que les premiers Annamites apparurent dans le même delta tonkinois où on les trouve aujourd'hui. André eut-il connaissance de cette bévue scienti-fique ? Il dit avoir accompagné le philologue chez une carto-mancienne, lors de son passage à Hanoï. Elle déclare à Aurousseau : « Ce que j'ai à vous prédire n'a aucun intérêt ; vous allez vous tuer. » Malraux ajoute : et il s'est tué[16]. Claude disait de Ramèges : « Dans trente ans, son Institut sera-t-il encore là et les Français en Indochine ? » Souvent Malraux a l'air de savoir anticiper l'avenir : il se fie simplement à la toute-puissance du « Qu'importe ? ». Aucun pouvoir n'y résiste longtemps, dans le siècle. Songe-t-il ici, déjà, à l'éven-tualité d'une insurrection indigène ?

Clara et André quittent Hanoï, prennent Chevasson à Saï-gon, remontent le Mékong, traversent le Tonlé Sap jusqu'à Siem Reap. « Parmentier, professeur à l'Ecole française qui nous accompagne à Angkor, se pare d'une barbiche blanche de vieux bohème quelque peu gaillard[17]. » Penché sur le bastin-gage, il confie à Clara son admiration pour André, la jeunesse, la réussite, il ajoute sans rire : et le désintéressement. Au pro-cès de Phnom Penh, sept mois plus tard, où il dépose en témoin à charge, même prudence, même duplicité. Responsable du patrimoine khmer, il ne peut tolérer son pillage, surtout par un Parisien inconnu du milieu. N'empêche que l'aventurier a rendu hommage, à sa façon, à la science de l' « inventeur » de Benteaï-Srey. Parmentier réprouvera mais n'accablera pas.

Le délégué local de la Résidence à Siem Reap qui reçoit André, Crémazy, n'a pas de nom dans *La Voie royale*. C'est un grand bonhomme blanchi, moustaches et cheveux en brosse, qui grogne et bredouille comme un « maréchal gâteux ». Caricature de vieux blédard. N'aime pas les histoires. Il a en main les réquisitions expédiées par l'Institut de Hanoï. N'aime pas le blanc-bec, avec son ordre de mission. Conseille de se tenir tranquille. Bien sûr, il ne menace pas, n'en a pas le pouvoir, vous savez, il dit ça comme ça pour éviter des ennuis au jeune monsieur. Bien sûr, il va lui fournir le guide, les buffles, les chariots et les coolies auxquels il a droit. Mais enfin, la brousse est la brousse. « Alors, voyez-vous, je voudrais vous dire encore une bonne chose, mais alors, une vraiment bonne chose, ce qui s'appelle un conseil, quoi ! Msieu Vannec, faut pas faire de brousse. Laissez tomber, c'est plus sage[18]. »

Pour la première fois, André se voit par les yeux du lampiste. Crémazy n'est pas méchant, il est la banalité du mal : pas de mousse. Ne pas faire parler de soi là-haut. La brousse, aux confins du Siam surtout, c'est « leur » affaire, aux pontes. André s'entend dire cela en face, la sagesse des nations, que les jeux sont faits ailleurs, que votre vie, elle n'a pas besoin de vous pour se faire. André est partagé entre l'humiliation et la colère. Toujours décidé à mener à bien son projet, bien sûr... Mais il vient de *voir* la soumission.

En 1937, le colonel de l'escadrille España faisait sa tournée américaine pour obtenir des soutiens à la République espagnole. May Cameron l'interviewe pour le *New York Post* : et l'Indochine, Mister Malraux, dans votre formation politique ? Réponse : « Si un pays est fasciste, bon ; vous vous attendez au fascisme dans les colonies. Mais la France est une démocratie, et quand je suis arrivé aux colonies, je me trouvais en face d'un fascisme. » La désignation politique est sommaire, mais nous sommes en 1937, on fait vite. Le fascisme proclame son nom, c'est un programme politique, il ne fait pas mystère de ses buts et de ses procédés. Dans les borborygmes de Crémazy,

André a saisi une tout autre voix : la loi du silence. Comme la maffia à Chicago, l'administration en Indochine règne en fermant les bouches. Devant le tribunal de Phnom Penh, le témoin Crémazy chargera Msieu Malraux à fond. Il y va de sa position aux yeux des maîtres.

André a toujours eu en haine ceux qui exigent la servilité, mais pour les humiliés, il éprouve une espèce de sympathie. Garine dans *Les Conquérants* cherche à comprendre pourquoi : « Je n'aime pas les hommes. Je n'aime pas même les pauvres gens, le peuple, ceux en somme pour qui je vais combattre. » Pierre : « Tu les préfères aux autres, cela revient au même. » [...] – « Je les préfère, uniquement parce qu'ils sont les vaincus. Oui, ils ont, dans l'ensemble, plus de cœur, plus d'humanité que les autres : vertus de vaincus... Ce qui est bien certain c'est que je n'ai qu'un dégoût haineux pour la bourgeoisie dont je sors. Et quant aux autres, je sais si bien qu'ils deviendraient abjects, dès que nous aurions triomphé ensemble[19]. » Profession de foi d'un politique désabusé. Un premier jet du même passage révèle un autre motif : « J'ai longtemps été troublé par un assez singulier amour que je trouvais en moi, l'amour des vaincus [...]. Je savais que ce ne pouvait être la pitié [...]. C'est pendant leur défaite que je les aime, et non lorsqu'elle est consommée. Qu'il est singulier, cet intérêt passionné que portent les hommes aujourd'hui à tous les arts qui consacrent la défaite de l'homme[20] ! » Instant singulier en effet : le héros désarmé, dos au mur, les civils glacés par la terreur qui vient, l'humain quand il est sur le point d'être interdit d'humanité. Goya saisira ces moments de terreur au seuil de la nuit, entre un dernier rire et la déploration. Ainsi de l'Europe bientôt, déjà menacée de succomber : André aime dans cet instant l'événement de l'épreuve nécessaire à la signature. A vrai dire, Claude l'a dit à Ramèges, l'œuvre a besoin de « la mort des hommes » pour entrer dans sa vraie vie.

En attendant, les malfrats, au nom de l'Europe encore « éclairée », humilient et dévalisent les indigènes. Sous le couvert des intérêts de la République, les petits fonctionnaires coloniaux sont pris en otage, l'autorité coloniale corrompt ou piétine tout ce qui se dresse. Ces vainqueurs-là, André les hait, les haïra toujours. Il va revenir en 1925 à Saïgon faire un journal pour les attaquer au grand jour. Mais leur vraie force n'est pas frontale, il le sait, elle procède de la résignation des vaincus. Elle n'est pas plus que la force de gravité appliquée aux âmes. A bout de résistance, le petit peuple finit par plier, par dire oui au cours des choses, il se laisse entraîner avec elles à la fosse commune. Le succès des nantis, leur abjection, c'est la revanche des bêtes de la fosse Saint-Maur.

Mi-décembre 1923, la caravane Malraux quitte Siem Reap, conduite par Xa, jeune repris de justice pour vol dont, bien sûr, Crémazy a fait son mouchard et qu'André, en connaissance de cause, appointe royalement. Passées les dernières collines du bassin d'Angkor, la bande est avalée par le cloaque de la forêt tropicale.

> Claude sombrait comme dans une maladie dans cette fermentation où les formes se gonflaient, s'allongeaient, pourrissaient hors du monde dans lequel l'homme compte, qui le séparait de lui-même avec la force de l'obscurité. Et partout, les insectes.
>
> Les autres animaux, furtifs et le plus souvent invisibles, venaient d'un autre univers, où les feuilles des arbres ne semblent pas collées par l'air même aux feuilles gluantes sur lesquelles marchent les chevaux ; de l'univers qui apparaissait parfois dans les furieuses trouées du soleil, dans le remous d'atomes scintillants où passaient, rapides, des ombres d'oiseaux. Les insectes, eux, vivaient de la forêt, depuis les boules noires qu'écrasaient les sabots des bœufs attelés aux charrettes et les fourmis qui gravissaient en tremblotant les troncs poreux, jusqu'aux araignées retenues par leurs pattes de sauterelles au centre de toiles de quatre mètres dont les fils recueillaient le jour qui traînait encore auprès du sol, et apparaissaient de loin sur la confusion des formes, phosphorescentes et géométriques, dans une immobilité d'éternité. Seules, sur les mouvements de mollusque de la brousse, elles fixaient des figures qu'une trouble analogie reliait aux autres insectes, aux cancrelats, aux mouches, aux bêtes sans nom dont la tête sortait de la carapace au ras des mousses, à l'écœurante virulence d'une vie de micro-

scope. Les termitières hautes et blanchâtres, sur lesquelles les termites ne se voyaient jamais, élevaient
dans la pénombre leurs pics de planètes abandonnées
comme si elles eussent trouvé naissance dans la corruption de l'air, dans l'odeur de champignon, dans la
présence des minuscules sangsues agglutinées sous les
feuilles comme des œufs de mouches. L'unité de la
forêt, maintenant, s'imposait ; depuis six jours Claude
avait renoncé à séparer les êtres des formes, la vie qui
bouge de la vie qui suinte ; une puissance inconnue liait
aux arbres les fongosités, faisait grouiller toutes ces
choses provisoires sur un sol semblable à l'écume des
marais, dans ces bois fumants de commencement du
monde. Quel acte humain, ici, avait un sens ? Quelle
volonté conservait sa force ? Tout se ramifiait, s'amol-
lissait, s'efforçait de s'accorder à ce monde ignoble et
attirant à la fois comme le regard des idiots, et qui atta-
quait les nerfs avec la même puissance abjecte que ces
araignées suspendues entre les branches, dont il avait
eu d'abord tant de peine à détourner les yeux[21].

Littérature trop appliquée ? Mais bonne pour le « biographe ». Malraux parle d'André, ou plutôt : *je* parle de *ça*.
Le Temps du mépris se verra aussi reprocher des longueurs
inacceptables dans un roman d'action : sous couvert de rapporter les cauchemars de Kassner en cellule dans la prison SA,
André confesse tout au long ses terreurs. Jungle et geôle sont
des seuils d'épouvante, l'œuvre-vie s'y met à l'épreuve et
peut-être s'y autorise. Ces « longueurs » durent autant qu'il
faut à l'écriture pour se laisser approcher par sa vérité : la
pause d'une incarcération, un délai de macération dans
l'immonde.

Il existe une première version du tableau de la putrescence khmère, écrite sans doute dès 1924 (manuscrit Langlois-
Ford). Le détail répugnant y est un peu moins poussé. *La Voie
royale* sortira chez Grasset en octobre 1930, après *La Tentation
de l'Occident* et *Les Conquérants*. Il prend la critique à contre-
pied, comme fera *Le Temps du mépris* après *La Condition
humaine*. Le romancier André Malraux avait sa place prête
dans la république des lettres. On attendait une nouvelle épo-

pée politique, on eut *Le Cœur des ténèbres*, en moins suggestif. Gide avait traduit *Typhon* en 1903, et la *NRF* honorait Conrad d'un numéro spécial en décembre 1923, au moment même où Malraux cherchait son temple au Cambodge. Le 3 août 1924, le jour même où l'auteur de *Lord Jim* meurt, *Le Matin* et *Le Journal* font état à Paris de la condamnation de Malraux à Phnom Penh dans les termes les plus injurieux. Reste que la voie n'est royale que de mener au cœur des ténèbres. Aux deux romanciers, l'exotisme colonial fournit la même occasion de montrer l'âme occidentale habitée et tentée par sa pourriture intérieure.

En juillet 1928, à Pontigny, Malraux confie à Gide, tandis qu'ils se promènent sous la charmille du parc : « Conrad est un grand romancier d'atmosphère, malgré son rythme à la Flaubert ; mais mon admiration va moins à ce que vous avez traduit qu'à une obsession dont je distingue mal l'origine dans sa vie : celle de l'irrémédiable. » Gide répond : « C'est trrrès cuurieux… Quant à l'origine, je la vois peut-être… » Malraux l'interroge du regard. Gide lui prend le bras et choisit son ton diabolique : « Avez-vous connu Madame Conrad[22] ? » L'anecdote est contée par un certain Malraux à l'ambassadeur de France en Malaisie qu'il rencontre lors de son passage à Singapour en 1965 en compagnie du supposé Clappique. La scène de Pontigny est montée dans celle de Singapour, elle-même montée sur le théâtre des *Antimémoires,* l'œuvre la plus réussie du couturier-cinéaste cubiste, né faussaire. Aussi inventé que le « diabolisme » (homosexuel) prêté à Gide puisse être, il n'en est pas moins révélateur : les femmes sont des figures de l'irrémédiable, comme la jungle.

Après le dîner, « Clappique », mû par une extravagance sinistre et gaie digne du *Neveu de Rameau*, développe pour « Malraux » le synopsis d'un film sur Mayrena, cet aventurier qui chercha à se tailler un royaume sur les confins du Cambodge et du Siam et dont Malraux s'inspire dans *La Voie royale* : « Il faudrait aussi me débrouiller avec la forêt. Problème ! Une atmosphère étouffante, des trouées, l'Annam mille mètres plus bas. Et que ça pullule ! Les villages comme des punaises des bois ! Des sangsues, des grenouilles transparentes ! Un squelette de buffle absolument net mais plein de

fourmis. Vous voyez le genre ? » Sur quoi, « Malraux » :
« Sans peine : pour moi, la grande forêt, ce sont les insectes et
les toiles d'araignées[23]. »

Après quelques jours à se traîner dans les bas-fonds,
l'équipe Malraux tombe sur Banteaï-Srey. « Forteresse de la
pucelle », traduit Clara, comme « Magdeburg » en allemand,
« un temple rose, orné, paré, Trianon de la forêt ». Ils s'arrê-
tent émerveillés, « comme des enfants auxquels on vient d'offrir un cadeau[24] ». Et puis vite, ils se mettent aux scies. Elles
cassent. Alors les ciseaux à pierre, pour faire levier. En trois
jours, sept blocs sculptés sont déposés en bon état. Ça, c'est
écrire ! On les embarque pour Phnom Penh, d'où une firme les
exportera vers la France. Suite à une dépêche de Crémazy, les
galopins sont arrêtés en pleine nuit de Noël à bord de la
vedette qui descendait le Mékong, inculpés de vol de biens
patrimoniaux et assignés à résidence pour instruction à Phnom
Penh.

Au Manolis, l'hôtel chic, que faire ? La capitale du Cambodge, une sous-préfecture, somnole en attendant les soirs.
Les ventilateurs moulinent de la torpeur moite. Par exception,
le juge Bartet instruit l'affaire dans le strict respect de la loi
métropolitaine, qui interdit toute publicité. La maffia coloniale
esquisse quand même une offensive. Le 5 janvier 1924, *L'Echo
du Cambodge*, et le 8, *L'Impartial*, journaux soldés par le colonat et l'administration, dénoncent les « vandales et pilleurs de
ruine », réclament une condamnation exemplaire. Bartet fait
expertiser les dommages causés au site. Parmentier se rend sur
place avec Finot, le directeur de l'Ecole à Hanoï, et Goloubev,
son assistant. On décide la restauration complète du sanctuaire. Au moins, j'aurai servi à ça, se dit le futur ministre de
la Culture. Le rapport de police demandé à Paris par Bartet
signale le sieur Malraux comme un assidu de la bohème parisienne, cosmopolite, cubiste, dada, sûrement bolcheviste. Sa
femme est allemande (et juive ?). Il a pour amis Kahnweiler,
immigré allemand, Gide, homosexuel notoire, etc. Rien au
dossier, conclut Bartet, qui fasse présomption de culpabilité
dans l'affaire du temple khmer. Le juge penche pour le non-
lieu. On le décharge bientôt de l'instruction. Un magistrat
plus docile clôt l'enquête sans tarder et demande l'inculpation

des trois lascars. Le vrai grief n'est pas que Malraux soit suspect, c'est qu'il ne soit pas de la maffia locale. On lui prépare une condamnation exemplaire, non pour délit, mais pour intrusion.

Quand nous reviendrons la prochaine fois, ce sera mieux préparé, nous réussirons : après Eylau, Napoléon prépare Friedland. André, impassible, observe les manœuvres, s'informe de l'ennemi, se concerte avec les avocats. Il est décidé que Chevasson prendra sur lui toute la responsabilité du délit pour qu'André garde les mains libres en cas de condamnation. Il n'est pas question d'un échec.

NOTES

1. *VR*, 393-394.
2. *Ibid.*, 394.
3. *Ibid.*, 395.
4. *CH*, 703.
5. Clara 2, 111-112.
6. Picon, 18.
7. Pour ceci et ce qui suit : Walter Langlois.
8. *VR*, 397-401.
9. *Ibid.*, 398.
10. *OC*, 1205.
11. *HPL*, 71.
12. *DA*, 743.
13. *ML*, 871.
14. *CH*, 522.
15. *VR*, 899.
16. *ML*, 347.
17. Clara 2, 133-135.
18. *VR*, 404-405.
19. *Conq.*, 158.
20. *OC*, 929.
21. *VR*, 416-417.
22. *ML*, 299-300.
23. *ML*, 323.
24. Clara 2, 149-150.

9

SORTIE DE CLARA

Or Clara, la vaillante, perd courage. L'équipée en forêt l'a épuisée, l'assignation à résidence l'humilie. Ils n'ont plus un sou, la note d'hôtel s'allonge. On télégraphie à Maman Goldschmidt, qui expédie un mandat avec la sommation d'avoir à divorcer au plus vite. Sa fille imagine l'avenue des Chalets, l'inquiétude là-bas, la fureur des frères. Qu'a-t-elle fait, la fille des Goldschmidt, la perle ? Que fait-elle avec ce fou ? Ecumer les merveilles du monde ? « Il risque de se terminer ici, notre petit voyage dans tous les sens[1]. »

Et tout d'un coup, avant même qu'elle le sache, la voici infectée. Clara commence à faire « comme si ». Ils se font l'amour comme à Paris, ils se font la lecture comme à Paris. Classiques scolaires, menues relations de voyage au Cambodge, rapports administratifs, toute la bibliothèque de Phnom Penh défile au Manolis. Il n'y a pas de poésie ? Ils se déclament des tirades comme à Paris, de mémoire, d'Apollinaire à Rutebeuf. Clara devient la mémoire de Clara. Comme naguère, ils discutent et tranchent du sort du monde. Mais elle le voit exercer sur elle ses arguments. Il n'est plus avec elle. L'a-t-il été jamais ? Désenchantement, soupçon, misérable roman des vies. Il passe des auditions devant elle.

Il faut faire quelque chose pour s'en sortir, j'ai une idée, lui dit-elle un beau matin, simuler un suicide. Au gardénal, bien dosé, vous jetez le reste du tube aux cabinets, qu'en dites-vous ? André admire, la solution est élégante, mais dosez

avec exactitude, je vous prie. Il n'entend rien du deuil d'où
l' « idée » a surgi. On hospitalise Clara d'urgence. André s'inquiète un instant : n'a-t-elle pas forcé la mesure ? Il s'installe
auprès d'elle. Grande chambre en balcon sur le préau intérieur,
comme une tribune. Les voilà logés et nourris à crédit pour un
temps.

Sous ses draps, entre les visites et les soins, à l'insu
d'André, Clara commence à écrire son amertume, qui la
dégoûte, pour s'en débarrasser. « Dix ans durant, comme une
goutte qui suinte à travers la terre pour tomber sur le même
point d'une roche […], je fixais en phrases abstraites, de peu
de mots, un malaise dont j'avais presque honte[2]. » Ce sera le
« Livre de comptes », publié quelque quinze ans plus tard par
Paulhan dans la *NRF* et qui mettra André hors de lui. Non
parce qu'elle se plaint, mais parce qu'elle publie le « petit tas
de secrets ». C'est du pur biographique, à classer infâme. Elle
sait déjà ce qu'il en pensera. Tant mieux. Elle prépare sa guerre
d'indépendance. Cependant, l'élargissement attendu du « suicide » ne vient pas, André ne cesse de prendre des notes sur les
rapports de l'Asie avec l'Europe. Elles iront à *La Tentation de
l'Occident*. Et à fixer des scènes ou des bouts de dialogue qui
nourriront *Les Conquérants* ou *La Voie royale*. Des scènes ?
Non, toujours la même, la crise où se mesurent l'épouvante et
la volonté, où s'enchevêtrent Satan et Dieu – drame inflexible
sur lequel il ne reste à l'écrivain qu'à distribuer des visages,
des gestes, des noms, pour faire un « roman ».

Clara s'enfouit dans son abandon, elle le couve. L'infir-
mière-chef, Mme Elisabeth, sorte de maman, et la désirable
Touit la cajolent. Bah, une infirmière annamite, tente de la
séduire au bain, sans succès. Elle n'a pas les hanches de Touit.
Mais enfin un gynécée conspire, dans le dos d'André. Clara
feint l'amnésie comme ceux qui perdent leur passé : c'est drôle
que maman ne soit pas arrivée, la maison est à vingt minutes
de la gare. Elle souffre d'anorexie comme quand on n'a plus
d'appétit à vivre. Juste assez de force, la sale gamine, pour se
dire que, ah mais, ce dégoût de tout, c'est très propice à une
vraie grève de la faim. Elle s'y met aussitôt. Embarras du personnel hospitalier, inquiétude, suppliques, injonctions, injec-
tions de sérum. Elle n'a aucun mérite à s'obstiner, elle n'a pas

faim du tout, tombe à trente-six kilos. André arpente la vaste chambre, monologuant à pleine voix : « L'essentiel, n'est-ce pas, est de savoir comment l'Oriental s'accommodera de la nécessité de devenir un individu[3]. » Sa harangue fait encore à Clara un peu de lumière dans la nuit où elle se tapit. Un jour quand même, où elle pleure de détresse et qu'il trouve cette consolation : « Il ne faut pas vous désespérer, je finirai bien par être Gabriele D'Annunzio[4] », elle lui crie hors d'elle : ce clown, cet imbécile, mais je n'en ai rien à foutre ! Et retombe. Et puis le juge enfin délivre une ordonnance de non-lieu : Mme Malraux a suivi son époux où il allait, comme la loi l'y oblige. Non coupable.

Clara étouffe un pauvre rire. Bien la peine de se suicider ! Elle s'en retourne à Paris. Touit la conduit en ambulance jusqu'à Saïgon. « Quand la voiture démarre, je le vois sous son casque de liège, son col demi-raide autour du cou, debout au milieu de la route dans son costume de toile blanche, les bras ballants, séparé des autres, orphelin[5]. » On embarque la poupée squelettique, tremblant de paludisme, une trop belle robe sur son dos maigre, les autres sont mortes, souliers de bal éculés, les seuls qui restent. Elle se sent coupable de se dérober au procès, angoissée surtout de ne plus aimer l'orphelin, sait-on ?

Sur le pont du paquebot, les coloniaux, les familles des coloniaux, fonctionnaires, marchands grands et petits, la bonne société, surveillent l'affichage des bulletins boursiers. La chute du franc les enrichit. Ils glissent ravis, sur l'océan lisse, vers la prospérité que leur promet une bonne dépression. On évite l'épouse du pilleur de monuments : ces métropolitains arrogants, voyez-vous, ne connaissent rien à la colonie. A la salle à manger, pas de convive pour Clara, une table célibataire dans un coin, qu'elle refuse. En titubant de fatigue, elle va s'enfermer dans sa cabine. « Il y a la fatigue. Comme on parle peu d'elle [...][6]. » Après l'escale de Singapour, elle monte sur le pont quand même, regarder la grande fourmilière malaise qui s'éloigne, et voici qu'on s'approche d'elle, qu'on lui parle et qu'elle s'entend répondre. Charles G., retour de Chine où il est en mission pour l'enseignement français depuis cinq ans, lui raconte l'automne et le printemps à Pékin, lui explique des idéogrammes, elle rit, elle reprend souffle.

Il l'emmène faire des emplettes pour sa femme à l'escale de Ceylan. Il sait qui elle est, il connaît l'histoire, « les belles âmes se sont chargées de m'en informer[7] ». Comme à Cendrars, un obus lui a enlevé la main droite pendant la guerre. Il est délicat, robuste, il lui raconte qu'il se disait en la voyant : qu'est-ce que cette charmante petite épave ? Ils se font la lecture, ils bavardent tard dans la nuit. Un soir, ils se prennent, comme par gratitude. Juste pour fêter une résurrection. Un ex-voto, le contraire d'une aventure. « Il sut être un amant sans cesser d'être un camarade[8]. » Il n'y aura pas de liaison. Elle ne cachera rien. Clara commence à retrouver Clara. Que faire pour aider André, là-bas, l'orphelin ? Charles lui conseille de prendre contact avec l'avocat des indigènes à Saïgon, il est à bord, tenez, là-bas. Paul Monin écoute attentivement Clara. Rendez-vous est pris pour l'arrivée à Paris.

Clara va se battre. C'est son affaire. De juive, d'Allemande, d'immigrée, de femme, de fille sans père, et compagne d'un mythomane délinquant. Et pas très belle, avec ça, se disait-elle, sauf les chevilles. Ce n'est pas qu'elle cherche sa vraie place, son défi est de les occuper toutes et d'exceller. Elle a quatre langues qui parlent dans sa bouche, traductrice, transitaire. Allemande en France, Française en Allemagne, juive nulle part, femme partout. Non pas de passage mais acharnée à forcer la passe. Après la mort du père, elle s'est faite la mère de sa mère. Et l'amoureuse de son frère aîné quand il part à la guerre : « Sa taille était celle d'Apollon, écrit-elle de Maurice (de son vrai nom, André), son courage celui de David, son visage celui de Siegfried [...]. Il était le jeune mâle, dominateur et secret, l'époux qui ne révélerait sa douceur qu'à l'épouse. Mais moi, si je ne pouvais pas être son épouse, j'étais du même sang que lui [...][9]. » Sang réservé ? Pendant quatre ans, elle lui écrit tous les jours aux armées. Il ne répond jamais à ce journal d'adolescente sauf quand elle le menace d'arrêter ; en trois mots, il la prie de continuer. Retour du front, il se conduit en pater familias, à surveiller la vertu de la petite et à préparer son avenir.

Clara est devenue une jeune femme de sa génération,

avertie jusqu'au zèle des désordres que vaut à un esprit violent et curieux de tout sa cohabitation avec l'énigmatique corps féminin. Elle se vouera à libérer ce corps, à se libérer. Elle s'est saisie d'André sur ce mode opiniâtre : l'une des premières féministes. Mais l'institution est une chose, la vraie question est à l'intérieur. Sa défaillance à Phnom Penh, qui est aussi sa force, dont elle fait sa force, sa fatigue qu'elle donne sur le bateau à Charles comme naguère à sa mère, à son frère, tout ce qu'elle a donné à André, qu'elle donnera à leur fille Florence, sept ans, qu'elle aura seule en charge pendant l'Occupation, à déjouer la milice antijuive tout en travaillant dans un réseau de résistance, bref l'incapacité de céder, le refus d'oublier, jusqu'à la méchanceté vindicative, sont chevillés en elle bien en deçà d'aucune idéologie. Elle peut rendre hommage à ses chevilles.

A Phnom Penh, infirmières, garçons de salle, les gardes-malades, tous les sans-voix lui ont fait confidence : on a levé les hommes du village, on les a expédiés en wagons à bestiaux pour se faire tuer sur la Marne ; un petit paysan exproprié et expulsé sans décision judiciaire a fait feu sur le gouverneur ; un grand colon a ordonné qu'on enterre jusqu'au cou des bagnards qui s'étaient mutinés, il leur a fait mettre des essaims de fourmis rouges sur la tête ; un oncle, gérant de bungalow, a été frappé d'une grosse amende pour avoir hébergé un Annamite ; un cousin embauché par un trafiquant de main-d'œuvre a disparu ; le fils d'une amie, bachelier, est interdit d'inscription à l'université de Saïgon ; on a fait fouetter un enfant sans famille ni ressource pour avoir volé un bol de riz au marché ; et tous les jours dans la rue, descendre du trottoir pour laisser passer le Blanc. L'histoire d'un peuple privé de son histoire, ce sont les anecdotes.

André n'en a qu'au style. Il ne peut supporter l'opprimé que rebelle à sa défaite, comme Clara quand elle se « suicide ». L'humiliation le touche, mais trop profond, elle met à vif les cauchemars d'abjection. Vite un « geste », qui la signe et fait de l'infortune vertu. Ressasser les malheurs, c'est ajouter au grouillement des bêtes immondes. André se campe ? Non, c'est quelque chose en lui qui érige aussitôt la souillure en épreuve. Au contraire, Clara, la gosse de riche, est en prise toute simple avec la misère et ses riens. C'est sa grandeur à elle, méconnue d'André, d'accepter d'être affectée de toutes les manières. Femme de passions qui les livre et les partage, sa compassion véhémente démentait la cabrure d'André. Il avait aimé cette distance entre eux. Soyez le plus femme, le plus juive que vous pouvez être. Le parti était pris de leur différence, c'était pour lui matière à voyager, à voir. « Une femme. Pas une espèce d'homme. Autre chose[10]… »

L'histoire du forçat enterré vivant et mangé par les fourmis ou de l'orphelin fouetté résonne en elle avec la même violence que *La Métamorphose* de Kafka ou que le journal d'une psychanalyse. Comme elle traduit les entretiens de Kafka avec Janouch et le journal de la petite fille psychanalysée trouvé à Berlin, elle traduit en direct de la vie les menus épisodes : Xa, le guide indicateur, qui vient à l'hôpital lui faire cadeau de deux têtes khmères, comme ça ; ou le garçon de salle qui ne veut pas tuer un scorpion égaré dans la chambre parce que la loi bouddhique enseigne qu'on doit respecter tout ce qui vit. Enfant de vieille bourgeoisie, adorée de sa « grossmama », fantaisiste et jouisseuse, dit-elle d'elle-même, mais toujours apte aux chagrins et aux grâces des autres, et à prendre sa part de leurs épreuves. La mythomanie d'André l'a médusée, amusée, elle adore son rapport volage, avide et grave à la réalité et aux œuvres. Mais la mythopoïèse lui est inexplicable. Sous ses yeux à elle, fureteurs, étincelants, la vie fait œuvre d'elle-même, voilà tout, sans distance, et l'œuvre sort du ventre de la vie. Les « embellissements pathétiques », les grands hommes, elle s'en fout : « Le plus drôle peut-être [est] qu'il est vraiment devenu Gabriele D'Annunzio[11]. » Force d'un ventre quand il monte à la tête et lui fait comprendre ce qu'elle ne comprend pas. Exactement ce naturel qu'André a en horreur. Ce qui monte à la tête alors, depuis le ventre, c'est pour lui la mort.

Voilà donc comment ils se trouvèrent séparés dès la fin de 1923. Alors même qu'ils venaient de découvrir ensemble la misère de la colonie, de courir côte à côte le risque de l'aventure et d'essuyer leur premier échec, elle apprit que son amour à elle pour lui devrait rester sans retour. Et lui, justement, n'apprit rien, sinon ce qu'il savait : qu'on doit signer, et pour cela s'avancer vers la terreur. Clara disait : « Je ne l'ai jamais vu apprendre à faire quelque chose qu'il ne savait pas. »

En la mettant à l'ambulance, il lui avait affirmé : ils n'ont rien au dossier, je partirai d'ici avant que vous soyez à Marseille. Et le croyait. « Il ne parvenait pas à se rendre compte de ce que pouvait être un tel jugement [...]. Les confrontations n'avaient pour lui aucun intérêt : il ne niait rien [...]. Un jour, il dit à ce juge [d'instruction] qui venait de lui poser une question : " Qu'importe ? – Eh ! répondit le juge, cela n'est pas sans importance pour l'application de la peine... " Cette réponse le troubla. L'idée d'une condamnation réelle ne s'était pas encore imposée à lui[12]. » De la prison pour complicité d'avortement ? Garine ne tolère pas de faire cadeau de quelques mois de sa vie à ses ennemis pour cela. Ni André pour tentative de vol de statues. Garine fait jouer les relations. André n'en a pas à Phnom Penh. Après six mois d'instruction, le procès en correctionnelle s'ouvre le 16 juillet 1924[13]. Il est huit heures du matin, chaleur torride, la salle est comble, on s'évente, on papote. La « société » française de la capitale cambodgienne est là, en tenue de cocktail, venue voir le pirate à la langue bien pendue se faire étriller par le juge. Jodin vient d'être muté à Phnom Penh. On le dit aigri par une carrière médiocre. Sa situation de famille fait jaser, faux divorce, concubinage. Il joue son investiture devant l'aréopage de ses nouveaux maîtres.

Premier inculpé auditionné, Chevasson se charge le plus possible, selon la stratégie convenue. Il reconnaît les faits incriminés et s'accuse d'être seul responsable. Peine perdue. Quand vient son tour, André ne peut s'interdire d'exercer son éloquence. Il réfute dans le détail tous les chefs d'accusation, il exhibe brillamment ses connaissances en archéologie khmère. On le dit trousseur de ruines ? Il peut vous réciter par cœur du Virgile en latin, et coller Jodin sur l'histoire du Cambodge. Il entend surtout vous faire savoir qu'il préfère son insolence à votre indulgence et qu'il n'est pas des vôtres.

« Juger, c'est, de toute évidence, ne pas comprendre, puisque si l'on comprenait, on ne pourrait plus juger[14].» Le grand garçon maigre aux yeux pâles, dévoré de tics et de gesticulations (pochade de Clara quand elle le quitte : « Son teint, jamais très brillant, vire fâcheusement à la moutarde[15]»), sourit en se rasseyant : il sait qu'il a perdu, mais l'enfant a gagné. Ces « abrutis » vont lui faire passer des mois en prison.

Il écoute avec soin les témoins de l'accusation, le commissaire de police, les coolies, le gérant de bungalow de Siem Reap. Crémazy invoque une dépêche chiffrée expédiée par le ministère des Colonies au gouverneur et au directeur de l'EFEO qui signale en Malraux un « suspect à surveiller ». La défense exige que la pièce soit versée au dossier. On lui oppose le secret d'Etat, et la déposition de Crémazy est retenue par le juge Jodin qui fait sa cour aux puissants. Il suit les incroyables conclusions du procureur : dix-huit mois de prison ferme à Chevasson, et trois ans à Malraux, avec cinq ans d'interdiction de séjour en Indochine. Et bien sûr, l'un et l'autre démis de tout droit sur les sculptures.

C'est le 21 juillet 1924. La défense fait appel de la sentence au motif que, le statut juridique du temple de Benteaï-Srey étant mal défini, les accusés pouvaient croire le monument *res delicta*. Jugement devant la cour d'appel de Saïgon fixé au 22 ou 23 septembre. André s'installe à Saïgon avec Chevasson fin juillet. Dans leur chambre de l'hôtel Continental, au coin de la rue Catinat, la grande artère, il entasse les notes et les brouillons pour les livres à venir, écrit de petites histoires farfelues. Cependant, la veille du jour fixé pour le jugement, *L'Impartial* publie un compte-rendu du procès de Phnom Penh. C'est le journal de Saïgon qu'un Henri Chavigny, qui se dit de Lachevrotière, dirige à la botte du colonat et de l'administration. Le rôle est commun au répertoire des colonies : on a un passé chargé que l'on fait blanchir en échange de bons offices, d'un empressement admirable à servir la présence française en Indochine. On est prêt à dénoncer comme bolcheviste ou agent britannique tout ce qui murmure contre l'arbitraire. Pas de doute, écrivait l'envoyé spécial du journal à Phnom Penh, le vol de Banteaï-Srey était commandité, comme beaucoup d'autres dans la région, par un réseau international d'amateurs et de marchands d'art. Malraux pouvait en attendre « un respectable chiffre de dollars ». Dans l'éditorial du même numéro, Chavigny jouait les belles âmes : « Protéger les trésors artistiques et archéologiques de l'Indochine », l'avenir touristique de la région est menacé, c'est trop souvent que des « vandales collectionneurs sans scrupule » comme Malraux se font des fortunes en pillant les monuments, on doit faire un exemple. Le tout illustré de quatre photos desdits trésors. Pour épicer le scandale, l'une d'elles représentait une sculpture... d'Angkor Vat.

Comment les journaux de Paris avaient-ils été informés de l'affaire dès le 2 août sinon par une « fuite » des dossiers déposés au ministère des Colonies ? Le bureau du gouvernement général d'Hanoï n'avait télégraphié que la sentence de Phnom Penh, et le courrier par bateau prenait au moins trois semaines. Le 4 août, *Le Journal* et *Le Matin* publient pourtant à Paris des articles violemment hostiles. Le titre du *Matin* donne le ton : « L'homme à la rose condamné à trois ans de prison ». *L'Impartial* à Saïgon fait de cet article son éditorial au début septembre, en même temps qu'il propose audit homme à la rose de lui ouvrir ses colonnes pour une interview.

André avait flairé la manœuvre ; il riposta en bonapartiste. Le front ennemi se forme en mâchoires pour vous encercler ? On le crève en fonçant au milieu. Il fonce. Il ne doute pas de la puissance de son verbe. Ah, que la guerre est jolie ! Mais l'imprimé n'est pas le canon ni le verbe, surtout quand c'est l'ennemi qui imprime. André lit, effaré, le résumé de l'entretien sur une colonne dans *L'Impartial* du 16 septembre. Seule archive de ce qui fut dit. Or il fut dit tant de sottises qu'on a peine à les imputer au jeune homme. Impétueux certes, mais jamais bas. On lui fait dire : Benteaï-Srey ? un amas de pierres, pas plus d'1,20 m de haut. Son butin ? quelques bas-reliefs tronqués. Sa collection parisienne ? pas même une copie d'Angkor, quelques cubistes nullement délirants. Sa situation ? « Je suis riche et puis me permettre des essais littéraires ainsi qu'une collaboration à des périodiques. » Ses amis à Paris ont du reste lancé une pétition de soutien, *L'Éclair* et *L'Intransigeant* préparent une campagne de rectification. Sa famille ? Mon père dirige les affaires « d'une des plus grosses sociétés pétrolières du monde ». Alors, pourquoi donc la sévérité de la justice locale ? Elle m'a pris pour un trafiquant international, mes activités boursières, vous comprenez, et puis ma femme allemande...

Un peu flatté quand même, c'était sa première interview, il a résolu de décontenancer l'adversaire. Il a fait dans l'ubuesque, pour narguer. Et fabriqué un petit faux, pour voir si son effet l'authentifierait. Il y eut aussi le clin d'œil à la cour d'appel : cet argent de rapine, il n'en avait aucun besoin. Mais Chavigny sait quoi faire de ces finesses : il traduit le parler farfelu en vantardises imprimées. Consternation générale, de la femme allemande, des amis qui eurent le texte en main, et d'André. Chavigny fait alors un faux pas, il abuse de son avantage : la campagne de rectification annoncée par M. Malraux est manifestement, ajoute-t-il, une tentative de pression exercée sur la cour d'appel. Diffamation, proteste André, qui obtient droit de réponse dans *L'Impartial* du 17 septembre. La réponse essaie d'être méchante, est assez drôle, toute écrite par antiphrases : *L'Impartial* est un modèle d'intégrité qui n'a « jamais tenté de faire croire que les statues appréhendées l'avaient été à Angkor [...], qui n'appelle pas aujourd'hui même son interview " l'affaire des statues d'Angkor " et qui ne va pas tenter, en répondant à cette réponse, de créer une nouvelle polémique à des fins manifestement désintéressées ». Chavigny à son tour proteste de l'impartialité de *L'Impartial* et note l'excellent parti que M. Malraux tire de sa condamnation. Vous verrez, il nous contera « les aventures d'un amateur d'art au milieu du groupe d'Angkor ». Riposte de M. Malraux le 18 : « Je ne conterai pas les aventures d'un amateur d'art au milieu du groupe d'Angkor, d'abord parce que l'amateur dont vous parlez n'eut pas d'aventures dans le groupe d'Angkor, et ensuite parce que je n'écris pas de roman d'aventures. » Sans oublier de demander à Chavigny s'il eût été ravi que la presse locale le vilipendât de la sorte quand l'honorable et impartial directeur allait, huit ans auparavant, en 1916, passer en justice pour corruption et chantage.

Chavigny pas content. A la veille du procès en appel, le 22 septembre, il republie donc le compte-rendu de Phnom

Penh sous le titre obstinément fallacieux : « Le vol des bas-reliefs d'Angkor », et fait déposer le texte directement au parquet. Démarche irrégulière. La magistrature diffère l'audience au 8 octobre pour sauvegarder les droits de la défense. Les débats portèrent sur le statut légal du site du Benteaï-Srey : la défense démontra qu'il était à la seule disposition de la puissance législative française, laquelle ne s'était jamais prononcée par un vote. Quant au classement du monument, il restait incertain, faute d'un décret en bonne et due forme émanant de l'exécutif français. La personne de l'accusé ? L'avocat de Malraux fit lecture des pétitions, lettres et articles signés des plus grands noms des lettres françaises en faveur de son client : petit trésor que Clara avait rassemblé à Paris en août et expédié d'urgence. La peine fut réduite pour André à un an de prison avec sursis et à huit mois avec sursis pour Louis. Mais la décision ordonnant la restitution des sculptures fut confirmée. Après la restauration de Benteaï-Srey en 1925, les dévatas et les apsaras déposés au musée de Phnom Penh furent replacés dans le sanctuaire. Les accusés se pourvurent en cassation, à Paris, où l'arrêt de Phnom Penh fut en effet cassé, mais pour vice de forme. Les condamnés ne purent poursuivre la procédure, faute d'argent, et n'obtinrent donc jamais réparation judiciaire. Quand André rembarque en novembre avec Louis pour Marseille, il n'a pas ses statues en cale, ni fortune faite, il a des comptes à solder.

De retour de Paris, au début d'octobre 1924, Paul Monin, l'avocat de Saïgon mandé par Clara, avait pris contact avec André. Sympathie et confiance. Ils projettent de faire un journal indépendant à Saïgon. Pour défendre les humiliés, dit Paul. Non, pense André, pour signer l'impossible : « Je ne tiens pas la société pour mauvaise, pour susceptible d'être améliorée [...]. Qu'on la transforme, cette société, ne m'intéresse pas. Ce n'est pas l'absence de justice en elle qui m'atteint, mais quelque chose de plus profond, l'impossibilité de donner à une forme sociale, quelle qu'elle soit, mon adhésion [...]. Une passion plus profonde que les autres, une passion pour laquelle les objets à conquérir ne sont plus rien. Une passion parfaitement désespérée – un des plus puissants soutiens de la force[16]. » De ces phrases écrites par Garine, on reconnaît le motif : les sociétés d'hommes ne sont pas plus intéressantes que les sociétés de fourmis rouges ou de fougères, vouées les unes et les autres au cycle de la corruption. Il faut agir dans l'histoire, non pour elle. Elle est incorrigible. Elle fournit seulement des occasions à la volonté de se mettre à l'épreuve de l'infamie, dehors et dedans. Dans la forêt, au tribunal, en 1924, un peu de sang noir a perlé. Il est peut-être permis d'écrire.

Clara était arrivée à Marseille le 7 août, sans un sou en poche. Fernand son beau-père, alerté par télégramme, n'est pas sur le quai. Charles G. lui prête quelques francs, elle saute dans le premier train pour Paris. Après une nuit chez Jeanne, l'ancienne femme de chambre de la famille Goldschmidt, qui habite dans un hôtel de passe près de la place Clichy, elle se présente le lendemain devant le tribunal de l'avenue des Chalets. La cause est déjà jugée, la sentence sans appel : tu divorces immédiatement de ce voyou, dit Maurice, et répète la mère. Les désordres de sa fille ont vieilli Mme Goldschmidt de dix ans. Diagnostic : maison de repos. Tenez, dit le médecin à Clara, accompagnez-la donc, cela lui fera grand bien. La famille au complet se transporte à ladite clinique. Clara comprend que c'est elle qu'on enferme. Elle refuse de signer son hospitalisation. Après deux heures de résistance, on la relâche.

Elle a trouvé en passant aux Chalets une lettre d'André Breton offrant ses services, de Florent Fels, « gentille », d'un ancien amoureux qui veut l'épouser. Nuit de cauchemar chez Jeanne : on vient la reprendre, André dépérit en cellule à Phnom Penh pour des années, il y meurt, on le liquide en douce parce qu'on le croit de mèche avec les autonomistes, il tente de s'évader et on l'abat... Elle s'échappe à l'aube avec 3,25 F en poche. « Il était six heures du matin, place Clichy. Il faisait clair quand je suis montée dans un taxi. Je contrôle l'adresse qu'André Breton a inscrite sur sa lettre : rue Fontaine. Si c'est loin, j'arrêterai le chauffeur quand le compteur marquera trois francs. Il faudra qu'il se contente de vingt-cinq centimes de pourboire. » Elle force le barrage de la concierge :

on ne réveille pas monsieur Breton à cette heure-là ! Elle hisse ses trente-six kilos au quatrième, sonne comme on se noie, « je suis Clara Malraux », murmure-t-elle, et tombe évanouie dans les bras de Simone[17].

Ressuscitée deux heures plus tard, elle connaît aussitôt que le Seigneur lui a pardonné et que la passe à venir, par exception, ne devra pas être forcée. Qui la vit courir Paris ces jours d'été jusqu'à l'automne comprit ce que peut l'amour (ou l'orgueil ?) quand il est gracié. Le pontife suspicieux qu'était Breton en fut lui-même un instant saisi. Et il était tout le contraire d'un ami pour Malraux. Simone et lui donnent à Clara les premiers soins, l'alimentent, l'habillent, expédient ses télégrammes à Fernand Malraux, à Marcel Arland, la mettent en rapport téléphonique avec Paul Monin. Fernand ne connaissait le sort de son fils que par les journaux. Le voyage en Indochine était l'un des mille que les enfants faisaient, il ignorait leur ruine financière. Il arrive le jour même. « Jurez-moi qu'il est innocent. » En un tournemain, Clara dissipe ses méfiances. Et Monin est là aussi qui certifie que le geste d'André était pur comme un cristal au milieu de la fange coloniale. Arland, tout exprès revenu à Paris, confirme. Et « l'Esprit Saint planait sur moi comme il y a deux mille ans sur un petit groupe d'hommes de ma race[18] ». Il inspire à Clara l'idée de rassembler tous les grands noms des lettres françaises au bas d'une pétition, et l'Esprit encore lui dicte le texte de celle-ci, qu'elle écrit d'un trait sous les yeux des trois hommes : « Les soussignés, émus de la condamnation qui frappe André Malraux, ont confiance dans les égards que la Justice a coutume de témoigner à tous ceux qui contribuent à augmenter le patrimoine intellectuel de notre pays. Ils tiennent à se porter garants de l'intelligence et de la réelle valeur littéraire de cette personnalité dont la jeunesse et l'œuvre déjà réalisée permettent de très grands espoirs. Ils déploreraient vivement la perte résultant de l'application d'une sanction qui empêcherait André Malraux d'accomplir ce que tous étaient en droit d'attendre de lui[19]. »

Qui eût fait mieux ? « Egards » fut évidemment soufflé par l'Esprit. « Patrimoine », « notre pays », « espoirs » touchaient à point la fibre patriote. « Perte », « sanction », « en droit d'attendre » joignaient la noblesse à la modestie. Le genre pétition n'était pas rodé alors. Arland partit sur l'heure à Pontigny où se tenait une décade et recueillit tambour battant les signatures de Gide, Mauriac, Paulhan, Maurois, Martin du Gard, Jaloux, Du Bos, Pourtalès ; les Gallimard et Rivière y ajoutent les leurs, et les amis Max Jacob, Pascal Pia, Florent Fels, Arland bien sûr, et encore Soupault, Aragon, Breton, les adversaires surréalistes. C'est cet échantillon habilement composé, auquel furent joints des extraits de journaux et revues favorables, qui fut expédié par télégraphe à Maître Beziat, défenseur d'André à Saïgon, lequel en usa comme on sait. Puis Clara vole à la galerie de la Madeleine embrasser Doyon qui vient le tout premier de défendre André dans *L'Eclair* du 9 août. Cela fait, il lui revient qu'il faut d'urgence payer les dettes contractées à Phnom Penh, à l'hôtel Manolis, et couvrir un chèque émis sans provision. Elle envoie Breton et Doyon avenue des Chalets saisir tout ce qui lui appartient, et elle vend son collier de perles, les tableaux, les livres rares, tout leur bien, pas grand-chose : il y a beaucoup de faux, remarque Breton en connaisseur. Elle souffle, André a de quoi survivre à Saïgon.

Breton veut publier un texte dans *Les Nouvelles littéraires*, elle lui sort en vrac des manuscrits. Des pages inédites du « Journal d'un pompier » y sont mêlées à un essai de traduction d'*Hyperion* que Clara avait esquissé trois ans plus tôt. Le tout dactylographié sur la même machine. Le 26 août, paraît dans *Les Nouvelles littéraires* le fameux texte : « Adieu, prudence ! », qui débute et s'achève par des mots de Hölderlin que Breton attribue à Malraux : « Partout où l'on regarde, une joie gît enterrée » et « Le frère du hasard, le vent[20] ». Assez opportunément pompier, se dit la Goldschmidt, pendant qu'elle écrit à Mme Malraux mère qu'elle est prête à l'informer du sort de son fils. Le surlendemain, Berthe l'attend en bas de l'hôtel, « grande, mince, jolie, jeune d'aspect et de comportement, avec une voix de jeune fille ». « Je l'aimai dès ce jour[21]. » Les signatures s'ajoutent en bas de la pétition, Marcelle Doyon fabrique à Clara des robes dans des coupons en solde. Et le dimanche, Fernand la reçoit comme sa fille à Bois

Dormant, sa maison d'Orléans. C'est alors qu'il lui déclare :
« Vous êtes digne d'être une Malraux. » Jamais, depuis trois
ans, elle ne le fut si peu : Clara toute seule, bénie, rayonnante
aussi d'avoir sorti André du mauvais pas et de l'avoir génereusement endetté. (Il ne signera pas la reconnaissance de cette
dette.)

La manne pleut encore. Une lettre de Mauriac si belle que
Clara souhaite la publier. Jean Painlevé, frère du président du
Conseil, signe la pétition. Les amis Goll hébergent Clara. Puis
les dames Lamy lui font place dans le petit appartement du
boulevard Edgar-Quinet qu'elles ont acquis après la vente de
l'épicerie de Bondy : « Deux pièces sans confort, sans installation de bain ni douche, sans fauteuil, sans tapis, sans bonne
[…]. Manques qui leur étaient habituels[22]. » La famille enveloppe la femme d'André des mêmes soins tendres et de la
même modestie qui avaient exaspéré le petit héros. La bonté
Lamy fait pleurer Clara en cachette sur la cagoterie Goldschmidt. De bonnes lettres arrivent de Saïgon, tendres, farfelues, parfois réticentes quant aux initiatives qu'elle prend à
Paris. Enfin le télégramme : « Un an avec sursis ». Vingt-trois
jours à patienter. « Soudain, l'on n'attend plus rien de moi. »
L'Esprit Saint se retire, ayant œuvré par elle. « Décidément, je
crois que j'aime les êtres humains. »

En débarquant du *Chantilly* à Marseille fin novembre,
André rappelle la radieuse à sa sombre loi. « Mais qu'est-ce
que vous avez été fiche avec ma mère[23] ? » Cela ne lui sera
jamais pardonné, qu'elle ait forcé l'interdit qui frappe les
Lamy. Puis il évoque le banquet que les Annamites lui ont
offert, et à Monin, la veille de son départ. Elle qui le croyait
abandonné de tous ! Sa diligence était donc inopportune ?
« Nous repartons vous et moi dans un mois pour Saïgon.
Monin et moi dirigerons le quotidien libre dont les Annamites
ont besoin[24]. » Clara le surprendra plus tard répondant à
Guilloux qui demande comment il a quitté libre l'Indochine :
« C'est l'action des Annamites en ma faveur qui a obtenu ce
résultat[26]. » Radiée d'un trait.

Il lui fait essayer du chanvre indien qu'il a rapporté de là-bas. Affreuses hallucinations, malaises à mourir. Elle en profite quand même pour lui lâcher qu'elle a couché avec Charles G. « Pourquoi avez-vous fait cela ? Si vous ne m'aviez pas sauvé la vie, je partirais. » Plus tard : « Avec ce crétin ! » – « Ce n'est pas un crétin. » Il la saisit au poignet : « Ne le défendez pas, cela vaut mieux. » – « Pourquoi cela vaut-il mieux ? » Il s'assoit au bord du lit : « Penser que ce type imagine qu'à présent il a le droit de vous mépriser. Je sais ce qu'un homme pense d'une femme qu'il a eue[26]. » Elle n'en croit pas ses oreilles : c'est cela l'amour masculin, appropriation et vanité blessée ? Une telle suffisance indigne Clara, lui fait « horreur ». La séparation naguère éprouvée à Phnom Penh est désormais scellée. Ce sera la guerre.

Comprend-elle que c'est la guerre d'André contre lui-même ? Contre la mère et la naissance, tout ce qu'il n'a pas voulu. Quand il demandera à Marcel Arland de prendre soin de Clara qui vit seule avec sa fille au début de l'Occupation, il lui dira : « Personne ne m'a humilié comme elle. » Humilié ? Elle prend un amant, elle passe alliance avec la famille maternelle, elle va lui faire un enfant contre son gré. Elle tient ses comptes, comme s'ils étaient, elle et lui, des personnes libres et égales unies par un contrat. Or l'amour pour André échappe au régime des droits : il est l'épreuve d'une dépendance, partagée peut-être, mais sans réciprocité ; une violence insupportable, où se joue la différence sexuelle dans son intimité et sa séparation les plus intenses, sans transaction.

Ils logent au-dessus des Lamy à Montparnasse. Ils vont voir les Doyon, même les Breton. Cela fait beaucoup d'humiliations. « Pourquoi êtes-vous allée chez ces gens qui sont mes ennemis[27] ? » Les deux André se rencontrent, ne se disent rien qui vaille, ils s'observent. Un autre rendez-vous est pris. Mais c'est, rue Fontaine, ce jour-là, séance d'écriture automatique. La porte reste close. Parfait, dit André en redescendant, je n'ai rien à faire de leur esthétique imbécile. Comme si l'inconscient pouvait signer ! Il tiendra ferme sur la volonté et les moyens cubistes. Ils vont encore voir Fernand à Bois Dormant, qui mise cinquante mille francs sur le journal projeté. « Et cette fois, réussis », exige-t-il. Ils aiment jouer, père et fils, mais pas au même jeu. Et d'Orléans, André fait visite à Max Jacob, retiré en l'abbaye de Saint-Benoît-sur-Loire, pour se faire confirmer dans l'ordre de la « situation » et du « style ». De l'une et l'autre, il vient de faire l'épreuve, mais en acte. Pas un mot de l'aventure à Max qui s'étonne d'entendre André ne disserter que religion et art en Asie, et lui proposer une tournée de conférences.

Puis, comme promis, il prépare le retour indochinois. Il négocie avec les maisons de presse parisiennes Fayard, Payot, Hachette les droits de reproduire dans le futur journal les articles de *Candide*, du *Canard enchaîné*, du *Merle blanc*. Sur la recommandation de Mauriac, Grasset lui offre un contrat pour trois livres, à tirer à dix mille exemplaires, avec un à-valoir de trois mille francs sur le premier. C'est le 13 janvier 1925. Le lendemain André et Clara embarquent pour Singapour, où les cinquante mille francs de Fernand les attendent dans une banque. Pénible navigation dans une cabine bondée de troisième classe. Ils claquent toute l'avance de Grasset en payant le champagne au petit peuple qui les entoure. Beuverie générale qu'André clôture, debout sur une table, en lisant du Maurice Magre de sa voix incantatoire[28]. Trois jours de train pour remonter toute la péninsule malaise jusqu'à Bangkok.

> [Wagon] plein de Chinois qui mangeaient, buvaient, éructaient, crachaient, se mouchaient sans mouchoir, assis non pas les jambes et les cuisses, comme nous, à angle droit, mais le tout ramené sur la banquette et les pieds sous les fesses. Ils grignotaient, ils craquaient sous leurs dents des fruits secs et croquaient des petits gâteaux [...]. Dans le fond, des Tamouls serrés comme des fleurs de flamboyants [...]. Certains portaient des chemises qui laissaient les jambes nues, d'autres des pagnes qui laissaient nu leur torse ; les Chinois, eux, se contentaient de caleçons 1900. Les Tamouls parlaient autant que les Chinois mais plus vite[29].

Passez une canne à toute allure sur les barreaux d'une grille en fer, suggère André hilare, vous verrez, ils comprendront ce que vous dites. Clara, reprise, s'étourdit du plaisir de désirer, d'admirer, de chiner, de se promener dans Bangkok inconnu. Bateau éventré et tempête sur le golfe de Siam, où ils manquent périr. Ils rient ensemble. Monin les attend sur le quai à Saïgon. On se met sans tarder à examiner la conjoncture : le terrain à reconnaître, les alliances à nouer, et trouver les hommes et les moyens pour engager la bataille de presse. La position de l'ennemi, du moins, n'est pas difficile à repérer. Clara s'est remise au rythme fou de l'activisme d'André. Mais c'est Monin qui les guide avec sa connaissance du terrain, des luttes, avec cette rébellion en lui comme une nature intolérante à l'injustice.

Le temps est propice à rassembler les opprimés d'Indochine. La Grande Guerre n'a pas marqué seulement le désastre en Occident des valeurs de la démocratie bourgeoise, elle a ébranlé les assises de l'impérialisme dans le monde entier. En deçà de toute idéologie et de toute propagande, la Révolution d'Octobre a fait aux paysans, aux ouvriers et aux intellectuels écrasés et humiliés par l'Occident une promesse inoubliable : c'est qu'ils s'affranchiront aussi. Au Congrès socialiste de Tours en 1920, où la tendance dure scissionne pour former le parti communiste français, Hô Chi Minh (il s'appelle encore Nguyên Ai Quôc), qui avait représenté les Annamites à la Conférence de paix l'année précédente, entraîne la communauté indochinoise immigrée en France vers le nouveau parti. Appelé à Moscou, il est envoyé à Canton pour organiser les réfugiés annamites au sein du Thanh Nien. En mai 1925, dans quelques mois donc, Canton va établir un gouvernement chinois indépendant. Sun Yat Sen est mort en mars. Son parti, le Kuo Min Tang, a passé alliance avec le parti communiste chinois dès 1923. Tchang Kaï-chek, le général républicain, dirige l'académie militaire de Whampoa. Ses cadets sauveront l'insurrection cantonaise de l'écrasement en mai 1925. En cette année, la vieille Asie est en train d'accoucher d'une nouvelle Chine au prix de dures convulsions. Nationaux et bolcheviks, encore unis, n'ont pas tranché à qui sera l'enfant. La décision prendra vingt ans.

André regarde, fasciné, sceptique. Se pourrait-il que l'histoire produise une œuvre ? Mais non, la Chine refera l'Occident, à sa manière, voilà tout. Ou les Soviets, peut-être. Mais la question n'est pas ce qu'elle fera. Puisque l'histoire ne fait rien que suivre ses révolutions comme les astres et ses saisons comme les végétaux, par une nécessité aveugle. Et surtout en Asie, l'empire des cycles. Seulement il se peut qu'en telle occasion, une volonté un instant impose ses moyens et donne à la répétition du même une allure qui s'en excepte, une grandeur qui ne passera pas. Ainsi dans dix ans la Longue Marche, ainsi déjà la résistance non violente de Gandhi en Inde, ainsi demain le relèvement par de Gaulle de la France humiliée.

Paul Monin est homme de cœur, sa résolution politique se motive d'une solidarité inconditionnelle avec les victimes de l'injure faite à l'humanité par la domination impérialiste. C'est un authentique républicain, qui veut toutes les libertés pour tous. Clara, en affinité avec cet universalisme, y ajoute la libération des femmes. La condition annamite que l'avocat leur fait découvrir, Clara ne l'apprend pas comme on fait de la sociologie, c'est sa chair, âme et corps, qui souffre dans celle des autres. La « politique » anticoloniale, c'est pour elle comme un travail de délivrance, une sortie d'Egypte : que ce peuple force le passage verrouillé par la puissance française, qu'il jaillisse au grand air en criant sa dignité de communauté humaine !

Rien n'est plus étranger à l'esprit d'André que cette obstétrique ou que le progressisme de Paul. Quand il déclare à Lacouture en 1972, que Monin n'a joué aucun rôle décisif dans sa formation, ce n'est pas ingratitude ni dénégation[30]. André vient en Indochine pour frapper l'obscur remuement des masses écrasées au cachet d'un style qui l'érigera peut-être, un instant du moins, hors du destin larvaire. Et comme l'œuvre d'art se conquiert contre l'imbécile filiation, comme les *Demoiselles* de Picasso raturent les nus du Titien et même de Manet, le stylet du jeune journaliste signera le silence des indigènes en balayant la rhétorique des accapareurs. Il s'agit en somme d'imposer à la réalité l'ascèse d'un possible qu'elle rend impossible. Ce style, ce mode de la situation, André sait qu'il les a, en bon cubiste. Il lui faut encore la

« possession des moyens ». Ceux-ci sont d'écriture sans doute, mais ici ils sont aussi de publicité. D'où le journal, dont il a appris le pouvoir à ses dépens.

La nuance peut paraître fine : Paul éduque un peuple, Clara l'accouche, André le signe. Dispositions diverses, mais qui suffisent pour marcher ensemble. Les divergences de manières restent pourtant invincibles. Une chose est de se guider sur le principe d'émancipation ; pratiquer quotidiennement l'intelligence affective en est une autre ; quant au geste de style, ce n'est pas une politique, c'est une théologie, une métaphysique existentielle ou une poétique des actes étendue à la communauté humaine. Principe d'un projet ou rémanence d'une disposition sentimentale s'inscrivent en continuité, mais la signature de l'œuvre est ponctuelle. Dans deux ans Paul reviendra de Canton mourir à Saïgon ; et pendant l'Occupation, Clara tissera de nouveau dans la clandestinité le même fragile réseau de confiances émues dont elle a besoin d'ouater sa vie quand elle est sans défense, comme à Phnom Penh. Pour André, à peine rentré en Europe à la fin de l'année 1925, on dirait que la page de « politique » indochinoise est déjà tournée. On se souvient de Garine : « Qu'on la transforme, cette société, ne m'intéresse pas [...]. Une passion parfaitement désespérée – un des plus puissants soutiens de la force. » André n'est pas le héros des *Conquérants*, mais Garine est l'une des figures possibles de Malraux.

La bataille de la presse aux colonies est inégale par définition. Un organe dispose de tous les moyens que le colonat et l'administration peuvent fournir pour protéger leurs intérêts et maintenir le statu quo : c'était *L'Impartial* de Chavigny. En face, quelques feuilles indépendantes, précaires, sujettes à pressions, menacées, souvent suspendues : elles essaient de faire savoir publiquement ce que, de fait, tout le monde sait déjà, les abus de pouvoir, les dénis de justice, les fraudes – le tout-venant de la chose coloniale.

A Saïgon, qui s'y risquait alors ? Nguyên Pham Long et Bui Quang Chien pour *La Tribune indigène*. Et aussi Nguyên An Ninh mais sa *Cloche fêlée* sonnait encore trop fort la liberté : le gouverneur de Cochinchine venait de l'interdire.

Restait *L'Echo annamite* que dirigeait un homme de qualité, bon journaliste et courageux. Dejean de La Batie, né de mère annamite, avait reçu de son père l'éducation qu'un diplomate français peut réserver à son fils. Sur les instances de son ami Monin, le métis n'hésita pas à rejoindre l'équipe des métropolitains qui faisaient *L'Indochine* tant il avait confiance dans la droiture et la résolution de l'avocat et tant le subjugua le verbe de Malraux.

L'habitude fut bientôt prise de se réunir rue Pellerin chez Monin. Persiennes encore tirées sur la chaleur du soir, le ventilateur repoussait à pleins bras le poids de l'air, pendant que ces jeunes gens d'Asie et d'Europe croisaient leurs expériences, leurs attentes, leurs avis. On buvait, on fumait, on évaluait la tentation de l'Indochine, sa double impasse : reprendre à l'Occident sa tradition de liberté et la tourner contre lui mais sans les moyens de la faire fructifier, ou bien se rabattre sur l'héritage oriental mais au moment où l'Occident l'a déjà violemment ébranlé, dissipé, déconsidéré. On faisait la collecte, jour après jour, des scandales, des exactions, des diffamations que le journal avait à charge de publier et de dénoncer ; on s'enquérait des crises politiques à Paris ; on surveillait les événements de Chine. Soudain Clara faisait son entrée, jetait sa capeline de paille sur le sofa, donnait lecture des dépêches reçues de Singapour. Un jeune homme l'accompagnait souvent, Vinh, un esprit délicat, cultivé, que taraudait le destin de son peuple.

Le cercle de la rue Pellerin attirait encore un autre compagnon, nommé Hinh, qui se montrait aussi tranchant que Vinh était subtil. Un jour du printemps 1925, il déclara tout net qu'il allait supprimer Montguillot, le gouverneur par intérim, en pleine rue, lors de sa visite à Saïgon[31]. Folie, échec assuré, suicide, et pour quel résultat ? une répression aggravée : on se récria, Hinh s'obstinait dans son projet, on dépensa des trésors d'arguments pour l'en détourner, chacun joua au mieux son rôle dans la scène très classique où le désir d'action directe se heurte à la responsabilité civique : Antigone... Et l'on y prit plaisir. Clara eut une tendresse pour le jeune héros. André fixa quelques répliques : elles firent la substance du

Hong des *Conquérants* et du Tchen de *La Condition humaine*. Quant au gouverneur, sa tournée fut remise, au dernier moment.

Le soir, on voyait Malraux se promener avec Monin, dans des avenues à l'écart, cravaté en dandy, canne à la main, dissertant. Ils s'exerçaient ensemble au fleuret dans l'éventualité d'un duel : les gens de plume gardaient cette manière de régler les affaires d'honneur. André s'enchantait à l'idée de jouer les d'Artagnan. Clara le regardait, désappointée.

NOTES

1. Clara 2, *167.*
2. *Ibid.,* 66.
3. *Ibid.,* 191.
4. *Ibid.*
5. *Ibid.,* 196.
6. *Ibid.,* 202.
7. *Ibid.,* 210.
8. *Ibid.,* 215.
9. Clara 1, 172-173.
10. *CH,* 146.
11. Clara 2, 191.
12. *Conq.,* 152.
13. Pour ce qui suit, voir Langlois.
14. *Conq.,* 153.
15. Clara 2, 194.
16. *Conq.,* 154.
17. Clara 2, 231.
18. *Ibid.,* 235.
19. *Ibid.,* 235-236.
20. *Ibid.,* 241-243.
21. *Ibid.,* 243-244.
22. *Ibid.,* 248.
23. *Ibid.,* 260.
24. *Ibid.,* 262.
25. *Ibid.,* 252.
26. *Ibid.,* 271.
27. *Ibid.,* 273.
28. *Ibid.,* 280-282.
29. Clara 3, 17-18.
30. Lacouture, 68.
31. Clara 3, 177-181.

10

LA DÉFERLANTE

La paix de Versailles n'a pas réglé les comptes de la Première Guerre mondiale. Ce qu'on appelle la crise, une convulsion mortelle, va s'étendre pendant plus de vingt ans sur le monde. On verra Malraux se porter volontairement aux points chauds, mettre sa plume, son verbe et son geste à défendre les libertés opprimées. Son angoisse fait écho généreusement à l'angoisse du temps, sa volonté à la résistance des peuples. Beaucoup plus qu'intellectuel de gauche, il s'expose en condottiere aux assauts des agresseurs. Ce désastre général, quelle occasion pour lui d'éprouver son invulnérabilité et la donner en exemple ! Les désordres de la réalité déchaînèrent sa passion d'aventures.

Son analyse des situations, souvent brillante, ne fut pas sans défaillance, il lui arriva d'être trompé, de se tromper. Mais en deçà de ces erreurs, le drame de ces années fut ailleurs. Les rôles furent inversés, et Malraux, presque toujours, le dénia. Il faisait mine de prendre les devants et de faire face. Or la marée des violences ne cessa de l'assaillir, de l'emporter ici et là, de le saisir par-derrière. Il se retournait certes pour l'affronter, mais il ne pouvait faire qu'il ne fût sur la défensive. Quels que soient les succès personnels, ces vingt ans de mort déchaînée auront pour lui la mélancolie d'une défaite répétée.

On le voit repartir pour l'Indochine en 1925, croyant pouvoir unir la légende et l'histoire, garder l'initiative. Il succombait pourtant à l'exotisme. S'il fallait à son œuvre de l'horrible à signer, pourquoi ce pas au-dehors, et si loin ? Il n'avait que l'embarras du choix à sa porte en ce début des années 20. Les groupes SA exercent ouvertement la violence en Bavière, ils étendent leur emprise vers la Saxe et la Prusse avec la bienveillante neutralité du Centre catholique. Hitler a déjà compromis le général Ludendorff dans le putsch raté de Munich. *Mein Kampf*, qu'il écrit en prison, sort en 1925. La terreur brune y est programmée sans fard. Or quand André passe à Berlin à la fin de 1921, on dirait qu'il ne voit rien de cette crise sauf ses effets dans les arts et les lettres. Admettons... Mais à Florence, en 1920 ?

L'Italie avait de l'avance sur toute l'Europe dans le désastre du libéralisme. Le grand mouvement d'occupation des usines et des terres par les Conseils ouvriers et paysans ne datait que d'un an. André eut-il la moindre connaissance de Gramsci, qui publiait l'*Ordine nuovo* dès 1919 et allait préparer en prison ses thèses sur l'hégémonie et l'intellectuel organique ? Le dandy n'avait d'yeux que pour D'Annunzio ! Et pendant qu'il jouait les amoureux désespérés au cimetière de San Miniato, toute l'Italie savait que les *squadriti* fascistes multipliaient les expéditions punitives contre les hommes des Conseils. Et que, surpris en pleine nuit par les escadrons noirs dans les locaux de leurs comités, le petit vigneron vénète et le mécano de Modène étaient contraints par eux d'avaler des litres d'huile de ricin. Cette cruauté scatophile ne suffisait-elle pas à susciter l'horreur du jeune écrivain, ces humiliations sa révolte et sa signature ?

Le gouvernement général d'Hanoï, il est vrai, n'était pas en reste pour les violences, les siennes propres, et celles dont il laissait le soin aux colons et l'exercice à leurs hommes de main, et, pire, qu'il couvrait du nom de la République. Etaient-ils vraiment plus délicats que les bandes de Mussolini ? Qu'on relise l'*Indochine SOS* d'Andrée Viollis que Malraux fait publier et préface en 1935. Et, en 1933, le dégoût avec lequel il recense pour *Marianne* les crimes abjects auxquels se livrent les représentants de la puissance française dans la lointaine colonie[1]. La Légion ratisse les villages suspects du Centre-Annam, fait éclater les crânes comme des pipes à un stand de tir, décapite les mauvaises têtes à la scie, noie les corps coupés en morceaux dans les rizières. Les tribunaux acquittent les hommes convaincus de ces horreurs au motif qu'ils obéissaient aux ordres de leurs supérieurs, tandis qu'une rixe, un règlement de comptes local valent à l'indigène inculpé la prison à perpétuité, les travaux forcés, parfois la peine de mort... Certes, le texte accusateur vient tard, huit ans après, quand le combat antifasciste est engagé en Europe et que la gauche française a dans *Marianne* un organe déjà puissant...

Reste que l'homme qui débarque à Saïgon en février 1925 n'est déjà plus l'adolescent venu un an plus tôt relever le défi qu'il s'était lancé à lui-même : veuille ce que tu désires. Sa passion était alors l'Asie fabuleuse, et khmère le nom qu'elle portait. Quant à sa morale, elle tenait en trois maximes : toute valeur est vaine, le désir seul est absolu, accomplis-le sans concession. Exige-t-il que tu en meures ? « Ma vie ne m'intéresse pas. C'est clair, c'est net, c'est formel. Je veux [...] une certaine forme de puissance ; ou je l'obtiendrai, ou tant pis pour moi[2]. » André s'emparait alors des dieux de Benteaï-Srey comme on croit empoigner sa vérité toute nue. Il a les mots, les gestes précis et fous d'un somnambule. C'est un rêve éveillé, accompagné des moyens exacts de s'effectuer. Malraux sera toujours ce somnambule efficace. On le voit aux procès de 1924. L'épreuve judiciaire n'a rien changé à sa détermination, elle ne fait qu'étendre la notion qu'il avait de ce qui l'entrave : il découvre qu'à la colonie, les bêtes hideuses de ses cauchemars au lieu de ramper occupent cyniquement le pouvoir et l'exercent par-derrière. Ce procès l'a atteint dans sa phobie d'une pénétration *a tergo*. Comme en témoigne l'étrange « association d'idées » qu'il prêtera à Garine au sujet de son propre procès :

> – Non : mon procès, maintenant, je n'y pense plus.
> Et ce dont je te parle n'est pas une chose à laquelle je pense ; c'est un souvenir plus fort que la mémoire.

La scène traumatique n'a pas besoin qu'on la rappelle, elle revient toute seule.

Signé Malraux

C'est pendant la guerre, à l'arrière. Une cinquan-
taine de bataillonnaires enfermés dans une grande salle,
où le jour pénètre par une petite fenêtre grillée. La pluie
est dans l'air. Ils viennent d'allumer des cierges volés à
l'église voisine. L'un, vêtu en prêtre, officie devant un
autel de caisses recouvertes de chemises. Devant lui, un
cortège sinistre : un homme en frac, une grosse fleur de
papier à la boutonnière, une mariée tenue par deux
femmes de jeu de massacre et d'autres personnages
grotesques dans l'ombre. Cinq heures : la lumière des
cierges est très faible. J'entends : « Tenez-la bien,
qu'elle s'évanouisse pas, c'te chérie ! » La mariée est
un jeune soldat arrivé hier Dieu sait d'où, qui s'est
vanté de passer sa baïonnette au travers du corps du
premier qui prétendrait le violer. Les deux femmes de
carnaval le tiennent solidement ; il est incapable de
faire un geste, les paupières presque fermées, à demi
assommé sans doute. Le maire remplace le curé, puis,
les cierges éteints, je ne distingue plus que des dos qui
sortent de l'ombre accumulée près du sol. Le type
hurle. Ils le violent, naturellement, jusqu'à satiété. Et ils
sont nombreux. Oui, je suis obsédé par ça, depuis
quelque temps... Pas à cause de la fin de l'action, bien
sûr : à cause de son début absurde, parodique...
   Il réfléchit encore.
   Ce n'est pas sans rapport, d'ailleurs, avec les impressions que j'éprouvais pendant le procès... C'est une
association d'idées assez lointaine[3]...

La perverse parodie de justice qu'il subissait éveilla le
fantasme de cette noce abjecte. André fut victime au procès
d'une violence inattendue, aussitôt reconnue. Il était préparé à
la gloutonnerie des jungles, il se trouva forcé par l'ignoble
jouissance des autorités, unies pour le saisir et l'immobiliser.
Le jeune soldat violé, c'était lui, c'était le peuple indochinois.
Partout, dès les quais du port jusqu'au village le plus reculé,
dans les rues et au prétoire, l'offense régnait impunie, la
misère, la délation, l'humiliation, le mensonge arrogant, le
sadisme à peine déguisé. Un peuple et sa culture, objets des
pires manœuvres. Et au nom de la même civilisation française

pour qui son père avait exposé sa vie huit ans plus tôt et des millions de jeunes gens étaient morts... Encore une fois, on s'étonne : après ce désastre de la Grande Guerre, l'Europe des rescapés, désespérée, n'était-elle pas livrée ou prête à se livrer à la même vermine ? Pourquoi courir aux antipodes pour en faire l'épreuve ? Désir persistant d'aventures exotiques ?

L'angoisse de l'Europe, il fallait qu'elle lui vînt par l'Asie. Celle-ci était la patrie de son désir. Seule à ses yeux, elle connaissait le retour égal des déclins et des recommencements, et seule elle avait su métamorphoser l'indifférence en œuvres de pensée, en sanctuaires, en manières de vivre. L'angoisse occidentale devait être réfléchie, distanciée au miroir de cette sagesse plus ancienne. En Orient, la volonté n'avait pas opposé aveuglément des projets à la vieille Redite, elle s'en faisait l'amie et la disciple. L'esprit, là-bas, avait renoncé à l'héroïsme, il s'égalait au silence du monde. André adorait dans la Chine ou la Perse ce mystère : le désir épousant ce qui le nie, non par l'intelligence, par des discours de théorie, mais dans une disposition d'accueil et de réserve, une manière d'être. L'Asie pour lui figurait le mystère d'une « imagination passive[4] », qui rend ses civilisations invincibles : « La Chine, dit le Tcheng-Daï des *Conquérants*, a toujours pris possession de ses vainqueurs. Lentement, il est vrai. Mais toujours[5]... » Ce qu'avait cherché le jeune conquérant dans l'Orient, c'était ce qui lui manquait : ne pas vouloir conquérir. La question était métaphysique. Le Chinois de *La Tentation* écrit au Français : « Le temps est ce que vous le faites, et nous sommes ce qu'il nous fait[6]. »

Or tant s'en faut qu'André eût trouvé à la colonie cette fabuleuse patience. Il avait rencontré une sagesse indigène abondamment souillée par le conquérant, déjà indignée, vouée tôt ou tard, en dépit d'elle-même, au soulèvement. Le rendez-vous fut manqué. Déjà, que l'administration eût saisi les divinités de Banteaï-Srey, cela valait symbole. Au lieu de l'Asie profonde, que trouvait-il ? L'impérialisme. De là un contre-coup, une onde de choc. Malraux élabore *La Tentation de l'Occident* entre deux procès et il l'écrit au galop dès qu'il quitte Saïgon à la fin de décembre 1925. Le livre dresse l'état de son chassé-croisé avec l'Asie. La double méprise s'échange par lettres entre un Chinois à Paris et un Français qui visite la Chine. Or cette composition n'est pas de coquetterie, elle permet de croiser les déceptions respectives et de faire sentir leur ressac.

L'Europe touche au terme de sa démence, observe M. Ling à Paris : héroïsme du moi, volonté d'empire sur le monde, culte individualiste de l'amour, vos valeurs occidentales sont à présent rongées par le « désœuvrement ». Il ne vous reste des actes que leur mimique, vos « gestes » sont exsangues, et où sont vos grandes voix ? Enregistrées sur vos phonographes[7]. A.D., depuis l'Orient, acquiesce sans hésiter : « Race soumise à la preuve du geste et promise, par là, au plus sanglant destin[8]. » Ecrit en 1926 : André n'est pas si sourd à ce qui attend l'Europe. Quant au rêve orientaliste, il en déploie la séduction en connaisseur : son côté marchand de tapis. Jusqu'au jour où A.D. rencontre dans un grand hôtel de Shanghaï, en la personne de Wang Loh, le témoin de la catastrophe chinoise : « Le spectacle est d'une puissance bien spéciale, observe impassible le vieux maître. Théâtre de l'Angoisse. C'est la destruction, l'écrasement du plus grand des systèmes humains, d'un système qui parvint à vivre sans s'appuyer sur les dieux ni sur les hommes. L'écrasement ! La Chine vacille comme un édifice en ruine, et l'angoisse n'y vient ni de l'incertitude ni des combats, mais du poids de ce toit qui tremble [...]. L'Europe croit conquérir tous les jeunes gens qui ont pris ses vêtements. Ils la haïssent [...]. Sans les séduire, elle les pénètre, et ne parvient qu'à leur rendre sensible – comme sa force – le néant de toute pensée[9]. »

L'Occident et l'Orient contemplaient leur différence et se livraient au jeu d'une tentation en miroir. Il n'en reste à présent qu'une Chine termitée dans ses sages assises et, devant cette ruine, une Europe acéphale pure génératrice d'effets. Qu'ont-elles encore à s'envier, à apprendre l'une de l'autre ? A travers les débris du miroir, les haines refluent. Cela marqua pour Malraux l'instant du signal. Un grand ressac allait déferler sur le monde. La « connaissance de l'Est », célébrée par Claudel trente ans plus tôt et qu'il admirait tant, est maintenant faillie. « L'Asie peut-elle nous apporter quelque enseignement ? Je ne le crois pas. » Sauf ceci, quand même : « Une découverte de ce que nous sommes[10]. » C'est-à-dire la relativité des cultures, et que la nôtre n'est pas moins arbitraire que la chinoise. Le seul avantage des jeunes Européens est d'en être déjà conscients. Quant à l'Orient, harassé par l'Ouest, il devra subir le forçage de révolutions, Tchang, Borodine, Mao, jugées propres à lui confectionner une sensibilité dessillée, moderne. André répète à Clara en 1925 : la conversion de l'Orient à l'individualisme, voilà tout le problème.

Aucune révolution socialiste ne peut y parvenir, par hypothèse. Outre que le destin des révolutions, en général, est d'être déçues. Tous les romans le diront, même *L'Espoir*. Peuplés de ces figures « pour qui la révolution est, avant tout : un état de choses[11] », et nullement une promesse. De ces gens « en qui les sentiments révolutionnaires tiennent la place que le goût de l'armée tient chez les légionnaires, de gens qui n'ont jamais pu accepter la vie sociale, qui ont beaucoup demandé à l'existence, qui auraient voulu donner un sens à leur vie, et qui maintenant, revenus de tout cela, *servent*[12] ». Abandon de personnalité. On a cru voir dans ce sombre héros du « service inutile » (que Montherlant appréciait fort) un « portrait de l'aventurier », mais c'est la figure du vrai moderne : ne pas croire *et* agir. Sorte de stoïque sans ciel et entreprenant.

L'artiste seul incarne la vraie vertu dans l'obscur naufrage. Aussitôt après *La Tentation*, André y revient en 1927 dans l'essai « D'une jeunesse européenne ». Un inventaire des ruines sur le mode pathétique : le christianisme impossible, l'idée de l'homme massacrée, le moi changé en un « palais désert » où errent des fantasmes, la misérable parade des héroïsmes. Or l'art contemporain trouve l'occasion de sa renaissance dans cette décomposition même. Quand la vérité manque à ce qui est, elle s'exile dans ce qui se peut. « La jeunesse européenne est plus touchée par ce que le monde peut être que par ce qu'il est. Elle est moins sensible à la mesure dans laquelle il affirme sa réalité qu'à celle dans laquelle il la perd[13]. »

La « révolution » artistique, à la différence de l'autre, peut être permanente parce que les œuvres ne sont pas soumises à l'épreuve de la réalité. Elles le sont seulement à la menace d'être instituées, embaumées, de devenir objets de culte et d' « assouvissement », matière à doctrine[14]. L'art vaut de se connaître inachevé, l'artiste de savoir que son essai laisse du possible de reste, indéfiniment. Ce « monde » que forment les œuvres faites, de nouvelles œuvres le déplacent, le reforment. La création ne répond pas à l'angoisse générale, elle l'assume et l'élabore. André se prend parfois à rêver pour la société de valeurs en mouvement perpétuel comme sont les déterminations de mesure de la physique relativiste[15]. Auprès de cette lucidité sans repos et sans pesanteur, ce que promet une révolution politique, c'est-à-dire mettre un terme au malheur, et la crédulité qu'elle doit capter pour obtenir l'adhésion, sont simplement atterrants.

Mais comment éviter ces servitudes quand il faut faire la guerre ? Malraux jeune se verrait assez bien en artiste politique, un D'Annunzio de gauche, artiste en masses humiliées. L'art est peut-être le nerf de la guerre : « Là où Prométhée n'est que littérature, Spartacus est vaincu d'avance[16]. » Tous deux puisent à la même force insurrectionnelle. Pourtant l'art n'est pas la guerre, on le sait. Travailler avec et contre les mots pour leur arracher la scène fulgurante où se fixera un destin exemplaire est une chose, une autre de lutter auprès des misérables contre les oppresseurs.

Le retour à Saïgon, début 1925, fut censé lui donner une leçon de réalisme. En 1974, il confiait à Guy Suarès : « Quand les Indochinois m'ont défendu, ma vie a basculé[17]. » Il a senti en effet la tension qui montait là-bas, la vague de fond qui soulevait déjà l'Asie. Mais que sa vie ait basculé, on n'est pas obligé de le croire. Les effets de la mutation, en tout cas, ne furent pas immédiats. André ignorait tout des choses de société et des moyens de s'en mêler. De la résolution, du lunatisme, et l'intelligence devaient faire l'affaire. Il faudra des années pour que ses gestes et ses écrits accréditent un « engagement à gauche ».

Encore le motif qu'il donnera de celui-ci resta-t-il suspect aux yeux des compagnons. Loin d'être une vertu humaniste, la « fraternité virile » que Malraux alléguait s'éprouve, prétendait-il, en deçà des consciences. Elle est aussi indéfectible que l'angoisse ou la passion amoureuse, elle n'est pas moins incontrôlée qu'elles. S'exercer à cette communion mystique, cela faisait une bizarre raison de militer, au lieu de préparer des lendemains qui chantent...

En évoquant l'épisode du typographe annamite, à la fin de sa préface à l'*Indochine SOS* de Viollis, dix ans après, le camarade a des accents d'amant : « Je me souviens de toi. Quand tu es venu me trouver, l'action du gouvernement avait enfin arrêté le seul journal révolutionnaire d'Indochine, et les paysans de Baclieu étaient dépouillés dans un grand silence tranquille. » L'imprimeur du journal *L'Indochine* a dû cesser de coopérer en raison des menaces de l'administration. André et Clara sont allés à Hong Kong acheter des plombs pour une presse de fortune. Ceux-ci sont saisis à la douane de Saïgon. Un nouveau jeu parvient par courrier. Mais la typographie est anglaise, sans accents. « Tu as tiré de ta poche un mouchoir noué en bourse : " C'est rien que des *é*... Il y a des accents aigus, des graves et des circonflexes [...]. " Tu as ouvert le mouchoir, vidé sur un marbre les caractères enchevêtrés comme des jonchets et tu les as alignés du bout de ton doigt d'imprimeur, sans rien ajouter. » Ces plombs, ces dés épars sur quoi se joue le sort d'une nation, on dirait les ferrets de la reine. « J'aime *Les Trois Mousquetaires*, c'est aussi bien que votre ami *Le Chat botté*, confie de Gaulle à Malraux (à en croire celui-ci). Mais leur succès vient de ce que la guerre avec l'Angleterre n'y doit rien à la politique de Richelieu. Elle doit tout aux ferrets d'Anne d'Autriche, récupérés par d'Artagnan[18]. » Le garçon que Dumas émerveillait à Bondy ne vieillira jamais : « Vous rappellerai-je, demande le responsable à la propagande RPF aux " intellectuels " ahuris (c'est le 5 mars 1948), que dans *Les Trois Mousquetaires*, Richelieu est moins un grand homme par ce qu'il fait de la France que pour avoir signalé au Roi l'absence des ferrets d'Anne d'Autriche[19] ? » Le romanesque des amours contrariées fait au moins jeu égal avec l'histoire d'une nation. Il en est inséparable, il peut parfois y introduire. Avec le geste de son typo, le gentilhomme au service d'une légende découvre une autre cause, pas moins aventureuse, une solidarité. André entend soudain, dans les accents alignés par l'Annamite, la voix d'un peuple qui lui monte par la gorge.

Ce n'est pas à dire que son écriture se convertit tout de go au genre de la déclaration politique, à la déclamation. Alors même qu'il est engagé dans la lutte anticoloniale, et plus encore après son retour en France, il persiste à écrire des contes fantastiques. On s'étonne ? Mais qui lit les récits de ce moment est vite persuadé qu'ils sont tout autres que les premières fabulations. Il s'agit d'une suite de textes brefs, peu connus sinon des amateurs, écrits et publiés entre 1925 et 1928 : « L'Expédition d'Ispahan », « Voyage aux Iles Fortunées », « Lettre du Prestre Jehan à l'empereur de Rome », *Royaume farfelu*. Le premier est publié sous pseudonyme le 6 août 1925 dans le journal *L'Indochine* ; le second en 1927 dans *Commerce* 12 ; la « Lettre » du Prêtre légendaire, préfacée par Malraux et « adaptée » par Chevasson, paraît dans *Commerce* 17 en 1928 ; la même année, Gallimard édite le dernier texte en plaquette. Cette série fait donc doublet, en mineur, aux grands textes d'alors, *La Tentation de l'Occident,* « D'une jeunesse européenne », *Les Conquérants*, comme si l'écriture de la réflexion et le roman d'histoire ne suffisaient pas à tarir la source du fantastique.

Les premiers contes des années 20 étaient purs lunatismes, ceux-ci sont des croquis d'épopées négatives. La mort y triomphe d'entreprises humaines, hautes civilisations, expéditions révolutionnaires ; elle les soumet au retour indifférent du même. La mélancolie donnait assurément à l'univers des *Lunes* cette irréalité qu'André aimait dans le cubisme et chez les fatrassiers. A présent, le monde farfelu, tout fabuleux qu'il soit, se localise et se date en un Orient perdu et ce qui le défend contre la reconquête est faune rampante. La volonté est promue motif majeur en même temps que son échec. L'imaginaire se surcharge avec plus de licence que dans *Lunes*, il se force en une parade foraine où sont appelés à paraître les trésors les plus rares, des monstres anthropoïdes, un bestiaire et une flore extravagants. On rapporte des légendes drolatiques et funèbres. Dans une poussière de fin du monde, le désir se dépêche d'exhiber la collection de ses fétiches, comme ferait un enfant menacé. Le carnaval déliré par Garine[20] est de cette veine. Et aussi le trésor de jouets automates que les pillards d'Ispahan remportent pour tout butin du palais impérial[21]. Et encore, jusque dans *L'Espoir*, les chars en carton, les Mickey, les Félix-le-chat, de la fête offerte aux enfants réfugiés par les syndicats de Valence : l'escadrille fasciste bombarde de nuit la ville, « et au rythme des explosions [...], les animaux qui tremblaient dans la pluie hochaient la tête au-dessus des enfants endormis[22] ». Il faudrait ajouter au tableau de ces parades automatiques la proposition de Wang Loh, dans *La Tentation*, de prendre en guise de fête nationale chinoise la date « de ce soir où les intelligents soldats des armées alliées s'enfuirent du Palais d'été, emportant avec soin les précieux jouets mécaniques dont dix siècles avaient fait offrande à l'Empire[23] ».

La « féerie mécanique » est un motif récurrent chez Malraux. C'était déjà tout *Lunes en papier*. Mais en 1925-1926, ce motif est traité sur un mode plus sensuel que dans les *Lunes*, et plus tendu : la jouissance s'exaspère à proportion de la perte. Et celle-ci couronne, si l'on peut dire, un essai de conquête avorté. Les Péchés dans les *Lunes* menaient campagne contre la Mort et la tuaient, ils oubliaient pourquoi. Ici, même trame, mais l'aventure est politique, impériale, et la mort l'emporte résolument. Un commando bolchevique venu d'Afghanistan investit Ispahan. Sans succès : non que l'attaque soit repoussée, il n'y a point combat, « la ville se défendait d'elle-même ». Le haut lieu de la « pureté » iranienne est déjà mort, indifférent aux entreprises. Labyrinthe de ruelles, avenues sans but, la capitale est habitée par « les démons des ruines qui n'ont pas de visage et qui vivent dans notre propre corps[24] ». Le narrateur s'entend annoncer par son diable : « Tu ne te souviendras pas d'Ispahan, car Ispahan est gardé par les bêtes. Sa couronne d'abandon saura la délivrer de tes compagnons de mauvaise fortune et de leurs officiers voués à une fin immonde. Rien ne prévaudra contre ceux qui naissent du sable : leur image règne parmi les constellations[25]. » Il n'est pas négligeable que les envahisseurs soient droit venus de l'URSS : aussi rouge soit-il, le projet politique se meurt face au désert des bestioles stellaires. Un matin, les chevaux, les chiens, les chats s'agitent, détalent, pris de panique. Le narrateur, inquiet, monte sur une terrasse, et que voit-il ? « Une large tache », noire, absolument noire, « qui s'avançait vers nous », en submergeant la ville. Il hurle : « Les scorpions ! les scorpions ! » Et pour finir : « En quelques minutes, ce mot, et la vue de l'immense nappe frangée de pinces nous soulevèrent d'une telle épouvante que l'armée se décomposa[26]. »

Ce mot, lequel ? Scorpion, épouvante : la chose de Saint-Maur, et le mot de *Lazare*, une seule phobie pendant soixante-dix ans. L'abjecte marée grouille déjà sur l'Orient et va s'attaquer à l'Europe. Sur les collines catalanes en janvier 1939, André observe à la jumelle les Marocains du général Yaguë dévalant sur Barcelone : « Les Maures, les Maures ! », murmure-t-il. C'est fait, la vague déferle, levée dans les ruines asiatiques. Les fossés Saint-Maur dégorgent leur vermine après un long détour. L'Orient revient, décomposé, fétide. Son remugle empeste le front de la Vistule, lors de la « première » attaque aux gaz, en 1917, il putréfie les bois, les hommes, les animaux à Bolgako. « La lutte contre les gaz m'habite [...], cette lutte démente des hommes, sans combat [...]. Les gaz sont le Fléau – qui doit être la mort[27]. »

Sans horizon désormais, sans l'air et la mesure de défi qui lui venait de sa sage rivale asiatique, désorientée, désœuvrée, l'Europe continue à œuvrer, en automate. Novembre 37, Madrid est écrasée sous les bombes fascistes depuis des semaines. Télégramme de Shade, envoyé spécial, à son journal de New York : « Compagnons d'Amérique [...], assez de cet oncle d'Europe, qui vient nous donner des leçons avec sa tête qui a perdu la raison, ses passions de sauvage et son visage de gazé[28]. » Europe gazée. Les fascisme, nazisme, franquisme, le communisme peut-être, accomplissent la corruption, la décadence qu'ils croient contrer. La « politique » alors, c'est pour Malraux une infection dévorante.

L'impérialisme sur lequel il bute à Saïgon est peut-être « le stade ultime du capitalisme », il y respire surtout l'immondice endémique de la vie, attisée par le pouvoir sans loi, et qui pavane. André revient en Indochine tremper sa plume à cela, le sang noir de ses cauchemars, qui corrompt tout l'organisme colonial. Guerre ouverte, cette fois : le maniérisme des débuts ne porte pas quand il faut contre-attaquer l'administration, la justice, la presse. Il faut trouver un ton, une audace matérielle, une écriture de voltigeur armé. « Brisure nette : nouveau départ sur la ligne d'acier », écrivait Cendrars en 1920. Dix ans plus tard, Drieu la Rochelle pourra rendre à Malraux cet hommage d'ancien combattant en commentant *La Voie royale* :

> Quant au style, il est plus violent et plus cassant que jamais. Si la conception de l'ensemble du livre et de chaque page témoigne d'une netteté de conception [sic] et de dessin encore plus mordante [que dans *Les Conquérants*], chaque phrase, bien que plus emboutie à la précédente et à la suivante, est encore un éclat. Malraux ne va pas vers un but, d'une phrase à l'autre ; chaque phrase capte tout son élan et le résout momentanément. Chaque phrase est un morceau de métal que la concision a rendu horriblement tranchant[29]...

Le tir pourtant devra être encore ajusté : le projectile « souvent frappe et déchire l'esprit du lecteur sans le percuter au point décisif ». L'écriture doit tuer toute illusion superflue. Et que reste-t-il qui soit nécessaire en ce temps du grand soupçon ? Surtout quand celui-ci est alimenté par le scandale permanent de la colonisation... A Saïgon, le pourfendeur cubiste de la réalité se renforce d'un polémiste politique au service des libertés. D'une avant-garde à l'autre, l'Occident poursuit sa guerre contre lui-même jusque sous les tropiques. Décidément, ce qui manque en Orient à présent, en 1925, c'est l'Orient, son silence.

Le disciple de Max Jacob allait souffrir. Mener à bien des batailles de presse exige des qualités contraires au poème. Malraux avait pu l'éprouver au procès de Phnom Penh l'an passé. Pourquoi si lourdement condamné ? Pour excès d'éloquence, pour succès rhétorique. Là résidait la vraie défaite plutôt que dans le verdict : « Dans une réunion publique, convaincre ne sert pas à grand-chose. Dans les cinq minutes qui suivent, le type qui a le plus applaudi peut être repris par ses anciens arguments, par ses camarades, par son milieu. En éloquence, il s'agit moins de convaincre que de séduire[30]. » Malraux s'avère un grand rhéteur, il méduse ses auditoires. Séduit lui-même par son pouvoir : c'est le lot des séducteurs. La tentation d'en imposer, et sur-le-champ, lui est irrésistible. Il peut feindre de n'être pas pris à son piège : il l'est en le feignant.

La faculté persuasive est de grand secours dans la polémique publique. Mais aussi elle s'exerce toujours au détriment de la pensée, elle se moque de l'exactitude. Jean Paulhan exposait que dans la diatribe malgache le succès va régulièrement aux orateurs qui font usage à bon escient des lieux communs et des dictons éculés. En 1927, Malraux reçut de son ami les épreuves d'un article préparatoire aux *Fleurs de Tarbes*, « Un défaut de la pensée critique » : dans l'œuvre littéraire, soutient Paulhan contre la critique puriste de son temps, les mots et la rhétorique pèsent de tout leur poids, autant que l'énergie de la pensée. La question, répond Malraux, n'est pas si l'écriture peut se soustraire à la puissance captieuse de la parole, qui est inévitable, mais si une expérience singulière, l'instant d'une haute intensité affective, parvient malgré tout à s'exprimer selon sa « différence[31] ». *Les Voix du silence* nomment celle-ci « stridence[32] ».

Le style du romancier, plus tard de l'essayiste, aussi soucieux qu'il soit de faire sentir une situation dramatique dans sa violence, ne va pas sans concéder souvent à la déclamation du tribun, au sentencieux de la prédication. Le pli de ce compromis n'est pas encore pris en 1925. Les pamphlets de *L'Indochine* sont d'un rhéteur maladroit qui fait ses classes dans l'art d'écrire en polémiste politique. Il force souvent la note et l'on sent parfois qu'il s'ennuie. De l'autre main, le conteur farfelu se réserve de donner pleine stridence à l'épouvante que la violence coloniale réveille en lui. Les deux tons, emphase, intensité, se conjuguent dans *Les Conquérants* et *La Voie royale*. Désormais l'écriture se laissera infiltrer par la rhétorique politique ; mais aussi la fulgurance d'un style viendra frapper la bassesse inhérente aux diatribes et faire rêver les mornes assemblées cérémonielles.

L'étrange combinaison n'a pas été voulue, de l'action et du style. En s'engageant à lutter en politique à Saïgon, Malraux plonge dans une vague en formation, bientôt énorme, qui se soulève et va le soulever, qui va déferler sur le monde et rouler avec elle son écriture, sa pensée et sa vie. Depuis la pauvre feuille de Saïgon jusqu'à *La Lutte avec l'ange*, dont il ne reste en 1943 que *Les Noyers de l'Altenburg*, à travers les péripéties de la lutte anticoloniale, les intrigues liées aux succès littéraires, les vicissitudes du combat antitotalitaire sur les fronts français, allemand, espagnol et russe, à travers les tumultes amoureux, une seule lame de fond emporte son talent, son désir, sa résistance, pêle-mêle avec le monde entier.

Ils ne sont pas foule, les écrivains français qui se sont exposés à la tourmente si longtemps, avec cette intrépidité, sans catéchisme aucun pour s'abriter.

Pendant ces années, il se retourne pour faire front, avance à reculons, bousculé, basculé, tâchant de voir quand même. Tout ce qu'il connaît de ce raz de marée, c'est qu'il n'en finit pas, brutal, sournois. Il le dépose, inerte presque et, pour la première fois, pensif, en 1941, dans une villa chic de la Côte d'Azur, entre une jeune beauté insatiablement amoureuse et un petit garçon qui apprend à marcher dans ses sabots et le bouleverse. Méconnaissable à lui-même, André, déferlé : « A Roquebrune, devant le feu de bois, le moment où l'homme de quarante ans, pour la première fois, est pris de la maladie de se souvenir[33]. »

On le croirait défait sur tous les fronts, l'administration coloniale, le fascisme, le nazisme, enfin le stalinisme ; étourdi par le succès littéraire ; pris en otage par des femmes : Clara qui revendique ses droits, Josette Clotis ses désirs, et Louise de Vilmorin qui ne demande rien et prend ses aises avec tout. Le cauchemar culmine en 1933, le prix Goncourt, les trois femmes à la fois, Berthe la mère est morte l'an dernier, Hitler est chancelier.

Mais non, « la gloire trouve dans l'outrage son suprême éclat[34] ». Malraux aimait Corneille. Persécuté par les figures du Fléau – dont la femme n'est pas la moindre – il ne fit pas sa reddition à l'infortune. La vague se brisa près de Menton, la mer devint étale. En pleine année 1941, la pire, dans l'œil du cyclone, la frégate Malraux, toutes voiles affalées, attend le vent, dans une inexplicable bonace. L'un des premiers romanciers du monde n'écrira plus jamais de roman. Il cherche son cap. Le politique aussi. Finie l'insurrection des peuples ? Les voici tous mobilisés en masse les uns contre les autres. Insectes en rangs serrés, comme les scorpions d'Ispahan. A droite, à gauche, soumis aux mêmes kapos.

Pendant presque trois ans, il écrit plusieurs livres à la fois, comme s'il avait différents comptes à régler d'urgence. D'abord poser les scellés sur l'aventure mystico-politique en Orient. *Le Démon de l'absolu*, une biographie de T.E. Lawrence, à peu près complète, qui débutait par « le temps des échecs » et s'arrêtait sur une « tragédie inachevée », fut abandonné dans ses cartons. Malraux n'en publia qu'une sorte d'argument sous le titre décidément éloquent de « N'était-ce donc que cela ? »[35]

Faire le point de la défaite générale, élaborer le deuil de l'Occident moderne, cerner un mode possible de résistance. *La Lutte avec l'ange* est un écrit inclassable, ni essai, ni roman, composé plutôt à la manière d'une exposition de tableaux sans unité d'intrigue, scènes de terreur sur les fronts de Pologne et de France, relation d'une aventureuse mission politique pour le compte de la Turquie, actes d'un colloque savant comme au château de Pontigny – chaque pièce unie aux autres par le seul patronyme Berger, trois générations mâles, sans mention de femmes, mais le tout emporté d'un même souffle, d'une même souffrance, celle de la longue nuit de Jacob assailli par « l'Homme ».

Enfin et surtout, poursuivre le grand essai de « psychologie de l'art » dont *Verve* a publié juste avant la guerre d'importantes pages, en quatre livraisons. Ce terrain-là, celui des œuvres, c'est sur lui que pendant des années le deuil du politique va s'élaborer, le combat avec le démon du colonel et avec l'ange des Berger continuer, la résistance trouver ses vrais moyens.

La déferlante battait sa porte : Hitler souillait l'Arc de Triomphe ; le maréchal des Ligues fascistes anesthésiait la France ancienne combattante ; la pègre et les paumés, béret milicien sur l'oreille et doigt sur la gâchette, achetaient leur survie à l'occupant en lui fournissant des fourgons de déportés, en remplissant ses fosses communes de fusillés... Et Malraux, cependant, écrivait ses Inactuelles...

Il faudra un signe, hélas trop parlant, pour le faire ressortir dans le tumulte des combats : quand, coup sur coup, en mars 1944, Claude et Roland, les deux fils de son père, engagés dans la Résistance, sont arrêtés par la Gestapo et disparaissent. La mort du jeune frère, on l'a compris, était pour lui *la* scène primitive. Il se sentit de trop, encore une fois en reste de fraternité virile et d'amour : la dette par excellence, sa vie sommée de racheter cette perte hors de prix en s'exposant. Il s'introduisit aussitôt dans les réseaux, se mit à la guérilla – sous le nom de Berger. Il signera sa résistance dans le style qu'on lui connaît, mais ce n'était pas l'Espagne : il n'a pas tout à inventer, les jeux sont faits, la guerre est déjà gagnée ailleurs, le nazisme va être écrasé entre les tanks russes et les avions anglais, américains.

Et ensuite, aux côtés de De Gaulle, quand on peut croire que l'enfant cède encore une fois au désir d'épopée, et l'ambitieux à celui de sa consécration, tout montrera au contraire qu'il n'attend rien de ces comédies de pouvoir politique – sinon, à travers elles, de mériter et garder l'estime du Général, et la sienne. Ministre de second rang et, du reste, assez négligent, Malraux est renvoyé par la frange de la grande vague, désormais rompue, à ses premières amours, celles qu'il confiait à Clara : « rat de bibliothèque », homme de cabinet d'étude, mais à la manière de Borges. On a dit que ses recherches sur l'art « compensaient » la déconvenue du grand militant politique. Mais quand avait-il cru à la révolution ? Et qui peut faire la balance entre la réflexion et l'action ? L'art occupait son âme depuis les tout débuts et l'action n'en tint jamais lieu, elle prolongeait l'énigme des formes jusqu'à l'inscrire à même la chair du monde. Pourquoi l'équipée de Benteaï-Srey, pourquoi les séquelles de politique indochinoise ? Pour dix hauts-reliefs khmers absolument désirables...

Ecartons les dehors : il devient un homme politique français au moment même où ce qu'est l'action, à ses yeux, l'urgence, l'exploit, est désormais lettre morte. Restent vivaces l'art, l'écriture, insurpassables en pouvoir de merveilles. Mais ils n'ont pas besoin de sa vie : son corps à lui, sa peur et son courage, sont mis en disponibilité, ils ne prouvent plus rien. Au grand studio de Boulogne, dans le bureau de la Lanterne ou du manoir Vilmorin, Malraux n'affronte pas l'inconnu de la jungle, de la sierra ou du maquis, mais le désert des pages blanches.

Il peut bien chercher dans le tabac et l'amphétamine, dans l'alcool, des énergies de supplément pour faire ou pour laisser parler le silence ; le corps du penseur, courbé sur son pensum, peut bien souffrir : contrairement à l'exploit, un écrit de réflexion n'est pas plus vrai de ce qu'on meurt à moitié pour l'écrire. Quand il faut faire entendre la violence que la création exerce sur un Goya, un Rembrandt, un Picasso ou un Dostoïevski, la douleur d'André Malraux ne vaut que par transfert. Le jeune chef de bande byronien devient un monsieur qui travaille chez soi en robe de chambre. Ministre ou pas, son écriture alors lui apprend qu'il est déjà mort dans sa chair. Elle ne lui permettra que des considérations d'outre-tombe, et des mémoires. Métamorphoses, antimémoires, surnaturel, intemporel, irréel, limbes, précarité, un froid de glace est en train de plomber ses épaules, un glissement sur place fait sa face s'affaisser. Sur les villes, à la radio, sur l'écran vidéo, sa voix se met à sonner comme celle du Commandeur.

Tristesse : il prend de l'âge. Pourtant, se convainc-t-il, l'ennemi qu'affrontent la peinture, l'écriture, son propre texte, n'est pas autre que celui qui quadrillait les rizières annamites ou bombardait les oliveraies catalanes, seulement plus terrible d'être caché au fond de l'âme. Avec les grands modernes européens, écrit-il en 1947-1951, les Flaubert, Baudelaire, Cézanne, Van Gogh, « la civilisation occidentale commençait à se mettre en question. De la guerre, démon majeur, aux complexes, démons mineurs, la part démoniaque, présente plus ou moins dans tous les arts barbares, rentrait en scène. / Son domaine est celui de tout ce qui en l'homme conspire à le détruire ; les démons de Babylone, de l'Eglise, de Freud et de Bikini ont le même visage. Et plus l'Europe voyait surgir les nouveaux démons, plus les civilisations qui en avaient d'anciens apportaient d'ancêtres à son art[36]. » N'est-ce pas toujours la même hideur contre quoi la création se dresse, comme la révolution naguère ? Déjà en 1927, à quoi était promise la jeu-

nesse européenne ? Une tâche très peu politique : « Tenter [...]
d'élever un domaine de l'esprit et de la sensibilité tout en mouvements, en changements, en rapports nouveaux et naissances
nouvelles, auprès d'une vie à quoi tout ce qui ne peut se traduire en actes ou en chiffres est devenu étranger[37]. »

Après la Seconde Guerre mondiale, vient la reconstruc-
tion, la croissance : le chiffre. La performance, l'archive prennent plus que jamais le contrôle sur les activités. Peu à peu les
littératures et les arts vont être assimilés à des biens culturels
et, s'ils s'obstinent dans le questionnement, perdre l'audience
qu'ils avaient avant guerre. En somme, il restera sur les rives
de l'Occident, passée l'invasion hideuse des scorpions, une
alluvion de microprocesseurs. Protons, protistes, pour Malraux, c'est tout un ; les hommes se sont massacrés par millions, et le cauchemar est toujours là, plus subtil, qui étouffe et
glace leur puissance créatrice.

Tandis qu'André fait ses débuts de journaliste politique
en 1925, il entend bien le malheur de la condition coloniale, il
sent monter les haines, mais les positions qu'il défend ou les
propositions qu'il publie sont réservées, pour ne pas dire
timides. La prudence est de rigueur, assurément : la censure
frappe vite, et par tous les moyens. Mais on doit faire sa place
à l'immaturité politique. Dans le numéro 16 de *L'Indochine*
daté du 4 juillet, il répond à un lecteur (fictif, bien sûr) sous un
titre pourtant prometteur : « Sur quelles réalités appuyer l'effort annamite ? »

> Il faut, Monsieur, que vous compreniez bien ceci :
> pour faire de l'Annam une nation libre où deux peuples
> vivent sur un pied d'égalité – comme aux Indes fran-
> çaises, comme aux Antilles – il est indispensable que la
> première partie de votre vie soit sacrifiée. Vous pouvez
> constituer un Annam véritable, mais ce sont vos enfants
> qui le verront.
> La première nécessité, pour parvenir à une entente
> réelle entre Français et Annamites, c'est pour nous,
> Français, de supprimer absolument ce que j'appellerai

« la propagande par le bluff ». Les Français ne sont pas venus ici pour civiliser, mais pour gagner de l'argent *par leur travail*. Il n'y a là rien qui doive être caché.

Il importe que ces droits acquis légitimement soient sauvegardés. Mais, de là, il ne suit nullement que les singulières combinaisons qui s'établissent à l'heure actuelle soient justifiées.

Comment mettre fin aux combines ? En alertant la métropole par une action spectaculaire, une campagne provocante ? Erreur : d'abord à Paris, le pouvoir change de main tous les six mois ; il faut parler ici, et vous ne serez écoutés qu'à condition de « ne pas heurter les droits de ceux qui sont justement ici, au nom d'une justice que vous réclamez pour vous-même ». Alliez-vous donc avec les Français libéraux. Et au lieu de faire de vos enfants des petits fonctionnaires humiliés, apprenez-leur à devenir des techniciens et surtout des ingénieurs agronomes. Car alors, rassemblés en groupements professionnels, ils auront les moyens d'exercer une pression efficace sur l'administration coloniale et sur les riches propriétaires terriens. Le droit des Annamites à l'école est-il violé, bafoué leur droit à une justice équitable, à la liberté de mouvement, à une rétribution juste ? « Dans huit jours, tout le mouvement agricole de l'Indochine sera arrêté. » André livre en guise de conclusion la philosophie de ce sage programme : « Ce moyen, qui n'implique aucune violence, vaudrait certainement le Hartal indien ; et tous les Français libres seraient d'accord avec vous, car il serait appuyé *sur votre travail.* »

Inattendues, les valeurs alléguées par le jeune insolent au revolver de poche qui se refusait à tout emploi : la non-violence gandhiste et le travail… La leçon n'est pas sans condescendance : les masses indigènes doivent se contenter de ça, en attendant. Mais surtout quelle innocence, sinon niaiserie, dans ce programme : il propose bonnement à l'opposition indochinoise de créer sur place les conditions d'un capitalisme de marché. On dirait qu'il ignore tout du verrouillage mental et social dont s'assortit la surexploitation coloniale, qu'il n'a pas entendu parler des contradictions de l'impérialisme ni de la création du Komintern, il y a six ans déjà.

Citons à sa décharge un penchant certain pour l'action paysanne, une fraternité pour la légendaire jacquerie. Occuper les terres, les distribuer, annuler les dettes : Kyo préconisera cette ligne pour battre Tchang Kaï-chek à l'encontre des directives du Komintern, précisément. Et quand il arrive en Espagne en juillet 1936 alors que partout les paysans occupent spontanément les terres pour riposter au putsch militaire, Malraux éprouve tant d'enthousiasme pour ce mouvement qu'il se laissera tenter un instant par le songe anarcho-syndicaliste. Pas longtemps, il sait trop que la spontanéité ne promet que le retour du même.

Quant au bolchevisme, le militant de Saïgon en a une connaissance assez vague. Il doit savoir que le futur Hô Chi Minh est en train de regrouper les premiers exilés politiques annamites à Canton. Sur le terrain, il connaît la « Section clandestine du Kuomintang », un groupe de marchands chinois d'Indochine qui finance son journal. Redoute-t-il la tutelle des rouges sur un éventuel mouvement indépendantiste dans la péninsule ? Même pas. Au banquet offert par ladite Section pour la création de *L'Indochine*, le toast qu'il porte après Monin au succès de l'entreprise est certes réservé : « Nous allons faire un journal ensemble... Nous allons lutter ensemble. Il serait faux de penser que nos buts sont totalement les mêmes... Ce qui nous rapproche, ce qui nous unit, ce sont les ennemis que nous avons en commun[38]. » La réserve est ouvertement celle d'un Européen libéral, le même qui va signer la réponse au lecteur qu'on vient de lire : la cause indigène n'est pas la sienne.

Versons encore une pièce au dossier du néophyte. L'une des clés de son programme de développement était le visa : un jeune Annamite devait obtenir ce laissez-passer pour se rendre en France. Sans visa, pas d'éducation, pas de classe moyenne cultivée, pas de professionnels, agronomes et autres. Or les visas étaient délivrés arbitrairement par le rond-de-cuir local. L'administration pouvait ainsi geler tout le projet, à sa convenance. Dans le numéro du 14 août 1925, André dénonça cette « stupidité à faire pleurer de rage ». Elle constitue, protestait-il, « l'attaque la plus dangereuse que puisse subir ici notre colonisation ». Rageant en effet, si l'objectif est bien de maintenir « notre » présence française. C'était l'idéal de Lyautey en 1900... En 1925, on n'était pas sans savoir le prix que le maintien de ladite présence pouvait coûter aux indigènes : Noguès, Pétain, Franco nettoyaient les djebels du Rif. Les empires coloniaux inquiétés par la crise défendraient les privilèges et les superprofits avec acharnement. Il faudra bien du temps et du sang avant qu'on songe à libéraliser, et plus encore avant qu'on se décide à négocier.

En novembre 1925, Saïgon attend le nouveau gouverneur, nommé par le Cartel des gauches appelé au pouvoir à Paris. Varenne est socialiste. *L'Indochine,* empêchée plusieurs mois de sortir par les pressions que l'administration exerce sur l'imprimeur, reparaît non sans mal sous le titre éloquent : *L'Indochine enchaînée.* Dans le numéro 1, André sonne l'alarme à l'intention du nouveau venu :

> Je dis à tous les Français : « Cette rumeur qui monte de tous les points de la terre d'Annam, cette angoisse qui depuis quelques années réunit les rancunes et les haines dispersées, peut devenir, si vous n'y prenez garde, le chant d'une terrible moisson... » Je demande à ceux qui me liront de tenter de savoir ce qui se passe ici, et quand ils le sauront, d'oser dire à un homme [Varenne] qui vient en Indochine pour demander où est la justice, et, au besoin, pour la faire, qu'ils ne sont pas, qu'ils n'ont jamais été solidaires de celui [Cognacq, gouverneur de la Cochinchine] qui, pour garder sa place, n'a pu élever, au nom de la France et de l'Annam, que le double masque du pitre et du valet, du mouchardage et de la trahison.

Le trait est nettement plus tendu. André fait des progrès. Deux ans plus tard, Gide lui rendra encore des points en matière de réquisitoire anticolonialiste avec le *Voyage au Congo.* Mais Gide ne publiait pas sur place dans une petite feuille étroitement surveillée. Dès 1929, à Paris, Malraux rééditera le *Voyage,* illustré de photos d'Allégret : une combinaison d' « art nègre » et de critique sociale, où s'esquissait déjà le relais du politique par l' « esthétique ». A Hanoï, le gouverneur Varenne capitula sur toute la ligne en matière de réformes. Malraux fut confirmé dans son dégoût viscéral pour « la politique » : c'est une émanation de la nécessité, ses promesses sont des leurres.

En pleine affaire Stavisky, alors que toute la droite s'acharne contre le régime, on le prend à railler « les forces politiques " de gauche " qui valent ce qu'elles valent, qui m'excitent avec modération » – et ce, dans une interview donnée au grand hebdomadaire de la gauche[39]. Quoi qu'elle dise, une formation politique se nourrit de la même tromperie et la propage : croire ou faire croire qu'il existe un remède au non-sens. Si la gauche a pourtant sa préférence, c'est qu'en défendant les libertés, elle tolère en principe celle du créateur. Dans le fait, l'expérience lui montre et lui montrera que l'écriture et l'art doivent sans cesse et partout conquérir leur indépendance contre le préjugé et le dogme.

En novembre 1925, il livre à Clara le bilan de son engagement en Indochine : « Maintenant, il ne reste plus d'autre solution que d'écrire[40]. » On attendait plutôt : de militer en France pour la justice dans la colonie. C'est ce que claironnait son éditorial d'adieu, fin décembre. Les Annamites s'interrogent :

> « Nous ne pouvons avoir aucune confiance dans des promesses qui n'ont pas été tenues, et qui ne le seront pas.
>
> » Nous ne pouvons avoir aucune confiance dans les hommes que nous envoie le Gouvernement français, puisque ces hommes, qu'ils nous parlent de mitrailleuses ou de libertés, ne connaissent plus, dès qu'ils sont chez nous, que la liberté de toucher des piastres.
>
> » Nous ne pouvons pas faire appel à la violence, puisque nous n'avons pas d'armes.
>
> » A qui donc pouvons-nous demander alliance, lorsque ceux qui nous gouvernent ne nous laissent le choix qu'entre le mensonge et la bassesse ? »
>
> Je leur réponds :
>
> « Nous allons faire appel à l'ensemble de tous ceux qui, comme vous, souffrent. Le peuple, en France, n'ac-

ceptera pas que les douleurs dont vous portez les marques vous soient infligées en son nom. »

La péroraison est prometteuse – c'est-à-dire cent pour cent politique : faisons appel au peuple français « par le discours, par la réunion, par le journal, par le tract ». Faisons signer des pétitions par les masses ouvrières, obtenons des écrivains des adresses solennelles. Et pour clore cette envolée, ces *ultima verba* tragi-comiques : « Obtiendrons-nous la liberté ? Nous ne pouvons le savoir encore. Du moins obtiendrons-nous quelques libertés. C'est pourquoi je pars en France. »

Joli effet de manches, comme on dit au prétoire. Et qui n'engage à rien. Sitôt embarqué pour Marseille, exténué, loqueteux, il s'attelle à *La Tentation de l'Occident*, qui n'est pas précisément un pamphlet anticolonialiste. Qui est même dédié à Clara, « en souvenir du temple de Benteaï-Srey ». Comme si l'aventure dans la jungle avait déjà effacé un an de bataille de presse. Le livre était dû à Grasset depuis un an. Honorer sa signature était urgent. Le sort des Annamites ne le tourmente plus guère mais beaucoup celui de ses livres. La page de politique indochinoise est tournée en un instant.

Il préfacera, on l'a dit, l'*Indochine SOS* d'Andrée Viollis en 1935, après avoir lancé dans *Marianne* le 11 octobre 1933 un premier SOS : « Pour supprimer toute équivoque, que ceci soit bien entendu : personnellement, ayant vécu en Indochine, je ne conçois pas qu'un Annamite courageux soit autre chose que révolutionnaire. » Il a beau jeu alors, la logique du moment, qui est manichéenne, s'accorde à sa rhétorique binaire : « Tout communisme qui échoue appelle son fascisme, mais tout fascisme qui échoue appelle son communisme. » La figure d'antithèse tient aisément lieu d'argument. Il écrit comme il parle, à coups d'oppositions : X est ceci, non cela ; X n'est pas cela, mais ceci ; ou : plutôt ceci que cela. Exemples à foison dans toute l'œuvre. Le tranchant de ce trope fait merveille quand l'Europe entière se divise, front contre front. La situation de l'Indochine en 1925 ne s'était pas laissé trancher ainsi. Il avait la plume trop nerveuse, trop mécanique, pour s'insinuer dans le visqueux. Ses tableaux de sous-bois tropical sont aussi laborieux que ses projets de capitalisme local. Il est dix fois meilleur dans le farfelu machinique. A la colonie, il n'a pas pu *signer*. Car l'antithèse vaut signature. Pour signer, il faut se séparer. L'antithèse sépare. Dans la rhétorique d'opposition, s'entend l'angoisse ontologique, bien sûr, et s'exprime une résolution, qui est le contraire d'une solution. En Europe, il va pouvoir exercer à plein son éloquence décisionniste. Romans de l'aventure ou de la révolution, harangues aux meetings antifascistes, tout maintenant dit cela : l'angoisse et la résolution. Dans la marée bestiale qui inonde le monde, essayer de trancher, follement...

Chez Garine, chez Perken, même compulsion à couper « dans la masse ». Le pouvoir ne vient pas d'une autorité, c'est l'inverse. La date importante dans l'histoire de l'Europe moderne, enseigne-t-il à Stéphane, « est celle où un homme n'a plus dit : " Je prends le pouvoir parce que je représente la majorité ", mais : " Je prends le pouvoir parce que j'ai les moyens de le prendre. " Cet homme n'était ni Franco, ni Hitler, ni Mussolini, c'était Lénine[41] ».

Le bolchevisme invente le prolétariat comme le nazisme la race des maîtres : ils les créent en tranchant. On dirait du Georges Sorel. Le « mythe » de celui-ci s'ajuste assez bien à la rhétorique mythomaniaque de Malraux, non ? La pensée de la droite nihiliste se cristallisait autour de ces quelques mots clés : le mythe, l'urgence, la décision, la violence, la désignation de l'ennemi. Ce sont alors les siens... Ajoutez-y la révolution et les techniques d'hallucination des masses. La propagande jointe au pistolet sur la nuque fait monter les masses sur la scène d'un théâtre, ou sur un plateau de tournage où elles se donnent le spectacle de leur héroïque destin. Pour mettre en scène ces représentations, il faut ne croire à rien mais intensément. Le jeune André écrit au retour d'Indochine : « On a dit que nul ne peut agir sans foi. Je crois que l'absence de toute conviction, comme la conviction même, incite certains hommes à la passivité, et d'autres à l'action extrême[42]. »

On entend bien Sorel, même Jünger ou Carl Schmitt. Artiste en politique, grand couturier d'histoire, histrion ? Les grands politiques sont des cyniques. Quant à lui-même, il est empêché de jouer la tragi-comédie jusqu'au bout. Sa vérité intérieure l'interdit, son humour. Jusque chez les grandes figures qu'il admire ou vénère, il faut qu'il détecte le cabotinage, cela les grandit à ses yeux. Après Mai 68, où de Gaulle a été au tapis, les gaullistes emportent les législatives de façon écrasante. André « murmure ébloui » à son neveu Alain : « Le merveilleux est de pouvoir se dire que, dans cette histoire, tout est né d'un bluff, de celui du 18 juin 1940 à celui du 30 mai dernier[43]. » Il fait dire au Général, en imposteur : « Vous savez, mon seul rival international, c'est Tintin. » Mais moi, on n'a pas vu que j'étais un gamin parce que j'ai l'air d'être grand[44].

L'homme de décision soulage sa mélancolie avec des anecdotes. Elles font rire, il en sourit comme un enfant. La suivante est un modèle tant elle en dit sur l'imbécillité de l'histoire, et sur la nécessité des anecdotes : « Vous connaissez l'anecdote anglaise dans laquelle Hitler, à la paix, comparaît devant Roosevelt, Churchill et Staline, qui, à la réflexion, s'aperçoivent qu'il a accru ou renouvelé leur puissance. A quoi Hitler, arrachant d'un coup sa moustache et sa mèche, avec le geste de Charlot, et montrant son vrai visage : " Colonel Lawrence, Messieurs ", salue et sort[45]. » Cinq ans d'épouvante pour une sortie à la Clappique. Et la leçon machiavélienne : l'infortune multiplie vos ressources, le pire ennemi est votre meilleur soutien.

L'éloquence de Malraux a beau élever le ton jusqu'au sublime, Bossuet dans sa bouche prend un accent gavroche. L'œil est halluciné, pythique, et la gouaille en même temps le fait cligner. En somme il a des tics : ce sont les anecdotes du corps, ils raillent la noble histoire du moi, taquinent l'épopée, contrarient la biographie des grands. Richard III aussi est contrefait. La claudication et le tic vous apparentent au monstre : vous êtes une chose et son contraire. Vérité de Shakespeare pour Malraux : on tue dans les salles du trône tandis qu'aux cuisines on blague les princes en remuant les casseroles.

Est-il jamais dupe tout à fait du grand style, du tragique bien-pensant, de l'histoire ? Il révère la geste révolutionnaire, la défend, en prend sa part, aime le tourment et la vertu qu'elle exige pour s'accomplir. Mais quant aux infamies qui se fomentent sous son couvert avec Staline, il est trop peuple, trop moujik, pour ignorer leur sempiternel retour – même s'il se refuse longtemps à en faire état. Trop lu les fatrassiers, trop adoré les carnavals et les masques, trop regardé Goya pour être abusé tout à fait par les discours édifiants et les émouvantes manifestations du régime soviétique. Que Dame Révolution abrite aussi dans ses justes élans les menées des nécrophores, il le savait d'emblée et l'avait dit par la bouche de Garine. Savoir de la défaite. Il ne fut pas égaré, il se laissa tromper, parce qu'il en avait besoin.

En équilibre sur la crête de la grande vague, saisissant au passage l'occasion d'un exploit, il s'enivre de humer le panache d'écume qu'il fait, tout en s'effarant de savoir que ce déferlement qui l'emporte n'est rien qu'un reflux très puissant dans le cycle du même. N'empêche qu'exalté ou drolatique ou les deux, la déferlante l'aura roulé.

NOTES

1. *Marianne* 51 (11 octobre 1933).
2. *Conq.*, 159.
3. *Ibid.*, 249
4. *TO*, 82.
5. *Conq.*, 187.
6. *TO*, 69.
7. *Ibid.*, 81, 83.
8. *Ibid.*, 83.
9. *Ibid.*, 102, 103.
10. *Les Nouvelles littéraires* (juillet 1926).
11. *Conq.*, 155.
12. *Ibid.*, 125.
13. *JE*, 151.
14. *VS*, 514, 525, 528.
15. *JE*, 152-153.
16. Picon, 107.
17. *Celui qui vient*, 50.
18. *ML*, 623.
19. *Conq.*, Postface, 274-275.
20. *Conq.*, 222.
21. *RF*, 325-326.
22. *E*, 306.
23. *TO*, 104.
24. *RF*, 330.

25. *Ibid.*, 331.
26. *Ibid.*
27. *ML*, 893.
28. *E*, 275.
29. *NRF* (décembre 1930).
30. Stéphane, 109-110.
31. *Europe* 727-728 (novembre-décembre 1989), 70.
32. *VS*, 605.
33. *ML*, 911.
34. Funérailles de Le Corbusier (1ᵉʳ septembre 1965), *ML*, 987.
35. Editions du Pavois, 1946 ; *Liberté de l'esprit*, 3-5 (1949).
36. *VS*, 539.
37. *JE*, 153.
38. Clara 3, 121.
39. *Marianne* (décembre 1933).
40. Clara 3, 228.
41. Stéphane, 112.
42. *Les Nouvelles littéraires* (31 juillet 1926).
43. *Marronniers*, 310.
44. *ML*, 629.
45. *Combat* 4 (21-22 avril 1945).

11

TRIBUNES

Car il se passe alors ceci, en ce début des années 30, qu'on n'a pas souvent vu dans l'histoire : la tourmente qui secoue l'Europe, et plus qu'elle, et la couvre déjà du fracas sur elle de toutes les exactions, fait en même temps lever la résistance et les espoirs des peuples. C'est la faute au capital, gronde-t-on, à la finance qui ne connaît que son profit et lui soumet nos vies avec l'assentiment des politiciens en haut-de-forme, et qui expédie pour finir ses hommes de main mater les révoltes. Il se passe ceci surtout, qu'on n'avait pas vu avec tant d'éclat depuis la fin des Anciens Régimes, en France et en Russie : cette révolte sourde et dispersée trouve la voix d'hommes de lettres, de penseurs, d'une part de la classe cultivée pour s'exprimer publiquement, pour désigner ses ennemis, pour élaborer sa plainte et radicaliser sa revendication. Une intelligentsia se rassemble, fait front contre les bien-pensants et conservateurs de tout crin, crée ses journaux et ses radios, appelle le peuple à des meetings, monte aux tribunes, et lui crie qu'il n'est pas abandonné, qu'il a raison, qu'il détient la seule énergie intacte dans le déclin général. Que le moment est venu de changer le monde.

Le pire et le meilleur se confondent dans ces appels, ils s'opposent parfois, fasciste, socialiste, communiste, parfois ils sont indiscernables. Des accords se nouent et se dénouent entre les politiques, des tractations ont lieu auxquelles la base qui exige l'unité ne comprend souvent rien. Les vieux partis font en tout cas l'unanimité contre eux. La nouveauté des nouveaux, c'est qu'ils sont en prise directe sur les masses, et s'accréditent du simple fait qu'ils savent les mobiliser, les rendre visibles et audibles à elles-mêmes en manifestations, en défilés, en réunions immenses. Une liturgie politique s'invente, inspirée par le grand cinéma, qui organise les foules rameutées en plans panoramiques et en séquences sublimes. Les hommes de plume et de pensée, ou ceux qui savent parler, se font les orateurs et les agitateurs du peuple. On laisse l'écriture pour l'éloquence, on se découvre tribun. Moment shakespearien. Le talent spontané de Malraux pour la geste oratoire, l'invective, l'évocation, l'ironie convulsée, pour les mises en scène tragiques qu'il monte en un instant avec trois mots, un ton et des mimiques, trouve dans ce tumulte son plein emploi. La tentation est d'autant plus irrésistible qu'il pense depuis longtemps, depuis *Les Conquérants*, que l'impérialisme souffre en effet d'une crise mortelle et que la seule issue est de retourner l'agonie en action révolutionnaire. Celle-ci serait-elle vouée à l'échec, reste qu'elle aura rendu aux opprimés la conscience de leur dignité.

Alors le voici grimpant sur des tréteaux drapés de tricolore et de rouge, plantés sur les grand-places, improvisés dans les palais populaires et les halls d'école, montant sur les scènes des théâtres et des salles de concerts, voici ce tout jeune homme inspiré, frémissant à l'orage d'une civilisation, qui laisse encore une fois sa table, et s'élance exposer à l'enthousiasme des foules son verbe indiscutable, ses gesticulations de dieu hindou et les grimaces qui courent sur sa face comme autant de masques exotiques. O la célébration de l'histoire en direct, et l'exercice des puissances de la grande comédie sur l'humanité qui est là, qui l'entend et le porte ; ô l'impudeur de l'enfant déchaîné quand il a retrouvé sa mère nourricière et meurtrière, la multitude, dont il connaît mieux qu'elle-même l'espoir épique et le désespoir ! De quelle aube dionysiaque, de quelle jeunesse de myrte ce fut pour lui l'événement, ce face-à-face avec les foules, envoûté envoûtant, le don de soi que le garçon à la mèche rebelle fait au corps mystique du peuple en casquette. Il va être dupe, c'est certain, comme une marionnette l'est de son tireur de ficelles, mais la grâce qu'il éprouve en ces moments, celle de la poupée de Kleist qui croit danser en apesanteur tandis que ses mouvements sont dus aux seules lois de la gravité, il n'est pas de manœuvre, pas de déconvenue, qui peut la lui faire perdre. Son cœur aura battu à l'unisson du populaire, il aura communié en dépit ou à cause de la machine théâtrale. Paradoxe du comédien, mystère de l'histoire.

On dirait qu'il a son rôle tout tracé dans les mains du marionnettiste. Il n'hésite pas un instant sur le parti à prendre quand tant d'intellectuels à l'époque se laissent tenter qui par le national-socialisme, qui par l'anarchisme de droite, ou par le retour mythique aux origines raciales et culturelles des vieux peuples d'Europe. Il aimait pourtant Bernanos qui fut d'abord franquiste et Claudel qui devait rendre hommage à Pétain. La célébration de la terre et des morts par Barrès n'avait pas été naguère insensible à son romantisme, et il avait trouvé même à Maurras, on l'a vu, la vertu roborative d'une volonté classique. Et pourquoi donc le pessimisme métaphysique qu'il partageait avec Drieu ne le poussa-t-il pas à prendre avec son ami la pose d'un grand seigneur désespéré ou d'un croisé sans croix ? Ni l'étude de Marx et des marxistes quasi inexistante, ni l'expérience indochinoise simplement réformiste en son temps, ne sauraient expliquer qu'il fut « de gauche » avec cette évidence. Comme il y a des chrétiens du premier âge, on eût dit qu'il était né républicain de la Première République. Chateaubriand était bon sans doute pour les martyrs et pour l'antimémoire, mais Michelet restait inégalable en intelligence du peuple, pour la valeur universelle qu'il lui accordait et pour le sens d'une politique à hauteur d'histoire. Sur la scène de la Mutualité, Malraux obéit à sa destinée, qui est de lever par la harangue une résistance à la destinée. Il a l'emportement candide d'un Camille Desmoulins au Palais-Royal.

Sa jeunesse enfin lui venait, sa jeunesse à lui d'homme de trente ans, et elle en appelait à la jeunesse d'un monde encore possible. Quelle danse, et comme elle va être jouée, la belle âme, agie par les malins du réalisme utopique ! Agie d'abord par le malin qui est en elle, qu'elle n'ignore pas mais acquitte par avance, le démon qui lui souffle comme à tous les Saint-

Just qu'on n'établit pas la liberté sans exercer la terreur : « Dans son système... la République ne pouvait reposer que sur une austère chevalerie, mêlée de Guépéou[1]. » Le crime n'est pas le crime, jugea-t-il, quand il est le moyen d'un grand dessein historique et qu'il prouve l'absolu.

Hitler est nommé chancelier le 30 janvier 1933. Reichstag incendié le 25 février, état d'exception le 28, parti communiste hors la loi en mars, Thaelmann incarcéré, Dimitrov passé en jugement à Leipzig en septembre, les militants rouges traqués, raflés, expédiés dans les premiers camps « de travail ». Les réfugiés affluent à Paris, s'organisent, guettés par les services secrets de Goering, contrôlés par ceux de Iagoda.

Du côté de Moscou, même tableau mais que le prestige obnubilant de la révolution socialiste dissimule longtemps à la conscience des peuples et des intellectuels de gauche. La collectivisation forcée des campagnes envoie des millions de paysans dépossédés, affamés aux camps « disciplinaires ». Le stakhanovisme fait régner la délation dans les ateliers. Trotski est exclu du Parti, déporté, expulsé en 1929. Kirov assassiné en 1934, les « procès » vont commencer. Iagoda, chef de l'administration des camps, la GULAG, est promu à la direction de la Guépéou. En mars 1933, des décrets autorisent celle-ci à exécuter les suspects sans jugement et, l'année suivante, à se saisir d'otages pour obtenir des aveux. Sous son contrôle, le Komintern fait appliquer partout la ligne : alliance avec les forces « démocratiques » décidée en juin 1934. Les camarades hostiles à de tels compromis seront éliminés pour déviation gauchiste, et ceux qui les auront prônés et fait appliquer, éliminés aussi pour opportunisme. Il y a des noms de crime pour tout. Les généreux appels à l'unité d'action antifasciste couvrent le silence terrifié qui règne sur la « patrie » du socialisme. En dessous des conflits front contre front, un seul déluge de mort envahit l'Europe.

Le parti communiste français crée l'Association des écrivains et artistes révolutionnaires (AEAR) en 1932. Stratégie d'ouverture vers l'intelligentsia « de gauche ». Et soumission du domaine culturel aux enjeux politiques. Malraux prend la

parole à son premier meeting « contre le fascisme en Allemagne, contre l'impérialisme français », tenu le 21 mars 1933
rue Cadet, dans la salle du Grand Orient de France. Le voici
surveillé directement, encadré, par les staliniens. Son prestige
d'écrivain « de gauche » (*La Condition humaine* lui vaudra le
Goncourt en décembre, à l'unanimité du jury et au premier
tour) constitue un apport apprécié à la bonne cause. Le dossier
du nouveau compagnon cependant n'est pas sans bavure, tant
s'en faut. A l'actif, la sévère leçon de réalisme administrée à
Trotski en faveur de la politique du Komintern en Chine, lors
de leur polémique publique autour des *Conquérants*, en 1931[2].
Et la protestation contre la censure infligée à la diffusion en
France du *Cuirassé Potemkine* d'Eisenstein, en 1927.

Mais quand il a « expliqué » *Les Conquérants* devant
l'Union pour la vérité en juin 1929[3], on a bien vu comme ses
angoisses d'intellectuel bourgeois l'empêchaient d'adhérer
sans réserve à la cause révolutionnaire. Et ce ne sont pas les
pages de *La Condition humaine*, publiées en livraison dans la
NRF depuis janvier 1933, qui peuvent le laver des soupçons :
non seulement il s'obstine dans un désespoir « pascalien » ;
mais, quand il fait parler la résistance des sections communistes de Shanghaï aux directives du Komintern, on croit
entendre les contrevérités répandues par les vipères trotskistes.
Un indice va aggraver le cas, l'entrevue que Malraux obtien-
dra de Trotski en sa résidence de proscrit à Saint-Palais pendant l'été 1933 : trempe-t-il dans le complot hitléro-trotskiste ?
Et puis il y avait eu l'incident Maïakovski : un texte publié par
Les Nouvelles littéraires avait présenté le suicide du poète
comme une démission politique. Malraux avait jugé bon de
signer la protestation d'un groupe d'intellectuels d'extrême
gauche non communistes : belles âmes inconséquentes qui
font le jeu de la contre-révolution. C'était en juillet 1930.

Conclusion des services staliniens : élément prêt à coopérer, mais peu sûr ; idéaliste, porté à l'aventurisme, cosmopolite. Renom indéniable. Utile. A contrôler.

Peu sûr. Il définit son communisme « une communion
possible dès maintenant avec le peuple ». Non le peuple « dans
sa nature (il n'y a jamais de communion de nature) mais dans
sa finalité ; en l'occurrence, dans sa volonté révolutionnaire[4] ».

Cette déclaration au Congrès des écrivains pour la défense de la culture, organisé le 21 juin 1935 à la Mutualité, marque le moment de grande proximité avec les communistes, comme la Préface au *Temps du mépris*, publié quelques semaines auparavant.

Temps de la méprise, aussi bien. On lui demande : communisme ? il répond : oui, communion. Trois jours avant de s'en expliquer devant l'Union pour la vérité en juin 1929, il met à l'épreuve de la dialectique de Groethuysen la conclusion déjà fameuse de sa Préface : « approfondir sa communion ». Au Vaneau, la « petite dame », enchantée, assiste tard dans la nuit (Gide est allé se coucher) à l'étincelant échange de vues : « Il parlera de la communion communiste, il espère que d'autres viendront la présenter, la défendre dans la religion, dans l'idée de nation, etc. [...]. On a vraiment chanté la ronde de toutes les communions[5]. » Les communistes sont les chrétiens d'un monde sans Christ. La fraternité arrache la vie désemparée au désespoir et à l'indignité, sans l'aide de la croyance au paradis : « Au-delà même de la communion, la volonté de conscience », dit-il à la Mutualité en 1935.

Cette fraternité a trouvé sa scène symbolique, une fois pour toutes, dans l'épisode du typo annamite dénouant son mouchoir rempli d'accents volés et les répandant sur la table : le plus humble peut risquer son peu de liberté pour rendre possible la revendication des libertés communes. Un tel émoi communiel, l'appareil stalinien est décidé à le mettre à profit. L'écrivain peut bien théoriser le communisme à sa guise, son indépendance de pensée est de beaucoup préférable à un accord idéologique, du moment qu'il marche avec le Parti. L'écrivain ne se fait pas prier, l'occasion est belle pour son ambition aventurière d'occuper une position en vue dans la bataille. Il aime les communistes parce qu'ils forment une armée en campagne, qu'ils en ont la discipline, les moyens, l'efficacité, qu'ils connaissent leur ennemi, qu'ils ont pour seul but de le vaincre. Sous le discours de la puissance communielle, Malraux laisse percer une vénération perverse pour les pouvoirs capables de forcer l'histoire. Ces deux aspects de son rapport à la « vraie politique » fusionnent dans la figure insistante du moine-soldat. L'image de l'ordre combattant le rend aveugle à la réalité stalinienne au point qu'il peut vanter ces machines sans âme que sont le parti russe, l'armée rouge et la police politique comme les instruments bénéfiques de la révolution. Mais quoi ! L'idée d'un bouleversement agitait l'Europe en profondeur et dans tous les sens, les peuples exténués de misère, abîmés dans le désespoir, ne voyaient d'issue que radicale et meurtrière.

Alors même que Malraux sentira l'élan de la fraternité s'essouffler, après le Front populaire avorté, l'Espagne abandonnée, le totalitarisme ostensible en URSS, il jugera ne pas pouvoir trahir le pacte communiel. On lui représente de toutes parts que le communisme est devenu un pseudonyme pour tyrannie, n'empêche : « Staline a donné de la dignité à l'humanité et, pas plus que l'Inquisition n'a atteint la dignité fondamentale du christianisme, les procès de Moscou n'ont diminué la dignité fondamentale du communisme », déclare-t-il en 1937 à New York lors de la tournée en faveur de l'Espagne républicaine[6]. Il juge la publication de l'accablant *Retour de l'URSS*, par Gide en 1936 hautement inopportune. Et en octobre 1939, à Raymond Aron, qui le presse de dénoncer le pacte germano-soviétique, il riposte : « Je ne ferai, ne dirai rien contre les communistes tant qu'ils seront en prison[7]. »

Les communistes, non le Parti. Une sorte de corps mystique. Par analogie avec les débuts de la chrétienté, les militants incarcérés par toutes les polices fascistes et bourgeoises font figures de martyrs persécutés pour leur foi. Mais Marx n'est pas Jésus, ni le marxisme une croyance, ni le NKVD une Inquisition. Pourquoi filtrer et occulter la vérité du totalitarisme stalinien, proche cousin du nazisme, en recourant à la métaphore chrétienne ? Parce que Malraux entend l'histoire de son temps en lecteur de Dostoïevski, que son idée de communion lui vient d'Aliocha et de Muichkine et parce que le discours du Grand Inquisiteur justifie la nécessité d'une discipline sans amour s'il s'agit de propager le message d'amour. Malraux joue et rejoue en compagnie des communistes ce qu'il éprouve comme le drame essentiel des communautés : il manque toujours à la charité une volonté, et l'exercice de celle-ci ne peut que tuer celle-là.

Quant à la réalité de la terreur stalinienne en ces années

30, Malraux comme beaucoup la côtoyait sans en prendre la mesure. Des informations lui parvenaient par les groupes trotskistes, par des oppositionnels comme Naville. Des communistes allemands réfugiés à Paris, Sperber, Koestler, Regler, commençaient à lui faire part de leurs doutes au sujet des procédés employés par les agents de Staline pour « écarter » les militants les plus incontestables. Sans parler de la terreur massive que l'appareil politico-policier faisait régner sur les usines et les campagnes. Mais la machine à fantasmer de Malraux fonctionnait à contresens : les pires ignominies illustraient pour lui la tragédie d'un pouvoir menacé de toutes parts et résolu à mener à bien coûte que coûte la mission de liberté dont l'histoire l'avait chargé. Aurait-il su que le Dimitrov, responsable communiste bulgare, dont il alla en compagnie de Gide exiger la libération à Berlin en janvier 1934, avait été « donné » aux services secrets nazis par les agents de Staline pour s'en débarrasser – l'aurait-il su qu'il en eût fait un épisode shakespearien.

En même temps que la crise du siècle engendrait une foule de grands mélancoliques ou les révélait à eux-mêmes, elle poussait au pouvoir la raclure des bas-fonds. Et du même mouvement incitait les premiers à sublimer la racaille en héros historiques. Trente ans plus tard, les *Antimémoires* comparent encore le bunker du Führer aux souterrains de la Vallée des Rois[8]. Et avec quelle niaise complicité Malraux ne répète-t-il pas les mots qu'on prête à Staline : « A la fin il n'y a que la mort qui gagne[9] » comme s'ils venaient d'une grande pensée pessimiste quand c'était d'un tyran cynique et sanglant.

Autour de lui, en guise de corps communiel, « ses » communistes ne pèsent guère en ces années 30. Un Ehrenbourg qui épie pour les *Izvestia* l'intelligentsia de Paris et transmet ses sentences : Gide et Malraux « vieillards drogués de livres », « adolescents sans expérience[10] » ; et dans *La Condition humaine*, la révolution « d'un grand pays » (pauvre Chine) réduite aux manigances de quelques conspirateurs dont on ne sait pas même pourquoi il leur faut des fusils ; sans compter l'exaltation de la souffrance, dépourvue de toute « nécessité[11]. » Et même Kostlov, qui dirige *La Pravda*, averti, drôle et manœuvrier ; tout le contraire d'un imbécile, il observe Malraux avec sympathie depuis leur rencontre au Congrès de Moscou en 1934 jusqu'à la guerre d'Espagne. Mais il le sacrifie régulièrement à l'intérêt de l'appareil, qui est quand même son intérêt. Jusqu'à ce que l'appareil sacrifie Kostlov. Il y a Alix Guillain, journaliste à *L'Huma*, la compagne de Grout, d'un dogmatisme sans remède. Ne parlons pas d'Aragon qui met alors tout son talent à afficher excessivement sa servilité au Comité central : dix ans plus tôt déjà, André cubiste, qui n'aimait pas les facilités surréalistes, se méfiait de ce surdoué arrogant et versatile.

Groethuysen, dit « Grout », est, dans les proches, le seul marxiste à accueillir son discours de communion, à lui donner écho. La conscience communiste qui est la sienne trouve dans la démesure des vues d'André sa vraie mesure : à l'échelle d'une crise de civilisation. Malraux, pour une fois, se sent en confiance intellectuellement. « Peut-être l'homme que j'ai le plus admiré[12], confie-t-il à Lacouture en 1972, seul cas connu de moi de " génie oral ", le contraire d'un bavard, auprès de qui Heidegger avait l'air d'un petit prof. » Les deux compères en impatience sont en train d'inventer en spéculant sans borne la légende d'un nouveau siècle. Ils resteront amis jusqu'à la mort de Grout.

A la fin de mai 1934, il s'embarque avec Clara pour Moscou, en compagnie des Ehrenbourg. Le pèlerinage à la Jérusalem moderne, quel militant n'en rêvait pas ? Malraux ne connaissait presque rien du pays du socialisme, ses voyages l'avaient fait transiter en 1929-1930, entre la mer Noire et la Caspienne, dans une province peu probante. Aventure moscovite d'autant plus exaltante que la place qu'on réservait au Prix Goncourt était de premier rang. Aragon, Pozner, Jean-Richard Bloch, les autres écrivains français invités au premier Congrès international des écrivains soviétiques étaient soit membres du PC soit en voie d'adhérer. Malraux à lui tout seul représentait « l'intelligentsia sympathisante ». Il fut traité comme tel. Finis les caravansérails, les camions de rencontre secoués sur les pistes, fini de ronger un os de mouton pour tout dîner et de dormir à même le sol au milieu des scorpions. Accoté au bastingage comme un Phileas Fogg, André sourit à la mémoire de ces premières expéditions. Clara et lui s'amusent à en faire des bouts de récits légendaires à l'intention d'Ehrenbourg, cependant qu'à bâbord et tribord les détroits scandinaves font courir leur profil bas sur l'eau noire que la brise de printemps ébouriffe de franges immaculées.

Cette fois le voici, le jeune Prix Goncourt, élu ambassadeur des lettres françaises en Union soviétique. Ce n'est pas qu'il s'étonne, il a trop bonne opinion de son talent en général et n'a jamais douté que sa bonne fortune pût être imméritée. Mais la vanité l'enivre d'être accueilli par le monde nouveau comme la figure occidentale la plus digne de lui. Des arguments s'esquissent dans sa tête, un ton se cherche, pour plaider les libertés de l'écrivain qu'il va devoir défendre, averti comme il est par ses disputes avec les communistes français et russes à Paris, des résistances et des critiques qu'il va rencontrer à Moscou. L'idée l'exalte d'avoir à marquer sa différence, à l'imposer, dans ce débat fraternel, et d'autant plus que le prestige de l'auditoire – rien de moins à ses yeux que le tribunal de l'histoire contemporaine – l'intimide.

Etats d'âme somme toute fort propices au dessein de l'appareil soviétique : ce bouillon d'émotions, jubilation, respect, crainte, vanité, montre le grand romancier intensément attaché à la révolution. Sa présence au Congrès, nimbée d'une telle passion, est à elle seule la meilleure garante en faveur des Soviets.

Fut-ce désordre bureaucratique, fut-ce un coup de semonce, ou bien le fait du zèle d'un intellectuel occidental « passé à l'ennemi », toujours est-il que Malraux n'avait pas débarqué à Leningrad que l'orthodoxie, par la plume de Paul Nizan, lui faisait des remontrances. L'auteur d'*Aden Arabie* et d'*Antoine Bloyé* était mandaté par son parti pour diriger à Moscou l'édition de la *Literatournaïa Gazeta* en langue française. Malraux avait-il lu ses romans ? Récit d'une déception orientaliste, *vita* d'un père modeste, la révolte et la perte, ils étaient faits pour lui. Nizan était loin d'être un sot et devint son ami par la suite, en dépit de leur divergences. « Si je n'avais pas joué sur vous, j'aurais joué sur lui[13] », plaisanta Clara, un jour qu'elle faisait les bookmakers en grands esprits. Mais en ce 12 juin 1934, Nizan avait endossé la livrée du gardien de l'orthodoxie marxiste-léniniste : « C'est la mort, écrivait-il, qui constitue le thème principal des œuvres de Malraux, chez lui la connaissance de la vie se fait par la connaissance de la mort. » Angoisse, désespoir, solitude irrémédiable : sentiments attendus « à l'heure du déclin de la civilisation bourgeoise ». A cet égard, le monde que met en scène le romancier français diffère peu de celui du « très grand penseur et philosophe allemand, Martin Heidegger ». A cela près que celui-ci croit surmonter l'angoisse « dans une acceptation complète et inconditionnelle du national-socialisme » tandis que pour Malraux « l'héroïsme révolutionnaire » seul « peut sauver l'homme du néant ». Cas typique du jeune intellectuel bourgeois conscient que sa classe est condamnée et qui cherche à rallier la cause du prolétariat. « Il y a des motivations bourgeoises qui peuvent conduire à la révolution ; elles doivent céder la place à des motivations d'ordre révolutionnaire[14]. »

On n'imagine pas plus oiseuse dispute. L'authenticité des intentions passionna deux générations d'intellectuels de gauche, pendant que la Guépéou y mettait bon ordre en envoyant les disputeurs s'expliquer au goulag, et les Partis occidentaux en exigeant autocritiques et démissions. Dès l'arrivée à Moscou, la leçon d'orthodoxie porta ses fruits. Malraux prit les choses au sérieux, à l'occasion d'interviews qu'il accorda à la *Gazette littéraire* le 16 juin et le 24 août. D'abord prudent : nous ne sommes pas très familiers avec le style soviétique, et même flatteur : ce qui nous pousse vers l'URSS ? la montée du fascisme ; les démocraties occidentales n'ont pas la force de sauver la culture sans votre aide (les Babel, les Meyerhold pour leur part avaient toute raison de compter peu sur Jdanov pour sauvegarder la pensée). Puis il livre enfin sa bataille.

Vous savez, camarades, toute littérature (serait-elle réaliste socialiste, mais il se garde de le dire) exige toujours un choix de forme, puisque « le monde en lui-même est sans forme » (une proposition antimarxiste à souhait). Il insiste : même les premières photographies, « impersonnelles », ont un style. L'œuvre ne fournit jamais la connaissance objective d'une réalité, elle la construit. Elle donne expression à des conflits, intimes ou sociaux, qui restaient non dits. C'est pourquoi elle « produit un soulagement » (il n'ose pas dire catharsis, ou cure). Du reste à cet égard, les Russes, Tolstoï, Dostoïevski, sont généralement meilleurs que les Français, qui s'acharnent à déceler des lois de psychologie : Balzac, Stendhal (André ici ne flatte point : il marque sa rupture avec les romans « de conscience », disons ainsi, de tradition « française », il évoque son débat avec Gide et les intimistes raisonnables, sa connivence avec Stavroguine et les *Mémoires écrits dans un souterrain*, avec la démence faulknérienne du *Bruit et la Fureur* et de *Tandis que j'agonise*, avec Thomas Mann et, quoi qu'il en dise, avec Freud. Toute une bibliothèque, il faut l'avouer, peu marxiste[15]). En résumé, votre « réalisme » n'est pas plus réaliste que mon imaginaire. Il ne s'excuse, ajouterat-il ailleurs, qu'autant que la réalité qu'il prétend photographier est une épopée, la révolution. Cela fut dit à la Mutualité, le 23 octobre suivant, quand il « rendit compte » à l'AEAR du Congrès de Moscou[16]. Les staliniens présents ne bronchèrent pas.

A Moscou, Staline « lui-même » (mais qu'est-ce ? on ne le voit pas) avait excrété sa pensée à gros traits sur le calicot qui ornait le fronton du Palais des syndicats : « Les écrivains sont les ingénieurs des âmes. » Ainsi se résumait la contribution du maître à l'idée de l'écriture. Staline n'apparut pas, même à la « party » chez Gorki (en dépit des « anecdotes » de Malraux). Gustav Regler explique cette absence tout simplement : c'est que vous, les étrangers, n'avez pas été fouillés à la frontière[17].

Le vieux Gorki, qui préside le Congrès, prend trois heures pour « expliquer », en jargon dia-mat (matérialiste-dialectique, précisons-le pour les enfants d'aujourd'hui), que seules la peur et l'ignorance produisent les mythes, et que le Bon Dieu des chrétiens n'est rien qu'une hypostase (on dira plus tard « superstructure ») compensant l'exploitation du travail des esclaves. Malraux s'étrangle, et Gustav Regler aussi. Et rigole : « Ils font travailler Dieu ! » A quoi Regler : « Je préfère Nietzsche. » Malraux : « Monsieur [Gorki] est un peu en retard[18]... ».

Vient son tour de parler, l'un des seuls orateurs du

Congrès qui ne soit pas communiste. Sous ses yeux, il y a douze cent travailleurs de la plume convoqués par l'Union des écrivains, il y a les délégués d'usines et de kolkhozes en casquettes et fichus invités à célébrer la révolution dans les lettres. L'œil de Malraux balaie la mer de visages sur quoi passent tour à tour l'attention, l'ennui, un enthousiasme de commande. Cette foule qui remplit la salle à déborder, qui l'a mobilisée ? Les pères de la révolution sont pendus au rideau de l'estrade, Lénine en tribun rouge, Marx en penseur infaillible, et Staline benoît qui surveille son monde. Les discours se sont succédé, ressassant la vulgate. Le camarade Malraux se penchait vers l'interprète. Elle lui racontait ce qui se disait, interventions, interruptions, non sans humour. Emu de l'accueil qu'on lui fait, il aimerait qu'il fût sincère, sans ignorer comment une assemblée se manœuvre.

Le tribun se lance, la cause est juste, et il joue son prestige. Il commence par séduire un peu l'auditoire, il place très haut le ton, en aède de l'histoire universelle : « Et l'on dira : à travers tous les obstacles, à travers la guerre civile et la famine, pour la première fois depuis des millénaires, ceux-là [les Soviétiques] ont fait confiance à l'homme[19]. » *Captatio benevolentiæ,* reste qu'en son for intérieur, Malraux se persuade que les Soviets annoncent aux confins de l'Europe faillie la même nouvelle, « l'anti-redite », que les églises pauliniennes, depuis l'Est méditerranéen, firent entendre à la Rome impériale déjà vouée au ressassement. Pasternak dans sa baraque sibérienne aura plus de mal à se croire promis à divulguer cet évangile.

L'accent adopté par Malraux trahissait-il le soupçon d'une faillite ? C'était celui des futures oraisons funèbres et des allocutions de l'époque gaullienne : la voix agonise et s'élève comme à la fin d'un Requiem, pour dire par quelle épreuve doit passer l'espérance pour renaître. L'intelligentsia de gauche européenne va pour des décennies couvrir ses défaites en entonnant en chœur l'hymne aux lendemains qui chantent. Eloquence de fraternisation funèbre. L'orateur prend le pas sur l'écrivain, mais il ne l'efface pas. Il résulte de cette combinaison un discours encombré de métaphores elliptiques que les camarades suivent mal. Mais peu importe, ils en reconnaissent la ligne générale, et c'est la bonne. Du reste, la seule présence d'un nom prestigieux vaut consécration de la littérature soviétique, et à travers elle, de la révolution. Fondane dit de la salle : « On y semblait satisfait de tout et de rien[20]. »

Malraux alors introduit timidement ce qu'il croit être sa différence : « Si les écrivains sont les ingénieurs des âmes, n'oubliez pas que la plus haute fonction d'un ingénieur, c'est d'inventer. » Et : « Il ne suffit pas de photographier une grande époque pour que naisse une grande littérature[21]. » La révolution délivre les possibles dont la réalité est grosse, l'écriture doit délivrer dans les mots leur puissance potentielle. Etait-ce si différent ? Le motif était d'époque : de Cendrars au constructivisme, des formalistes aux futuristes, aux réalistes socialistes eux-mêmes, il était entendu qu'on commençait un monde, et qu'on devait forger des formes et des moyens nouveaux. La vraie conscience de ce qui est se conquerrait en affirmant ce qui, en son sein, pouvait être. On approuva...

La péroraison distribua plus carrément les responsabilités entre écrivains et politiques : « Le marxisme, c'est la conscience du social ; la culture, c'est la conscience du psychologique[22]. » Ici les staliniens se gendarmèrent un peu. Quelle psychologie ? D'une bourgeoisie moribonde. Nikouline aboya tout d'abord : la seule vérité pour Malraux c'est la mort, et c'est la vie pour nous[23]. Puis Radek ressassa interminablement le catéchisme : un écrivain qui « n'est pas lié par le sang » aux masses populaires est voué à la stérilité, etc. Et termina sur cette inquiétante métaphore : « Je pense que la crainte du camarade Malraux de voir un jour étouffer dans notre crèche un Shakespeare naissant prouve son manque de confiance en ceux qui soignent l'enfant[24]. » Malraux demanda aussitôt la parole et protesta de sa bonne volonté. Il n'était quand même pas venu ici en touriste.

Il n'osa pas, et l'on y comptait bien, recenser les effets déjà connus en Occident du soin prodigué par l'appareil des ingénieurs pédiatres aux créateurs : le Proletkult liquidé, l'avant-garde russe menacée, soumise ou exilée, suicides de Lounatcharski, de Maïakovski. La liste était ouverte des petits Shakespeare promis à l'étouffement. Malraux avala sa liste.

Obligé ou décidé au nom du communisme à faire silence sur ce qu'il croyait savoir de la répression stalinienne.

Un an plus tard, à l'occasion du premier Congrès des écrivains pour la défense de la culture, la délégation envoyée par Moscou à Paris est tellement piteuse (Gorki, déclaré malade, n'en est pas) que Malraux presse Gide d'intervenir avec lui auprès de l'ambassade soviétique à Paris pour obtenir la venue d'urgence d'un ou deux rescapés de la crèche jdanovienne : Boris Pasternak, Isaac Babel ? « Malraux a l'air de trouver qu'on se moque un peu d'eux, à Moscou[25] ! » La « petite dame » dit les choses à sa façon feutrée, dans le living de la rue Vaneau. Que ce fût négligence de la part de Jdanov si les Soviétiques étaient si mal représentés, Malraux n'en croyait rien, mais il sauvait la face. Avec Gide, il obtint donc que Pasternak et Babel interviennent au Congrès. Tirés du lit en pleine nuit par un coup de fil du Kremlin, nippés à l'occidentale tant bien que mal, expédiés par le premier train pour Paris, ils débarquèrent ahuris. Pasternak récita un poème dont Malraux lut la traduction, après quoi l'écrivain soviétique exposa brièvement sa thèse : « La poésie sera toujours dans l'herbe. Elle est et restera la fonction organique d'un être heureux, reforgeant toute la félicité du langage, crispé dans le cœur natal... Plus il y aura d'hommes heureux, plus il sera facile d'être poète[26] ! » Foudroyante déclaration que Malraux en 1972 crut bon de transcrire en ces termes : « Parler politique ? Futile, futile... Politique ? Allez campagne, mes amis, allez campagne cueillir fleurs des champs[27]... » Il pouvait alors rire et faire rire mais en 1935, Moscou ne riait pas.

Et quand le chef de la propagande RPF assène aux intellectuels réunis salle Pleyel en 1948 cette grosse vérité : « Staline ne signifie rien contre Dostoïevski, pas plus que le génie de Moussorgski ne garantit la politique de Staline[28] », on ne doute pas qu'il l'ait toujours pensé, mais il est vrai qu'il ne pouvait l'exprimer treize ans plus tôt, sauf à maquiller cette évidence sous la prudente conjonction de sa « psychologie » avec le marxisme. Il s'était bel et bien laissé prendre en otage au Congrès de 1934.

Son malaise ne trouva alors pour exutoire qu'une « sortie » sans conséquence. Lors de la beuverie très « russe » offerte par Gorki aux congressistes dans sa datcha, Radek titubant fait un tour de table en crachant sur l'Europe décadente. Il parvient à André et lui jette pâteusement : petit-bourgeois, camarade Malraux, tu n'es encore qu'un petit-bourgeois.

La table est désastrée, victuailles répandues, verres et bouteilles à l'encan, cendriers débordant de mégots, l'air épaissi de tabac. Une orgie grand seigneur en pleine disette soviétique ? André tempère le tableau à l'intention de Gide : « C'était violent, excessif, jamais abject ; les soirées ressemblaient à des scènes de carnaval[29]. » (Bien, mais *carne levare*, la levée de la chair, ce n'est jamais loin du carnage, comme dans le délire de Garine.)

On porte toast sur toast. Un convive venait de lever son verre à « notre patrie socialiste ». Les internationalistes, gênés, essaient d'avaler leur nationalité toute fraîche en sifflant leur vodka. C'est alors qu'André se penche vers Clara : « J'ai envie de porter un toast à Trotski. » Clara l'encourage. C'est farfelu, mais ça dit bien qu'on est contre le chauvinisme rouge. Vous savez qu'on va sans doute nous coffrer, remarque-t-il. « Allez-y », confirme la guerrière. André se lève dans le brouhaha : « Je bois à la santé d'un absent dont la présence se fait sentir ici à chaque instant, je bois à la santé de Léon Davidovitch Trotski[30]. » Ensuite, elle a un peu peur, dit-elle : « Silence cendreux […]. Les hommes autour de la table, certains se regardent, d'autres baissent les yeux, recueillis, ou attendant une décision. » On vide les verres à la sauvette, et l'on passe à autre chose. Clara dramatise un peu ? Gustav Regler, qui n'était pas loin, ne mentionne pas l'incident : celui-ci fut-il noyé dans la rumeur générale ? Il était fait pour ça, pardi.

En tout cas, il n'avait pas la portée politique qu'on peut croire. Quand André est allé visiter « le Vieux » à Saint-Palais au début d'août 1933, ils n'ont parlé que littérature, sens de la vie, vieillesse et mort[31]. Le toast chez Gorki rendait hommage à une pensée qui paraissait à Malraux pure conquête d'elle-même, remise en cause incessante. Lénine capitalisait les succès pas à pas, Trotski après trois victoires disait : nous voici devant le vrai problème[32]. Malraux croit entendre dans la révolution permanente ce qu'il cherche sous le nom de métamorphose. Ce dernier mot vient sur ses lèvres dès 1929 quand il « explique » *Les Conquérants*, et s'en explique, devant l'Union pour la vérité. Métamorphose, le mot fera carrière dans la pensée de Malraux. Il dit alors qu'aucune réalisation en politique ou en littérature n'obéit à la « construction précise » de son but. Que la mise en acte détient cette vertu d'enseigner à la pensée ce qu'elle ne pouvait pas anticiper. « La valeur essentielle qu'il [Garine] oppose à ce que j'appelais tout à l'heure les valeurs de considération, que nous pourrions appeler aussi valeurs d'ordre ou de prévoyance, c'est une valeur de métamorphose. » Et il en est ainsi, souligne l'orateur, « *pour le révolutionnaire comme pour toute vie humaine* [...]. Il ne sait pas ce que sera la révolution, mais il sait où il ira lorsqu'il aura pris telle ou telle décision[33] ».

Trotski est une figure de la décision existentielle, l'héritier véritable de la révolution parce qu'il la métamorphose. Une figure tenace. Malraux rencontre de Gaulle pour la première fois dans le bureau de son « quartier général », rue Saint-Dominique, en août 1945. Au sortir du « long » entretien (qu'il invente, bien sûr), l'écrivain cherche à cerner le sentiment qu'il éprouve. Et voici l'association : « Le seul personnage que le général de Gaulle appelât alors dans ma mémoire, non par ressemblance mais par opposition, à la façon dont Ingres appelle Delacroix, c'était Trotski[34]. » Comparaison inattendue ? Chez les deux hommes, le même refus du donné, du prévisible, la même décision. Empreint dans un cas de conservatisme maurrassien, tandis qu'il y a du romantisme chez Trotski[35].

Cela dit, l'affinité que Malraux se sent et se reconnaît avec l'idée de révolution permanente n'impliqua jamais qu'il fût tenté de prendre part au mouvement trotskiste. Léon Davidovitch est peut-être un prophète inspiré par l'esprit de la métamorphose, mais il ne trouve jamais *les moyens* d'insuffler cette âme aux faits. Ce n'est pas un politique. Très « politique » certes, et loyalement politique, sa critique des *Conquérants* publiée par la *NRF* en avril 1931. Mais sur le papier. Le grand révolutionnaire traitait de militant à militant avec le jeune André comme si ce dernier avait effectivement pris part aux luttes de Canton et en relatait l'expérience dans son livre. (Toute la Chine de Malraux, c'était alors vingt jours à Hong Kong avec Clara en 1925.) Chaque personnage est examiné par Trotski selon que son milieu d'origine, ses idées, ses actes sont ou non compatibles avec la ligne révolutionnaire correcte. La lecture est au premier degré, manichéenne, celle d'un enfant s'identifiant aux « bons » de son conte du soir et qui démasque les « méchants ». Eh bien, le livre est « remarquable », conclut le maître candide, mais il accrédite « sans même y penser », dirait-on, la politique stalinienne en Chine, dont l'effet néfaste ne s'est pourtant pas fait attendre : victoire de Tchang Kaï-chek, écrasement du parti communiste chinois.

Vieilles querelles ? C'est à voir. Le rapport du théorique et du pratique s'y questionnait intensément. Malraux riposte d'abord en écrivain : un roman n'est pas une plate-forme politique, il met en scène les passions contradictoires qui forment une situation, les « héros » n'en sont que les agents. Ne pas imputer à l'auteur ce qui revient aux personnages : ils représentent les forces en conflit. Quant à la ligne trotskiste, sa « justesse » est réfutée sans ménagement. Le Kuomintang détenait les armes et contrôlait encore une large part du prolétariat à travers les « sociétés secrètes » et certains syndicats. Le parti communiste chinois « n'avait pas le choix » : ou s'associer avec le parti bourgeois pour affronter les Seigneurs de la guerre, ou disparaître. Engagé alors, dans l'été 1925, contre Tchang Kaï-chek, « le combat eût été à Canton ce qu'il fut à Shanghaï » au printemps 1927 : une déroute[36].

L'argument était clair : le réalisme. Inattendu de la part de l'écrivain farfelu. Mais non du Machiavel qui le doublait. Quoi ! Trotski ose donner Hong, le terroriste, en exemple du potentiel révolutionnaire du prolétariat chinois ! Malraux se formalise : les bolcheviks en Russie, à commencer par Trotski, ont-ils hésité à éliminer par tous les moyens le mouvement anarchiste pour immaturité et indiscipline ? La polémique en reste là pour l'instant. Trotski avait souhaité une bonne inoculation de marxisme à Garine. Après avoir lu la réponse de Malraux, il déclare, avec sa loyauté brusque, que c'est peine perdue, dans un texte que publie *La Lutte des classes*, l'organe mensuel du trotskisme français (la *NRF* s'est dérobée). L'écrivain persista dans sa méfiance à l'égard du trotskisme au point qu'il laissa sans réponse toutes les demandes de témoignage qui lui furent adressées par les victimes des staliniens : Victor Serge en 1935, les militants du POUM pendant la guerre d'Espagne, Trotski lui-même mis en cause contre toute évidence par un faux témoin au procès de Moscou en 1937. Leur rupture fut passionnelle, Trotski arguant que Malraux n'avait aucune indépendance morale, et celui-ci que le Vieux confondait son histoire personnelle avec celle du monde...

L'adhésion de Malraux au réalisme stalinien (que l'on appelait chastement « possibilisme ») ne va pourtant pas sans nostalgie. Politiquement parlant, *La Condition humaine* en 1933, un montage de « scènes » illustrant les journées tragiques de mars-avril 1927 à Shanghaï, a pour motif évident la mise en cause de la « nécessité » dont se prévaut le Komintern pour contraindre la base ouvrière à éviter le conflit avec Tchang Kaï-chek, que celui-ci cherche à provoquer. Ici le soupçon à l'égard de Moscou n'émane pas seulement des anarchistes, mais des communistes. Une alternative au « possibilisme » s'esquisse. La ligne : union avec les paysans (« suppression totale, immédiate des fermages et des créances[37] ») et refus de livrer les armes des milices ouvrières à l'armée bourgeoise, ligne que Kyo défend contre Vologuine, le délégué de l'Internationale à Han Kéou[38], n'est pas sans évoquer les thèses des oppositionnels russes.

Après l'écrasement de « la Commune » de Shanghaï, cette ligne se fera récupérer sous le nom de maoïsme. En juillet-août 1965, Malraux, envoyé extraordinaire du président de Gaulle, rencontre les dirigeants chinois à Pékin. Mao l'attend debout au fond des immenses galeries du Palais du Peuple à Pékin, et Malraux hallucine dans ce géant bizarre, proche et lointain, un Trotski vainqueur : « Il croit toujours à la révolution ininterrompue – et ce qui l'en sépare le plus, c'est la Russie. Je pense à Trotski, mais je n'ai entendu défendre la révolution permanente que par un Trotski vaincu[39]. » La Longue Marche valait symbole d'une métamorphose politique effective, qui affectait sans répit la communauté, et que scanderaient les Cent Fleurs, la Révolution culturelle... Aveuglé par cette « évidence », Malraux ne voit-il pas la terreur que l'appareil maoïste exerce jusque dans les foyers et dans les âmes pour rendre « effective » la révolution permanente ? Un petit paragraphe : « Mais je sais que le lavage de cerveau ne s'est pas limité à ces manifestations anodines[40]... » contre trente pages en forme d'hagiographie consacrées au Grand Timonier. Elles sont un Eloge de la métamorphose en politique : « Tout chef d'Etat croit que la révolution aboutit à l'Etat. Mao [...] croit que l'Etat peut devenir le moyen permanent de la révolution[41]. » Mao feint de le croire, Malraux croit comme Garcia que « par sa nature même l'Apocalypse n'a pas d'avenir[42] ». Le résultat le plus « réel » d'une révolution, selon le même Garcia, ce n'est nullement la métamorphose d'un peuple, c'est qu'elle a remplacé l'appareil dirigeant par un autre... Un stalinien, ce Garcia, un trotskiste déçu. Malraux dans *L'Espoir* couvait déjà la défaite, ou la cuvait.

Au Congrès des écrivains pour la défense de la culture, réuni à la Mutualité du 21 au 25 juin 1935, dont Malraux est l'un des organisateurs, deux incidents avaient éclaté, deux coups de semonce rappelant aux camarades sympathisants les limites à ne pas dépasser.

L'un a laissé Malraux indifférent, ou amusé. Breton, ayant rencontré par hasard Ehrenbourg dans un tabac de Montparnasse, lui avait administré séance tenante une volée de gifles, autant exactement, déclara le surréaliste, que d'épithètes insultantes lancées contre le groupe par le directeur des *Izvestia* dans un article récent. Aragon, devenu cent pour cent jdanovien depuis 1931 (son fameux « Moscou la gâteuse », c'était loin, pensez : 1928... Il n'était pas homme à éprouver des vertiges dans les virages), exigea, en compagnie de Vaillant-Couturier (membre du Comité central du « Parti », comme on disait tout court), que Breton fût interdit de parole à la tribune du Congrès. Sur les instances de Crevel (dont ce fut le dernier acte public, il se suicida dans la nuit), la déclaration du pestiféré put être lue par Eluard le 24 juin : « Transformer le monde, a dit Marx, changer la vie, a dit Rimbaud : les deux mots d'ordre pour nous n'en font qu'un. »

Malraux ne prêtait pas à ces vœux pieux une attention

excessive. Il était tard, la salle s'était vidée. Henry Poulaille, qui avait demandé la parole pour exposer l'affaire Victor Serge, était déjà sorti, ostensiblement exaspéré par ces foutaises.

Ladite affaire revint à l'ordre du jour du 25 juin, et ce fut l'incident sérieux. Henry Poulaille donc, écrivain populiste, Gaetano Salvemini, un socialiste italien, et Magdeleine Paz, qui animait le comité de défense de Victor Serge, exposèrent en détail comment ce dernier, militant communiste et écrivain bien connu, venait d'être déporté en Sibérie dans des conditions dignes des pratiques nazies. Et accusé, comme il se doit, d'avoir trempé dans le complot contre-révolutionnaire qui avait assassiné Kirov, le secrétaire du parti à Leningrad, en 1934, et l'une des grandes figures de la première génération bolchevique.

Ils étaient peu alors à soupçonner que Staline en personne réglait déjà leur compte aux héros de la grande révolution, dangereux prétendants à l'*imperium* – et par le moyen le plus simple. Le meurtre de Kirov avait été à peine moins insolent que l'exécution de Röhm et de l'état-major SA par Hitler. Après quoi, le tyran faisait tuer les tueurs, et accuser d'autres « suspects ». Malraux n'imaginait pas que la vermine était déjà à l'œuvre (à la désœuvre, plutôt) sous le couvert du drapeau rouge. Même ses « amis » trotskistes, qui pouvaient l'informer, reculaient devant ce diagnostic fatal. Que la plus grande insurrection du siècle eût eu pour *conséquence* une terreur en tous points analogue à celle qu'exerçait le nazisme – reconnaître cela, ce n'était pas seulement « faire le jeu » de l'adversaire (capitaliste), ni même désenchanter l'espoir, c'était faire le deuil de son « communisme ». Trop tôt pour André Malraux.

Les oppositionnels de gauche, à la Mutualité, en venant exposer « le cas Serge » ce jour-là, savaient-ils qu'ils dévoilaient un peu de cette détresse, encore à venir ? Tumulte, Vaillant-Couturier et Aragon debout hurlant qu'on jette dehors ces agents du fascisme, protestations. Gide qui préside statue en son âme et conscience qu'on les écoutera demain en petit comité.

Le 25 quand Malraux ouvre la séance dans une salle annexe, il se trouve en mauvaise posture : prié par ses « amis » trotskistes deux mois plus tôt d'intervenir auprès de ses « amis » communistes en faveur de Victor Serge, il n'a pas fait un geste. Comme promis, il donne la parole à Magdeleine Paz, laquelle lit un rapport circonstancié sur l'affaire Serge au milieu des huées et des insultes de la claque stalinienne. Ehrenbourg, Koltsov, Tikhonov (en personne, que Serge avait traduit...) sautent à la tribune, crient à la manœuvre fasciste, on ne connaît même pas cet individu, et du reste il est bel et bien impliqué dans la mort de Kirov ! Incohérent, pense Malraux : s'il est suspect, il n'est pas inconnu. La « petite dame » admire comme le président de séance « impose la tenue avec une énergie tranchante, cinglante[43] ». Il essaie de se sortir du mauvais pas, en somme, par le style. Gide conclut avec des mots d'apaisement – mais deux jours après, le vieux maître a une lettre en poche pour l'ambassadeur des Soviets, qui proteste contre « la fâcheuse tenue » de la délégation russe : on aurait dit, feint-il de s'étonner, qu'elle cherchait à étouffer l'affaire Serge au lieu de s'en expliquer...

En séance plénière le soir même, Louis Aragon prononce « un discours flamboyant, acide, autoritaire, réclamant comme un forcené le réalisme, un réalisme intégral, semble-t-il[44] ». Son *Pour un réalisme socialiste* est en effet sous presse. Gide, tout exprès descendu dans la salle, observe, consterné, ce prodigieux talent se faire, en tout cynisme, le kapo de Jdanov. Enfin Malraux clôture. A bout de nerfs, secoué de tics, il s'abouche au micro et confie, en phrases spasmodiques, à la salle médusée, toute sa pensée sur l'art. Eloquence en mode mineur. Propre peut-être, estima-t-il, à reformer le front antifasciste ébranlé. Manœuvre d'évitement, à coup sûr, mais surtout confession. Sa parole ce soir-là, absconse et brusque comme toujours, renonce à la prédication qu'on attendait. Il livre à voix basse, comme pour lui-même, en fragments, son pascalisme à lui, la révélation de la puissance exorcisante qui sommeille dans les œuvres.

« Le Congrès a montré [à qui, sauf à lui-même ?] que toute œuvre est morte quand l'amour s'en retire, que les œuvres ont besoin de nous pour revivre, de notre désir, de notre volonté [...]. L'héritage ne se transmet pas, il se conquiert [...]. Une œuvre d'art, c'est une possibilité de réincarnation[45]. » Le même motif soutiendra l'Appel aux intellectuels du 5 mars 1948 : on ne se fait l'héritier du passé artistique qu'en le métamorphosant par l'amour ou par une œuvre nouvelle. En ce soir bas de juin 1935 à la Mutualité, tandis que s'annonce le drame politique du communisme qui va occuper la scène mondiale un demi-siècle, dans l'invective des passions qu'il suscite, Malraux à la tribune, retiré en lui-même, touche à sa vérité de gorge.

A quoi bon la révolution et l'art si la passion qui les a faits disparaît avec leur œuvre et en elle ? « Camarades soviétiques, ce que nous attendons de votre civilisation qui a préservé ses vieilles gloires dans le sang, le typhus et la famine, c'est que grâce à vous leur nouvelle figure soit révélée [...]. Chacun doit recréer dans son domaine propre, par sa propre recherche, pour tous ceux qui cherchent eux-mêmes, l'héritage des fantômes ; ouvrir les yeux des statues aveugles [...][46]. »

Il y avait un peu d'emphase dans la péroraison, une supplique surtout, et la menace d'un prophète juif : vous êtes perdus, et nous aussi, si vous vous obstinez dans le péché du réalisme jdanovien. Cherchons, cherchons autre chose, créons, c'est la seule façon d'être révolutionnaire. Les camarades soviétiques qui l'écoutent n'ont que faire de cette théologie poético-politique. Le fascisme prépare la guerre, formons nos bataillons, voilà tout. De l'enthousiasme, on veut bien mais dans l'ordre et la discipline. Gustav Regler a bientôt été mis au fait, dès le premier jour du Congrès. Il avait crié de la tribune aux agents nazis qu'il savait présents dans la salle : Vous pouvez bloquer nos frontières ! Vous n'étoufferez pas notre voix ! avec une telle flamme que toute l'assistance, dressée d'un seul mouvement, avait entonné l'*Internationale*. Sur quoi Johannes Becher, dépêché par Moscou, l'avait appelé en coulisse : – Tu es complètement fou ! – Quoi, tu n'entends pas ce qu'ils chantent ? – Justement. L'*Internationale*, ça ne se chante pas n'importe comment. Ce Congrès ne peut plus être neutre, Bon Dieu ! On va te virer du Parti[47].

Il va mettre tout ce qui lui reste de vie, le camarade Regler, clandestin en Sarre, brigadiste en Espagne, interné en France, exilé au Mexique, à apprendre que l'*Internationale*, c'est propriété du Kremlin. L'Eglise catholique sarroise lui avait pourtant seriné, quand il était petit, qu'on ne chante pas le Gloria sans la permission du Vatican. Il avait la tête trop chaude pour y faire entrer cette « vérité » glaciale, que l'ennemi de ton ennemi peut être ton ennemi, quand tu le crois ton frère.

Rien à faire : personne, pas même le « fulgurant » Malraux, n'échappe à la nécessité de la redite, à la lenteur bestiale avec laquelle des indices s'accumulent avant qu'on puisse comprendre une vérité contraire à ce que l'on désire. Les procédés d'élimination des opposants de gauche mis en œuvre en Espagne, l'infiltration des mouvements de Résistance en France, la politique d'expansion que mène Moscou dans le monde après Yalta, les abjurations et les disparitions répétées de ses amis écrivains et artistes soviétiques, il faudra toutes ces évidences pour que Malraux dénonce ouvertement le sophisme manichéen dont se couvrait la manœuvre stalinienne : si tu n'es pas pour Staline, alors tu « fais le jeu » du capital. Eh bien non ! Les communistes sont les ennemis du capitalisme, sans doute, ils ne sont pas mes amis pour autant.

Ce que dira avec éclat, au scandale bien orchestré de la gauche, l' « Adresse aux intellectuels » prononcée le 5 mars 1948 à la salle Pleyel, et reprise en postface à la réédition des *Conquérants*. En exaltant sous le nom de l'Europe la figure d'une culture intangible aux « psychotechniques » de la propagande et de la publicité, l'Adresse se tenait dans le droit-fil du discours de clôture de 1935 à la Mutualité. Malraux avait seulement appris que le violent sursaut d'amour demandé aux camarades soviétiques n'avait pas eu lieu et ne pouvait pas avoir lieu. Et ce deuil, tout tardif qu'il parût, fit de lui l'un des plus clairvoyants et des plus rapides analystes de son temps, comparé à la plupart des « intellectuels de gauche ».

NOTES

1. *TN*, 121-122.
2. Trotski, « La Révolution étranglée » ; Malraux, « Réponse à Trotski », *NRF* (avril 1931).

3. « Autour des *Conquérants* », *Correspondance de l'Union pour la vérité* 3 (été 1929).
4. « Etre un homme, c'est réduire sa part de comédie », *Monde* 342 (27 juin 1935).
5. *CPD* 2, 450.
6. Langlois, *Via Malraux*, 224.
7. Lacouture, 260.
8. *ML*, 43-45.
9. *Ibid.,* 637.
10. Ehrenbourg, *La Nuit qui tombe. Souvenirs 1932-1940.*
11. *Izvestia* (mai 1933).
12. Lacouture, 145.
13. Clara 4, 252.
14. *Literatournaïa Gazeta* (12 juin 1934), trad. fr. in *RLM* 304-309 (1972), 131-132.
15. *RLM, ibid.,* 133 et suiv.
16. *Monde* 313 ; *NRF* 254 (novembre 1934).
17. *Owl*, 215.
18. *Ibid.,* 205.
19. « L'art est une conquête », *Commune* 13-14 (septembre-octobre 1934), 68.
20. *Les Cahiers du Sud* 166 (novembre 1934).
21. *Commune* 13-14 (septembre-octobre 1934), 69.
22. *Ibid.*
23. Jaqueline Leiner, « Autour d'un discours de Malraux », *RLM* 304-309 (1972), 142.
24. *Ibid.,* 143-144.
25. *CPD* 2, 460.
26. *Commune* 23 (juillet 1935).
27. Lacouture, 169.
28. *OC*, 274.
29. *CPD* 2, 417.
30. Clara 3, 125.
31. *Marianne* (25 avril 1934).
32. *Le Magazine littéraire* 54 (juillet 1971).
33. *OC*, 293.
34. *ML*, 104.
35. Stéphane, 157-158.
36. *NRF* 211 (1er avril 1931).
37. *CH*, 611.
38. *Ibid.,* 608-617.
39. *ML*, 441, 446.
40. *Ibid.,* 429.
41. *Ibid.,* 441.
42. *E*, 90.
43. *CPD* 2, 466.
44. *Ibid.,* 467.
45. *Commune* 23 (juillet 1935).
46. *Ibid.*
47. *Owl*, 230-232.

12

CIELS NOIRS D'ESPAGNE

Le pronunciamiento était de tradition dans ce pays traité en colonie. Les « indigènes » exaspérés étaient périodiquement rappelés à l'ordre par un coup de force militaire que les possédants, l'Eglise, la banque, l'impérialisme anglais et les grandes familles terriennes provoquaient sans scrupule. Ç'aurait pu être, pensait Malraux, la Russie ou la Chine après vingt ans de régime bourgeois local « indépendant »... A cela près qu'ici les bolcheviks pèsent peu auprès des syndicats anarchistes et socialistes révolutionnaires. La riposte populaire prend de vitesse celle du gouvernement de Madrid. Face à la rébellion, les anarchistes en trois jours lui ont arraché la dissolution de l'armée régulière, symbole de l'oppression, et l'armement du peuple. Les milices ouvrières font échec aux troupes des officiers factieux dans les grandes villes, à l'exception de Burgos, Saragosse et Séville. Les comités paysans commencent à s'emparer des terres dont cinquante mille landlords possèdent à eux seuls la moitié dans toute l'Espagne. Des curés des villages passent à l'insurrection, ou la bénissent. On fusille les autres : « S'il y a un seul curé qu'a fait repentir un seul des nôtres de s'être défendu, je pense qu'on lui en fera jamais assez[1]. » Gustavo parle, un paysan de la FAI, la Fédération anarchiste. Il précise : « Collado et moi, on est des hommes qui croient. » Et pousse son copain à raconter une deuxième fois le passage manqué du Christ-Roi dans les misérables Hurdes : Jésus n'obtient aucune rémission à la détresse

205

du peuple. A sa place, « par longues files, de tous les pays, ceux qui connaissaient assez bien la pauvreté pour mourir contre elle, avec leurs fusils quand ils en avaient et leurs mains à fusils quand ils en avaient pas, vinrent se coucher les uns après les autres sur la terre d'Espagne[2] »... Malraux tient tant à la légende de Collado qu'il la découpe et la remonte dans *Lazare* quelque trente ans après[3] : un peuple chrétien s'insurge contre une chrétienté qui désespère le fils de Dieu.

Malraux débarque à Madrid le 20 juillet 1936, trois jours après le début du pronunciamiento. Pour informer l'opinion française, prétexte-t-il. En vérité, pour épauler l'aviation républicaine. Le sort des prochains conflits, expliquait-il depuis des mois, se jouera dans les airs. Il faut faire vite, un bon tiers des appareils militaires est détruit ou tombé aux mains des putschistes dès les premiers jours, la majorité des gradés de l'armée de l'air est acquise à la rébellion, l'aide en matériel et en pilotes demandée par les franquistes à Rome et à Berlin ne se fera pas attendre. Et comment tenir tête aux blindés des factieux quand on n'a que des fusils, sinon par l'attaque aérienne ?

Voilà de bonnes raisons d'intervenir vite, et dans les airs. Elles ne doivent pas faire oublier une passion qui ne pèse pas peu dans son geste, celle que Malraux éprouve pour la machine volante. De quelles puissances magiques l'enfant ne dotait-il pas l'aviation ? Son désir de voler est constant, celui d'Icare. Alors voler en groupe, en équipage, avec des bombes et des mitrailleuses à bord, et des chasseurs ennemis qui dévalent des nuages, c'est le paradis ! Il rêve d'une tribune antifasciste ailée, qui décolle, s'élève, accroche l'adversaire et l'abat...

Dans le conflit espagnol, il poursuit le même combat. Franco n'a sûrement pas la stature d'un chef fasciste. Rien en lui de la démence d'un Hitler résolu à inverser, à tout prix, le cours de la nécessité. Emanation directe de la réaction, le général est au contraire nécessaire comme l'est le retour au même et le retour du même. « Vieille connaissance[4] », observe Garcia. Mais le pronunciamiento, cette fois, ne passe pas : garnisons insoumises aux officiers félons, forces populaires dressées, qu'embrase une sainte fureur libertaire. Ouvriers, paysans, employés, artisans, petits fonctionnaires et petits cadres, intellectuels, l'insurrection n'est pas le fait des généraux, mais de ce Frente popular dans la rue. Les généraux piétinent. Le fascisme européen leur vient en aide, et la guerre civile alors change de sens. Dans les combats qui ensanglantent la péninsule, l'Europe et la planète discernent les prémices du conflit mondial imminent.

Cependant, pour les démocraties occidentales, l'Allemagne restait le vaincu de 1918 et l'Italie une puissance secondaire. Les armées britannique et française sont toujours les meilleures du monde. Quant au capitalisme, assailli par la poussée des forces de gauche, ébranlé par les grèves et les occupations d'usine, il redoute beaucoup plus Staline que Hitler ou Mussolini. L'Allemagne nazie ferait même un excellent rempart contre une offensive soviétique. On peut lui faire des concessions... Par exemple en Espagne, le plus sage est d'atermoyer : le principe de non-intervention est imposé par Londres et la City au gouvernement Blum.

Malraux, bien sûr, compte sur Moscou, et fermement. C'est pourquoi cette guerre civile, la première qu'il mène sur le terrain contre les fascistes, va lui administrer une leçon décisive. Il n'est pas romantique en matière politique, n'ayant jamais pensé que la révolution pût modifier de fond en comble la condition humaine. Il aime et il admire qu'un peuple tout entier s'insurge au nom de sa dignité, il s'engage à ses côtés, il signe son soulèvement, en acte, comme une révélation. « Sang de gauche » est celui de la communion fraternelle. Quand, dans *L'Espoir*, il baptise Apocalypse la tumultueuse révolte, la voici muée en vision johannique. Guerre d'Espagne, guerre de Dieu.

Guerre du Diable. L'effervescence sauvage est toujours écrasée à la fin par un adversaire organisé. Il faut l'organiser elle-même pour la sauver du désastre. Quelle autre discipline que communiste le peut ? Malraux va donc voir de ses yeux, et jusqu'à ses dépens, comment « l'ordre » stalinien s'empare de l'élan populaire et le détourne, comment il dénonce, diffame et tue tout ce qui n'est pas lui-même. Malraux ne concédera pas aisément l'évidence, il soutiendra longtemps encore que l'URSS est « bonne » puisqu'elle seule peut briser l'expansion des fascismes. Sous le dehors de cette fidélité obstinée, fort répandue alors, il est en vérité étreint par le désenchantement. « Une *action populaire* comme celle-ci, – ou une révolution – ou même une insurrection – ne maintient sa victoire que par une technique opposée aux moyens qui la lui ont donnée. Et parfois même aux sentiments[5] ». Ecrit et publié en 1937... Malraux estime-t-il le commissaire Garcia pour son austérité et sa lucidité cynique, le hait-il pour sa présomption d'avoir à sacrifier ce qu'il croit secourir ? Mes compagnons de lutte, « je sais si bien qu'ils deviendraient abjects, dès que nous aurions triomphé ensemble[6] », disait Garine. En Espagne, ils n'attendirent pas le triomphe – qui n'eut pas lieu. Ce fut bien pire : tandis qu'ils combattaient avec le peuple contre son ennemi, ils devinrent cet ennemi, et le peuple fut écrasé. Logique mimétique, perpétuelle redite : comme Satan s'est infiltré dans l'Eglise du Dieu-Jésus, le Mal confond sa voix avec le cri des humiliés et des offensés, et l'étouffe.

Autre chose qu'un drame politique s'est joué en Espagne pour Malraux, autre chose s'est noué, un spasme répété qui crispe ce pays contre lui-même et le crispe encore quand il cherche à s'en délivrer. Le même se répète, et la révolte contre le même répète le même. Une contracture effroyable, un désespoir, font en Espagne écho à sa souffrance à lui, la plus intime.

Ce fil noir, a-théologique, n'est pas aisé à démêler des autres, tant il est tressé avec eux, le politique, le poétique, le farfelu. Il affleure. Avant de venir improviser sa petite escadrille, Malraux était passé à Madrid en mai 1936, avec Le Normand et Cassou, pour préparer le nouveau Congrès des écrivains. L'Espagne avait été choisie pour siège du prochain meeting, en juin 1935 à Paris, sur les instances de José Bergamin, dont Malraux avait fait alors la connaissance. Il lui vouera une de ces amitiés indéfectibles et distantes dont il a le secret. Mauriac dira plus tard qu'avec Bernanos, Maritain et lui-même, Bergamin fut l'un des rarissimes chrétiens qui sauvèrent l'honneur de l'Eglise pendant la guerre d'Espagne. Nous avons plutôt, corrige l'écrivain espagnol, « tâché de sauver la vérité du peuple espagnol sacrifié avec la bénédiction épiscopale ». Le ralliement du clergé aux officiers putschistes fut « un sacrilège et un crime stupidement satanique », le diable s'était caché dans l'Eglise, sa demeure préférée. L'Eglise de Bergamin était celle des Saints, des vrais croyants qui « s'alimentent de doute », celle de Bernanos. Job incarne la condition humaine de la sainteté. Malraux ne veut pas croire ? Quelle importance ! Pour lui aussi le désespoir est la condition humaine de l'espoir[7]. Plus tard, Brasillach « découvrait » à son tour que *L'Espoir* est désespéré – mais il y vit, doux Jésus, la preuve que le fascisme est supérieur[8]....

En prenant la parole devant les intellectuels madrilènes en leur club de l'Ateneo le 22 mai 1936, l'écrivain français règle déjà son discours sur la figure espagnole du croyant incrédule. Il reprend et force le motif familier de la révolution comme acte poétique. Pourquoi sommes-nous antifascistes ? Parce que « le fascisme est l'antithèse de la création », parce qu'il traite les œuvres en moyens de propagande, parce que les valeurs qu'elles sont censées glorifier, nation, race, peuple supérieur, sont toutes d'exclusion, alors qu'il n'y a de culture que « grâce à la volonté d'étendre la culture ». L'homme tel qu'il est donné « n'a pas de style ; l'artiste, oui ». Et Malraux, au passage, enlève à Marx son grimage jdanovien : lui du moins n'a jamais pensé à « expliquer Vélasquez à partir des carrosses de la cour de Philippe II » ; au contraire, il s'interrogeait sur l'« éternelle jeunesse » de l'art grec. Celle-ci est due à une « faculté de poésie » insensible à l'usure des millénaires. Conclusion : « Entre la volonté révolutionnaire et la poésie, il ne peut y avoir de séparation[9]. »

Cherche-t-il à gagner à la cause une intelligentsia farouchement catholique, comme le PC en France « tend la main » aux « croyants » ? Il est assez rhéteur pour cela, bien sûr. Mais « création », « naissance perpétuelle », « éternelle jeunesse » nimbent sa « poésie » d'une auréole telle que le public y reconnaît sa propre espérance : le conflit qu'on sent venir à travers les incidents multipliés de jour en jour va décider peut-être si, dans l'Espagne catholique, le message chrétien d'amour – de « poésie » – pourra se délivrer de la dictature des banques, de l'armée et de l'Eglise noire. Et contre elle.

C'est la question de Malraux. Chrétienté cruelle, bourreaux et victimes accointés dans une terreur ancienne, la sainte Reconquête éventée dans Quichotte, Vierge de Montserrat et Demoiselles de Picasso, partout la pesée et la haine d'un Dieu fantôme, et pour issue, le garrot, puisque ici on a exécuté en écrasant *la gorge* : ce monstre existe, en Europe, qui effare le théologien agnostique, et le captive presque autant que l'Asie, son antipode. Peut-on faire sagesse de cette folie, en s'insurgeant ?

Dix ans après *L'Espoir*, l'essai sur Goya révèle le vrai fond, le secret, de la dramaturgie malrucienne. « Les types de ce jeu de massacre grandiose [l'œuvre du peintre] ne sont pas beaucoup plus nombreux que ceux du vrai : la vieille édentée, la sorcière, la maquerelle à tête de grenouille, l'élégante à tête de poupée [...], et la série de burlesques qu'on voyait encore il y a dix ans, attablés dans les cafés des petites villes, en face de quelque mur rouge d'église où la chaleur faisait trembler l'ombre des chaînes barbaresques pendues en ex-voto[10]... » Quant au type masculin, il « va de celui du cavalier stupide à celui du démon, en passant par ceux de l'avare, du moine suspect et du gnome facétieux [...][11] ». L'Espagne est restée une galerie de figures gothiques, marquées par le signe qui les relie à Dieu. Les artistes italiens avaient trouvé dans la grâce sensuelle l'expression de l'accord de l'homme avec lui-même, de la femme avec l'homme, de Dieu avec le monde. L'amour profane était l'émanation de l'amour sacré. Le baroque espagnol n'unit les sens à l'âme que dans l'extase mystique, quand le corps se sublime. « Qu'on imagine sainte Thérèse devant sa statue par le Bernin[12]... ».

Symbole de l'art à Florence et à Rome, le nu en Espagne « était puni de prison, de l'exil et de la confiscation des biens[13] ». Au nom de la Sainte Foi, l'autorité catholique ici – Inquisition, Carmel, Compagnie de Jésus – maintient béant à des titres divers l'abîme qui sépare la Parole de la vie. Nulle concession au voluptueux paganisme, l'esprit ne doit pas être touché par le sexe. De cette forclusion impitoyable, de cette cruauté, naît l'anxiété : quand le Verbe est interdit de chair, quelle incarnation, quelle voix entendue n'est pas démoniaque ? Qui habite l'Eglise elle-même, censée parler pour Dieu sur la terre ? L'homme n'est bon qu'à témoigner de ce qui le dépasse, mais est-ce le Seigneur ou Satan qui fait de sa vie « un bagne » et l'accable continûment du « sentiment de dépendance » ?

Goya devenu sourd aux caquetages du beau monde, la vérité terrible lui monte par la gorge : ce qui excède l'homme n'est pas Dieu, mais « ce qui, en lui, aspire à le détruire ». Non pas le prince du mal encore représenté en gloire sur son trône par Bosch : l'accusation de Dieu, qui crie dans le corps torturé, aveuglé, dans l'homme-tronc, « l'agonisant dont on a coupé les membres, et au-dessous duquel Goya écrit : " J'ai vu ça ! " [14] ». Comme Malraux écrit : « J'ai vu ça » sous le tableau de l'Espagne à la géhenne. A cela, au Fléau, que Breughel représentait en « maritorne sanglante déchaînée sur le grouillement incendié du malheur » dans la « Doelle Greet[15] », à l'œuvre de magie noire, Malraux donne le nom d'*Espoir*...

Quelle antiphrase ! De quelle obscure alchimie se soutient-elle ? Les fonds noirs de Goya, explique-t-il, semblent représenter la nuit, mais « leur fonction est bien plutôt celle des fonds d'or du Moyen Age : ils arrachent la scène à la réalité, la situent immédiatement, comme la scène byzantine, dans un univers qui n'appartient pas à l'homme. Ce noir est l'or du démon[16] ». Matière à fabliaux grotesques et à moralités tragiques, la guerre civile est montée en un mystère interminable, qu'un peuple joue pour le Vendredi saint devant une cathédrale vide. Il s'efforce en vain d'extraire des ténèbres l'or de la vraie fraternité.

L'avion qui dépose André et Clara à Madrid en juillet ne doit de franchir les Pyrénées qu'à une autorisation spéciale du ministère de l'Air. Dès l'annonce du putsch, Malraux s'est mis en tête de réunir une petite flotte au service des républicains. En quelques jours, il rallie à sa cause Weiler, de Gnome et Rhône, et l'ami Corniglion-Molinier, le même qui l'a piloté au Yémen et va le transporter dans la capitale espagnole. Par eux, il obtient de Jean Moulin, chef du cabinet de Pierre Cot, ministre de l'Air, de faire passer en Espagne quelques avions de combat, juste avant que la décision officielle de non-intervention, prise par le cabinet Blum sous la pression anglaise, entre en vigueur, le 8 août 1936. (La presse de droite crie à la forfaiture.) Sur sa lancée, la faveur dont il jouit auprès du président de la République espagnole, Azaña, lui permet d'obtenir de José Giral, premier ministre, un contrat qui confie à André Malraux l'organisation, l'administration et la direction tactique d'une « escadrille España » en coordination avec le commandement aérien républicain[17].

Reste à faire piloter la petite armada soutirée à Paris. Elle se compose de quelques bombardiers Potez 54 et chasseurs Dewoitine livrés sans leurs mitrailleuses. S'y adjoignent un ou deux bimoteurs Lioré (sans lance-bombe), des Nieuport, Douglas DC-2, Bloch et De Havilland, en tout une vingtaine d'appareils dépareillés, parfois désuets, toujours utiles. Malraux fait au plus vite passer un appel d'offres et recrute une poignée de « mercenaires », pilotes ou mitrailleurs de diverses nationalités sur les fronts et les non-fronts d'Europe et d'Asie depuis 1914, aventuriers, mauvais garçons, et pas tout jeunes, auxquels viennent se joindre quelques politiques « de gauche ». Innombrables difficultés, on pense bien, telles qu'entraîner les hommes aux appareils et aux armes, trouver les pièces de rechange, les mécaniciens... Le d'Artagnan s'en joue comme à plaisir. Il trouve heureusement dans Guidez, officier français breveté pilote et volontaire, l'assistant professionnel dont il a besoin. Le chef de l'escadrille España ne sait pas comment ça marche, un avion.

Après trois semaines passées à courir les bureaux des ministères à Paris, Barcelone et Madrid, et les officines de marchands d'armes et d'avions, avec au passage un meeting bondé salle Wagram le 30 juillet pour appeler à l'engagement en Espagne, le coronel lance dès le 15 août deux de ses chasseurs sur des appareils d'observation italiens (abattus), et surtout, le lendemain 16 août (daté le 14 dans *L'Espoir*), les bombardiers Potez clouent au sol, près de Medellin, la colonne du colonel Yagüe qui s'avance depuis Merida en direction de Madrid pour faire jonction avec l'armée de Mola basée en Vieille Castille, au nord-ouest de la capitale. Le même jour, deux autres Potez sont envoyés en mission sur Teruel. Accrochés au retour par les redoutables Fiat 32 italiens, le vieux chasseur Nieuport les sort de là par miracle. Le 20 août, Malraux embarque sur l'un des Potez qui vont bombarder en piqué le convoi ennemi stationné sur la place de Medellin. Des Junker allemands les attaquent. Malraux est blessé légèrement.

Premiers succès d'importance qui ont pour effet de retarder l'investissement de Madrid par les troupes franquistes. Malraux exulte. De passage à Paris, il explique à Gide éberlué que ses « pélicans » vont à présent dégager le front des Asturies[18]. Mythomanie ? Non, mythopoïèse en acte. Le coronel bricole son affaire avec l'exactitude d'un somnambule, dans les pires conditions. Il ne devra qu'à son « ascendant », rhétorique, intrépidité, drôlerie, exigence à l'égard de « ses hommes », camaraderie sans démagogie, hauteur de vue, de faire avec sa salade de recrues une espèce de bataillon – pour cinq mois.

Le voici chef de bande, à la tête de ses irréguliers et pour la bonne cause. Fin 1940, d'Astier viendra lui proposer de partir à Londres avec lui. Réponse : « Je marche, mais je marche seul[19] ». Résistance, oui bien sûr, mais il faut qu'elle m'émerveille (et stupéfie les autres, accessoirement). Mitrailleuses, avions et hommes à inventer, pour soutenir le peuple de Goya insoumis : ça, c'est bon à signer. Les photos de Segnaire prises sur les aérodromes de Madrid et de Valence disent tout : André radieux comme au départ pour Saba, à côté de son objet limbique, l'avion, qui met l'enfant en apesanteur entre la vermine en bas et les étoiles qui se fichent de tout.

Plus euphorique même qu'au Yémen, car au-dessus de Medellin, on les écrase, les bestioles de malheur : « Vus des avions, les camions [de la colonne franquiste] semblaient fixés à la route, telles des mouches à un papier collant[20]. » Elles ne s'envolent pas, elles explosent dans leur glu. Qui parle par la bouche de Scali ? Malraux n'était pas à bord lors de la mission du 16 août. Delaprée, envoyé de *Paris-Soir*, écrit dans sa dépêche du 23 août au sujet de la même opération : « Les aviateurs n'apercevaient pas d'hommes, seulement des insectes[21]. » Malraux lit toujours les reportages, c'est son matériau brut d'écrivain. Delaprée, de son côté, familier d'André, observait l'affaire ce jour-là depuis le sol. A qui sont les insectes ? Tout le monde est à eux.

La détermination du coronel ne devait pas désarmer tout

au long du conflit, ni son élan, alors même que la confiance faiblissait. L'histoire de l'escadrille fut une agonie, comme celle de la République.

Après Medellin, les 23 et 27 août, l'aviation fasciste détruit plusieurs Dewoitine stationnés à Cuatro Vientos, l'un des aérodromes militaires de Madrid. Guidez, qui commande la chasse España, est consterné.

Le 1er septembre, petite rémission. Un paysan a repéré une base aérienne franquiste clandestine près d'Olmedo. On l'embarque, effaré, sur un Potez qu'il oriente à vue en rase-mottes. Réservoir de carburant, dépôt de munitions et trois bombardiers anéantis d'un coup. *L'Espoir* transpose la scène à Teruel et en décembre[22].

Yagüe continue sa progression vers Madrid et occupe Talavera. Les 2, 4 et 6 septembre, les bombardiers de l'escadrille effectuent des raids sur la ville. Le Lioré se pose en catastrophe derrière les lignes ennemies, son équipage porté disparu rejoint la base après trois jours de marche.

Vers la mi-septembre, la situation s'aggrave. Les appareils et les armes font défaut. L'escadrille ne compte plus que cinq chasseurs. Il faut suspendre les missions. A Madrid, le gouvernement est remanié, deux communistes y entrent. Les Junker et les Savoia lâchent tous les jours leurs bombes sur la capitale, en toute impunité. Guerre totale : l'Europe commence à prendre le pli.

En octobre, les troupes rebelles sont en vue des bases aériennes loyalistes autour de Madrid. Getafe et Cuatro Vientos tombent en novembre.

Moscou décide d'intervenir. Les conseillers soviétiques s'emparent des rênes. L'aviation républicaine est repliée sur Valence. L'aérodrome d'Alcala de Henares étant réservé aux appareils soviétiques, l'escadrille est basée à La Señera. Elle est intégrée à l'armée aérienne gouvernementale, plus ou moins contrôlée par le PC espagnol. Ses hommes la baptisent « scuadra André Malraux ».

Pendant deux semaines, sorties quotidiennes pour appuyer la contre-offensive de la Treizième Brigade internationale dans le secteur de Teruel en Aragon. Le 27 décembre 1936, le Potez où Malraux s'est improvisé mitrailleur tombe en panne au décollage et s'écrase dans un champ. Malraux est blessé sans gravité. L'autre bombardier, attaqué par des Heinkel 51, s'abat dans la neige sur la sierra de Teruel. Le livre et le film de Malraux vont éterniser la descente sacramentelle des blessés et du mort brancardés par les paysans de Val de Linarès[23].

Le 11 février 1937, ce qui restait de l'escadrille fut envoyé couvrir l'exode de la population civile vers Almeria sur la côte du Levant, après la perte de Malaga. Abattu par des Fiat, le dernier Potez tomba à la mer devant une plage et fut perdu. Des six hommes d'équipage, l'un était mort ; le rescapé parvint à extraire de la cabine retournée et noyée ses quatre camarades grièvement blessés et à les convoyer vers le lointain hôpital, au milieu d'une cohue de charrettes surchargées, de vieillards clopinant, de poussettes d'enfant, de troupes de chèvres, qui se traînait sous la mitraille des chasseurs italiens. Cauchemar médiéval, le massacre des pauvres sous l'azur noir.

Malraux quitta aussitôt l'escadrille rompue et l'Espagne, à la requête des staliniens. L'improvisation exaltée a pu faire merveille un temps, elle donnera la matière d'un livre sans précédent et un ton, elle n'a pu arrêter la progression franquiste. Le chef a commis des erreurs tactiques, si l'on en croit Corniglion. Et le groupe des mercenaires n'était pas sûr. Tel pilote allemand qui se disait antinazi était vraisemblablement un agent de la cinquième colonne. Et ce Français qui rentra de mission avec ses bombes non larguées ? Devant un intense barrage de DCA, il a préféré sa vie et son salaire à l'exécution des consignes. La corruption s'infiltre aussi par la peur et l'argent. On licencie les coupables et les suspects. Mais le moment vient où il faut établir une discipline militaire et faire appel au seul esprit de sacrifice militant. Sinon l'insurrection n'aura pas de conséquence, comme dit Garcia.

Le PC local et l'Internationale ne sont pas émerveillés par les prouesses de l'escadrille apache. Membre du Comité central du parti communiste espagnol, Hidalgo de Cisneiros est nommé général en chef de l'aviation républicaine en l'automne 1936. Quel motif eut Malraux de monter cette affaire, écrit-il après la guerre, « je ne sais, mais ce que je peux affirmer, c'est que si l'adhésion de Malraux, écrivain de grand renom, pouvait utilement servir notre cause, sa contribution en tant que chef d'escadrille s'avéra tout à fait négative ». Pour quelques antifascistes sincères, tous les autres pilotes venaient gagner de l'argent. « Se rend-on compte de ce que représentait à l'époque un salaire mensuel de cinquante mille francs ? [...] Loin d'être une aide, ils furent une charge[24]. » Il est vrai que Malraux n'est pas en odeur de sainteté auprès des staliniens au moment où Hidalgo l'accable ; de son côté, il les éreinte aussi. C'est la guerre froide. Mais la méfiance du Parti ne datait pas d'hier.

Le combattant a pu s'attirer l'amitié des militants communistes de l'équipe comme Segnaire, censé remplir les fonctions de commissaire politique – mais c'était une blague, dit-il[25] –, ou de grands intellectuels comme Nenni, qui portraiture gentiment le coronel volant tenant conférence tous les soirs au bar de l'hôtel Florida à Madrid devant la presse et l'intelligentsia du monde entier. Cependant l'appareil stalinien est occupé à renforcer partout sa discipline, à l'intérieur de la « patrie du socialisme » en préparant la liquidation de Kamenev et Zinoviev, bientôt Radek, et aussi dans les « partis frères » et autour d'eux : c'est entre autres, en Espagne, l'élimination physique des groupes anarchistes catalans et du POUM, l'assassinat d'Andrès Nin. Le NKVD met à profit les désordres de la guerre civile pour liquider les oppositionnels gauchistes de tous bords, avant que vienne le tour des militants sincères et fidèles. En s'engageant dans les Brigades internationales ou dans le Cinquième Régiment, ceux-ci se désignent d'eux-mêmes aux purges et aux déportations ultérieures, pour excès de zèle antifasciste et trop d'expérience politique loin de Moscou. Marty, responsable de la formation des Brigades à Albacète, convoque Gustav Regler, devenu l'ami de Malraux depuis le Congrès de Moscou, pour un interrogatoire en règle sur les « agissements » du prétendu chef d'escadrille[26]. Il est vrai que Malraux s'emploie alors à détourner vers son unité les pilotes affectés aux Brigades.

Forts de leur pouvoir dans le gouvernement de la République espagnole et s'étant assuré le commandement des forces aériennes, désormais renforcées par l'aide soviétique, les staliniens mirent donc fin aux exploits de l'escadrille España en chassant les mercenaires et intégrèrent l' « Aviación antifascista André Malraux » dans l'armée régulière. Après les pertes subies dans l'opération d'Almeria, le « grand écrivain » fut prié d'aller chercher des sous pour la République au Nouveau Monde. La révolution, c'est payer l'armée, non ? Quinze jours après Almeria, il prenait la parole à l'hôtel Roosevelt à New York, l'aumônière tendue.

Dernières tribunes antifascistes, et dans les métropoles du capital. Derniers plaisirs aux podiums, aux micros, aux sunlights. Déjà désenchanté, il exerce encore son prestige oratoire, il improvise d'abondance, raconte partout les mêmes scènes qu'il est en train de fixer pour le livre. On le voit qui grimace, renifle et agite ses mains en attendant qu'on le traduise, et qui reprend le fil de son discours à demi couché par la fatigue sur la table ou le pupitre. Les salles sont pleines. Malgré l'hostilité de l'administration Roosevelt, très attachée à la non-intervention, la gauche américaine a battu le rappel pour recevoir le combattant antifasciste et l'auteur prestigieux de *La Condition humaine*. Dix-sept fois de suite en quinze jours, dans les amphithéâtres et les salles de l'Amérique du Nord, le coronel en souffrance s'emploie à arracher de l'aide pour secourir les victimes, civiles et combattantes, de la guerre civile, puisque, plaide-t-il, la Croix-Rouge ne fait rien...

Au Québec, bastion de l'Eglise romaine, la presse bien-pensante accueille à boulets rouges le « bolchevik », l' « anarchiste », la « resplendissante crapule », le « King Kong déchaîné » qui ose venir ramasser des fonds « pour les massacreurs de prêtres, les incendiaires de cathédrales, les iconoclastes de l'art espagnol, la ratatouille israélite du boucher Caballero ». *La Condition humaine* ? Un roman d'une « vulgarité consommée » qui « pastiche l'argot de Francis Carco » et « emprunte aux visions patibulaires de Céline[27] ». *Le Devoir* daté du 2 avril s'abrite derrière le méchant article que François Mauriac a publié le 11 février dans *Le Figaro* : « Le point faible de Malraux, c'est son mépris de l'homme – cette idée qu'on peut entonner n'importe quoi aux bipèdes qui l'écoutent bouche bée. » Comble d'ignominie, le traître s'est permis d'aller haranguer les institutions anglophones, l'université Mc Gill à Montréal, ce « cœur de la pieuvre communiste au pays du Québec », et pire encore si c'est possible, à l'American Presbyterian Church ! Heureusement, il n'y avait pas foule, les maudits Anglais ne comprenaient rien, et du reste, tout en paraboles et contrastes, « son grand art confine à l'emmêlement des idées, à l'obscurité » au point qu'il « laisse l'auditoire incertain. Les applaudissements manquent au moment où on croit qu'ils vont éclater[28] ».

La guerre civile, en somme, continuait au Québec, par invectives. Ce n'était pas pour déplaire à Malraux, même si c'était trop tard. Il écrivait déjà *L'Espoir* qu'il finit en France en quelques mois, pendant l'été et l'automne 1937, et qui sortit fin novembre. La critique se divisa, ce qui ne surprend pas, dans le contexte idéologique. Elle fut surtout décontenancée par le procédé, sans exemple dans la littérature française : était-ce bien un roman ?

Question oiseuse. Début 1938, Malraux est déjà à composer le script du film qu'il imagine depuis longtemps, *Sierra de Teruel*. Corniglion-Molinier s'offre à le produire, avec l'aide de Roland Tual mais sans un sou, ayant tout investi dans *Drôle de drame*... Qu'importe ! Malraux part tourner à Barcelone. La Catalogne est assaillie de toutes parts par les franquistes, écrasée sous les bombes, elle meurt de faim. La Généralité peut fournir un peu de financement si le film est tourné sur place. Elle prête à l'équipe le studio de Montjuich et deux secrétaires. Malraux recrute Max Aub, écrivain espagnol, pour adapter des scènes choisies du roman, Page sera chef opérateur, Thomas cameraman, Denis Marion et Boris Peskine feront le découpage et le montage. Deux bons milliers de jeunes recrues furent empruntés aux bataillons de montagne pour les séquences de combats, et les habitants d'un village proche firent office de figurants. Le studio n'était plus équipé. On faisait venir la pellicule de Paris, on l'impressionnait à grand risque entre deux coupures de courant, on la renvoyait pour tirage chez Pathé à Paris. Il fallut aussi importer les sunlights de France. Pour figurer l'appareil de Schreiner détruit après son atterrissage manqué[29], on planta nez en terre l'avion personnel d'un señorito en vacances. Les éclats de bombe pleuvaient sur le plateau du studio, et il arriva que le vénérable Latécoère à bord duquel étaient prises les vues sur les combats aériens fût de fait attaqué par la chasse fasciste. Quand il fallut évacuer Montjuich, Barcelone, la Catalogne et l'Espagne, il manquait onze séquences aux trente-neuf prévues.

Durant cette aventure, les témoins sont unanimes, André se montra rayonnant. En pantalon de toile et espadrilles, la jeunesse soudain l'avait repris, tout clair sous les cieux noirs de la défaite. Josette l'avait rejoint, et s'affairait au ravitaillement et aux douceurs, aidée de son amie Suzanne. Tel quel, inachevé, le résultat force l'admiration. Le film est d'un style puissant, le « style » Malraux au cinéma, pour partie issu de la grande tradition allemande et soviétique, pour partie anticipant le néoréalisme italien d'après-guerre. L'œuvre signe l'adieu de l'écrivain au roman. « Comme technique narrative, l'écriture n'existe pas[30] », confie Malraux à Greshoff en 1967. Car narrer n'est nullement raconter une histoire, c'est faire voir la scène, la seule, où s'affrontent et s'étreignent la bassesse et l'insurrection : scène ravie au matériau brut du fait, et travaillée par les moyens filmiques de façon que sa vérité métaphysique s'arrache au cours des choses et se fixe à jamais, dans l'instant.

L'or du démon fut ainsi transsubstantié par l'art. Le démon cependant répandait ses ténèbres, sur les choses et les hommes.

NOTES

1. *E*, 132.
2. *Ibid*, 133.
3. *ML*, 913.
4. *E*, 89.
5. *Ibid.*, 90.
6. *Conq.*, 158.
7. *Celui qui vient*, 103-136.
8. *L'Action française* (6 janvier 1938).
9. *RAMR* 19, 1 et 2 (Spring/Fall 1987), 145.
10. *TN*, 82.
11. *Ibid.*
12. *Ibid.*, 59.
13. *Ibid.*

14. *Ibid.*, 75.
15. *Ibid.*, 69.
16. *Ibid.*, 86.
17. Thornberry, 37-40.
18. Gide, *Journal 1889-1939*, 1254 (4 septembre 1936).
19. *L'Evénement* (septembre 1967).
20. *E*, 78.
21. *Mort en Espagne*, 73 ; cité in Lacouture, 225.
22. *E*, 319-329.
23. *Ibid.*, 329-344.
24. *Virage sur l'aile* 2, 346-347 ; cité in Thornberry 73.
25. *Le Magazine littéraire* (octobre 1967).
26. *Owl*, 277-278.
27. *La Nation* (8 avril 1937) ; cité dans « L'incident Malraux », un dossier de la presse québécoise réuni et aimablement communiqué par Caroline Désy.
28. *Le Devoir* (5 avril 1937) ; cité *ibid.*
29. *E*, 56-63
30. Cité in Bevan, 49.

13

COUPS DE FEMME

Il est vingt heures, le 7 décembre 1933, elle dîne chez Luce entre son père et sa mère, tous trois venus de leur Gâtinais pour faire à la petite une chaude fin d'année, quand la manchette du *Paris-Soir* sur la banquette la fait bondir au téléphone. A l'autre bout du fil, rumeurs de mondanité, tout Gallimard est au 44 rue du Bac à congratuler le nouveau Prix Goncourt, couronné haut la main. Elle entend enfin André lui dire : passez donc chez Lipp dans la soirée. C'est à peine si l'on peut entrer dans la brasserie. Roland aperçoit de loin Josette, signaux, il s'approche avec un verre. Par-dessus les têtes et les questions, André fixe en un éclair ces deux visages de beauté, son frère et la débutante, rassemblés pour son album à lui, et leur sourit. Le lendemain, quand elle entre en courant chez Viel, il est déjà parti. Elle pleure de rage. Les parents s'en retournent à Beaune-la-Rolande. Josette s'entête, prend une chambre au Montalembert où les Gallimard l'avaient installée deux ans plus tôt pour la sortie de son premier roman. Elle tue le temps devant le miroir, essaie les cadeaux qu'elle s'est offerts – encore des dettes –, une nouvelle robe de haute couture, le somptueux manteau à col de renard. Enfin André l'appelle : demain pour déjeuner, au Ritz, et raccroche[1].

Pas question de se faire belle, il faut être la beauté : salon de coiffure, maquillage chez Arden, parfum. Sa photo à lui est dans tous les journaux, on va les regarder, on les regarde, on l'observe qui choisit les mets, les vins, avec un soin ostensible et qui les tend à la bouche pulpeuse. Il lui fait sa cour, à l'em-porte-pièce. « En sortant, nous irons acheter ce qui vous fera envie. Pas un mot. Enchaînons. » Et poursuit à la Clappique, manière « dans six mois nous divorçons », tandis qu'ils atten-dent les vestiaires, lèvres serrées et les yeux en dessous : « Si un homme vous proposait de passer avec lui un mois sans len-demain, seriez-vous capable de le faire, sans désir d'obtenir plus ? » Il l'aide à passer sa fourrure galamment et, penché sur sa nuque, d'un ton qui feint le désespoir, sûr du succès, flat-teur : « Je ne connais aucune femme qui le ferait, honnête-ment[2]. » Son cœur lui envahit les tempes, à la prétendante, il aveugle ses yeux, « elle est un tumulte et, sous peine de mort, doit faire taire ce tumulte[3] ». Est-ce elle-même ou lui qu'elle entend badiner : « L'essentiel est que ce soit un mois de trente et un jours. Le premier jour, en tout cas, on croit qu'on le peut » ? Dans le taxi qui file vers la NRF – le shopping promis est déjà oublié, est-ce un signe ? – la bouche du Prix Goncourt s'approche, s'égare dans les renards. Quoi donc, se dit la belle, ce héros est un enfant ? Elle le guide vers ses lèvres, et se retrouve larguée sur le trottoir, devant Poiret-Blanche, dans sa parure d'oblation, inutile, seule dans le froid[4]. Dix jours plus tard, dans une chambre de l'hôtel d'Orsay, à l'écart, ils se pre-naient, tout de travers, fous de vénération.

Henri Pourrat avait été l'inventeur de Josette Clotis. Elle écrivait des histoires, bien au chaud entre papa qui l'adore et maman belle comme une Phèdre, impatiente de sortir du trop douillet giron. La considération de sa propre beauté la portait à répandre l'appétit de joies dont sa chair et son âme étaient gon-flées. Vive et gourmande, elle racontait tout de go comme on se jette au cou de ce qui plaît, comme on mord dans une pêche, ou plutôt elle était la pulpe qui se languit de n'être pas dégustée. Mademoiselle expédiait donc des récits simples et roma-nesques à tout ce qu'elle imaginait avoir quelque nom dans les lettres. C'est ainsi qu'à l'occasion d'un concours littéraire auvergnat, Pourrat remarqua l'une de ses nouvelles, la fit venir chez lui à Ambert, éplucha le manuscrit de son *Temps vert*. « C'est rare, une extrême jeunesse qui sait ne pas sortir du natu-rel. » Il coupe, il retaille, elle s'effraie qu'on lui dénature son enfant. Il envoie le texte dûment nettoyé chez Gallimard, qui décide de le publier et fait venir à Paris l'écolière. Elle y vivote de la petite rente que lui verse le bon M. Clotis et de piges pour des échos de la vie parisienne qu'elle est censée donner à *Marianne*. Emmanuel Berl, récent fondateur du journal, eut tôt fait de voir que « la pucelle d'Orléans » – il la chinait ainsi – n'entendait rien aux intrigues de la capitale, n'épousait pas son rythme, ignorait les enjeux littéraires et politiques qui gouvernent sa scène.

Josette irrita le patron, mais déjà elle n'avait d'yeux que pour Malraux et son prestige désormais consacré, pour l'ascendant désinvolte de cet homme fin et beau, grand, intelligent. Lors d'une pause à déjeuner, quelques collaborateurs de *Marianne* et de la *NRF* avaient débattu de la liberté des filles. Plus d'un la jugeait impossible, ou néfaste. Sous le regard d'André, Josette la défend avec l'emportement des novices. « Il faut se dépêcher d'exister. Avoir vingt ans ne sert à rien [...]. Aimer qui vous chante, passer par tous ses désirs, comme un petit animal, ce n'est pas éternel, c'est une affaire qui peut durer quelques mois. L'embêtant, c'est qu'on n'ait pas trouvé un moyen de coucher sans que ce soit une manière de... – Confidence, suggère Malraux, curieux. – Oui, dit-elle, soudain grave, faire assez confiance à quelqu'un, confier sa façon de pencher la tête et de s'endormir... » La liberté, sans doute, mais si c'est pour dormir ensemble... il ne peut pas la suivre. Elle avait posé en principe : « L'épanouissement sexuel vous rend plus intelligente que la chasteté. Et surtout plus heureuse. » A quoi il objecta : « Si vous vivez au petit bonheur, ça peut n'être que pour de petits bonheurs[5]. ». Ainsi s'étaient rencontrées la nature et la volonté, séduites l'une par l'autre, et promises au malentendu.

Vers le 12 décembre 1933, Clara : « Pendant mon absence, André avait obtenu le Goncourt. Je l'avais appris à Jérusalem. Aurais-je aimé assister à ce succès qui tournait forcément à la mondanité ? Quand je revins, le plus dur était passé, je pus renâcler devant le reste[6]. » Le reste n'était pas rien : toutes les prétendantes aux faveurs du vainqueur, dont Josette. « André vint à ma rencontre à Marseille, ce qui me toucha profondément. Après ces vacances prises l'un de l'autre, la joie de nous revoir fut réelle, nous nous retrouvâmes. » Quinze jours auparavant, un certain Soussia, vingt ans, avait écrit à Clara : « Venez me rejoindre à Haïfa. Et si vous ne voulez pas dire oui, ne dites pas non[7]. » Elle tenait là l'occasion de se soustraire au rôle qu'elle exècre, d'épouse du grand homme quand tous les succès fondent sur lui, littéraires, politiques, galants, mondains. Et puis, ils n'ont jamais été en Palestine, André s'indignant toujours qu'on puisse monter au Golgotha en touriste. Mais pour la militante juive et allemande à qui les récits des camarades réfugiés laissent entrevoir quelle horreur se prépare en Europe, aller au Mur du temple, ce n'est pas visiter une ville sainte, c'est raviver l'alliance avec son peuple.

André ébauchait alors une liaison avec Louise de Vilmorin. Clara croit lui damer le pion en allant chercher son Soussia. L'époux devra compter avec l'indépendance de l'épouse. S'affranchir et se faire reconnaître par lui pour son égale en liberté de mœurs, sans rompre pour autant, tel est le tour qu'elle entend donner à leur union. Depuis leurs tout débuts, elle a revendiqué son *habeas corpus* et s'est employée à lui faire savoir qu'il pouvait disposer du sien. Peine perdue : une telle comptabilité, une telle méprise ne pouvait qu'offenser André dans sa représentation mystiquement désespérée de la féminité. L'amour n'avait pour lui rien d'un contrat à parité entre conjoints, la différence sexuelle devait s'y éprouver à vif, chacun toucher le fond de son impuissance à comprendre l'autre et son propre attachement, chacun abandonner à l'autre sa défaillance incomparable et la lui infliger sans merci. Oui, qui plus que Clara eût pu mieux l'humilier ? Elle négociait, ramenait sous le régime de la propriété le rapport intraitable.

« Dans le train, mon compagnon me raconta que la jeune provinciale porteuse d'une liste de grands hommes atteignables [« à tomber », écrit Clara tout crûment] s'était avec efficacité jetée à sa tête[8]. » Régime des pourparlers de corps, dont l'épouse pensait se prévaloir. Terrible aveuglement. Et, ajoute-t-elle sarcastique, comme il y avait Louise, la beauté de Beaune-la-Rolande devrait donc patienter. En quoi la compagne affranchie se trompait de rivale. Aussi bien, davantage que ses frasques, le lustre de l'écrivain lui portait ombrage. « Il n'y en avait que pour vous », lança-t-elle publiquement au héros après une dernière célébration qu'elle n'avait pu éviter. « Ma chère, riposta-t-il, personne ne vous empêche d'avoir le prix Goncourt[9]. » Est-ce alors qu'elle écrivit « De l'assassinat dans les rapports conjugaux » ? Du moins est-ce le moment qu'elle choisit pour insérer ce texte dans ses mémoires[10].

Au début de mai 1933, André de Vilmorin confie à Malraux le manuscrit du premier livre de sa sœur Louise, *Sainte Unefois*. « Je suis bien content, écrit le maître à l'apprentie, vous avez un vrai talent [...]. Surtout ne vous cassez pas la tête pour chercher une intrigue. Ça ne peut rester bien que dans cette espèce de dispersion. » Anticipant ainsi l'avenir de leurs relations. Drieu, Gide consultés donnent un avis favorable, Paulhan décide de publier. « Je possède d'un coup tout ce que je puis désirer, écrit Louise à son frère : estime de ma " condition humaine " par toi et Malraux, qui, sans être sur le même plan que toi dans les sentiments, est une personne dont l'opinion compte beaucoup pour moi[11]. » Retour d'un voyage au cap Nord avec Clara, André, celui qui n'est pas le frère, devient l'amant de Louise à l'hôtel du Pont-Royal, à deux pas de chez Gallimard. Puis file à Royan voir Trotski. Fin novembre, il apprend que « Madame de » (c'est la Pompadour, disait-il) est aussi la maîtresse de Friedrich Sieburg. Depuis son appartement du Ritz, l'auteur de *Dieu est-il français ?* (1929) exerçait sur la bonne société parisienne le prestige d'un penseur allemand attentif à la crise et favorable à la solution hitlérienne. Malraux rompt sans préavis. C'est d'un goujat, se plaint la libertine, contraire aux mœurs du beau monde. « Je n'ai jamais très bien compris Malraux, confie-t-elle à André (celui qui n'est pas supposé l'amant...). Je lui ai dit bien souvent que j'étais baba d'admiration devant lui sans comprendre un mot de ce qu'il disait[12]. » Etait-ce Consuelo de Saint-Exupéry, également maîtresse de Sieburg, qui avait soufflé à l'oreille d'André (l'amant) la liaison de Louise avec l'Allemand ? Le frère et la sœur Vilmorin s'en tinrent à cette version, somme toute passable, puisque leur complicité n'en souffrait pas. Malraux était sorti du jeu. Il ne reverra pas Louise avant 1937 dans les couloirs de la NRF où le colonel de l'escadrille España croise en coup de vent la femme d'esprit que le tout-Paris chic adule.

« Dispersion, pas d'intrigue », conseillait André à l'auteur de *Sainte Unefois*. Laisser courir les affaires galantes en désordre, en secret : il n'en écrit jamais un mot. Ne pas les mêler à son affaire – l'écriture, la guerre, la mort. « Il semble accaparé par quelque chose d'important, note Josette, où il n'y a de place pour aucune femme[13]. » Malraux est un homme chaste. La chose qui l'accapare ne peut que l'excepter du commerce des femmes. Il les séduit par cette distance. Ce n'est pas qu'elles soient étrangères à ladite chose : elles en sont l'émanation, l'apparence, la parure. Car l'œuvre et la vie de Malraux ont pour motif latent, opiniâtre, la différence sexuelle. Qu'a-t-il fait d'autre, sous diverses figures – l'aventure, la guerre et l'art – que d'en élaborer l'énigme et la menace ?

Le féminin s'est fixé dans son âme sous les traits enchevêtrés de la beauté de Berthe, de son pouvoir d'engendrer et d'inhumer, d'une demande d'amour jamais comblée, et d'un retrait sans appel. Le fils n'élude pas cette puissance, il s'expose à sa violence inconnue. L'écriture ne vaut signature qu'à risquer la dépossession du soi-disant auteur. Cette intelligence arrogante et pudique de conquérant viril et d'écrivain du vouloir attend sa rémission d'une *défaite*. La vraie communion, qu'elle se requière par la littérature ou qu'elle se tente dans l'action, trouvera son modèle dans l'amour partagé, où précisément le moi échoue à comprendre et vouloir, et subit l'autre comme une passion.

« Les amants comblés – on dit : comblés, je crois ? – opposent l'amour à la mort. Je ne l'ai pas éprouvé. Mais je sais que certaines œuvres résistent au vertige qui naît de la contemplation de nos morts, du ciel étoilé, de l'histoire[14]... » De ce même ton lassé (c'est 1941, la tourmente a échoué Malraux sur une côte accore, asphyxié de violences), Walter Berger met fin aux spéculations de son neveu sur le suicide de Dietrich, son frère : « Pour l'essentiel, l'homme est ce qu'il cache [...]. Un misérable petit tas de secrets. » Petits pâtés de sable qu'André a tassés dans les coins de ce qu'on appelle sa vie, ces secrets de

Polichinelle qu'il n'a jamais voulu ou pu contresigner, les femmes ne se font pas faute de les divulguer : Clara publie six volumes de mémoires ; Suzanne Chantal rassemble lettres et papiers que son amie Josette n'a cessé d'écrire pendant dix ans passés « auprès » d'André ; la correspondance que Louise de Vilmorin entretient avec André, son frère bien-aimé (Clara aussi fut amoureuse de son grand frère, qui s'appelait aussi André, mais elle le récusa pour son amant) a valeur de journal intime. Seule Madeleine, veuve de Roland, que Malraux épousa en mars 1948, aura gardé le silence, se bornant à réunir et publier une collection de *dyables*, ces figurines bizarres qu'André traçait souvent d'un trait nerveux et continu en marge de ses manuscrits ou de papiers officiels, et souvent légendait comme des confidences chiffrées. Du moins a-t-elle permis que son fils, Alain Malraux, qui fut élevé avec ses cousins (les enfants de Josette) dans la maison d'André, publie, avec *Les Marronniers de Boulogne*, l'album de la vie d'un Malraux sans famille en famille, un cahier composé impromptu de tableaux délicats et violents comme l'enfance sait en garder la saveur. Et Brigitte Friang encore, deux fois attachée de presse auprès d'André à l'époque gaullienne, portraiture, en effrontée qui rit, s'impatiente et pleure, *Un autre Malraux*, le patron, cette fois, qui avait mis en elle une confiance de copain.

« C'est vrai, les femmes n'interviennent pas dans mon œuvre. Pas non plus chez Chateaubriand. Le sujet de mes livres ne se prêtait pas à une présence féminine. » Se prêtait ? L'expression fait songer : est-ce que le différend sexuel, qui est le ressort ultime de tout drame, n'est présent dans un roman que si « le sujet » s'y prête ? Il se reprend : « C'est une mauvaise explication. Je peux répondre que la femme est pour moi un être si différent – je parle de différence, non d'infériorité – que je n'arrive pas à imaginer un personnage féminin[15]. » Tache aveugle dans la prunelle du visionnaire, « la femme » peut bien se plaindre qu'il ne voit, ne comprend rien d'elle : c'est qu'elle est à l'intérieur de son œil comme une « mouche » en suspension dans l'humeur aqueuse, qui bouge avec les mouvements du regard et ne peut jamais être fixée par lui. Comment donner vie par l'écriture à un corps étranger si intime ?

Ce n'est pas à dire que Malraux se tient à l'abri des

femmes. Il lui faut tout au contraire s'exposer à l'épreuve de leur différence, qu'il aime autant qu'il s'en méfie. La désinvolture de Louise le méduse. Elle osait écrire : « A vrai dire, je ne suis qu'une signature. C'est peut-être ce qui fait mon charme[16]. » André quant à lui signait pour rompre le charme dont les choses de la vie nous envoûtent, avec l'espoir, qu'il savait vain, d'exorciser les Louise… A quoi Louise ripostait « avec le sourire nécessaire » (on lit bien : nécessaire), par la bouche exquise de Valérie : « Aucun homme ne peut parler des femmes, cher, parce qu'aucun homme ne comprend que tout nouveau maquillage, toute nouvelle robe, tout nouvel amant proposent une nouvelle âme[17] […]. »

André comprend fort bien la versatilité, aspect visible de la métamorphose bestiale, il peut y prendre goût mais autant qu'elle se fait œuvre.

> Il encourage [Josette] à sortir, à aller à la mer ou dans la neige, pour lui rapporter sur la peau la dorure chaude de l'été provençal ou de l'hiver pyrénéen […]. Un jour, elle s'est plainte de souliers trop courts, de ses grands pieds. Il s'est écrié : le long pied des Dianes antiques…, le pied mince de Greta Garbo. / Elle se chausse chez Cedric, s'habille chez Lanvin, chez Lelong, s'y ruine, en dépit des prix exceptionnels qu'on lui accorde, par amitié, parce qu'elle semble faite pour porter les robes et les tailleurs d'alors, taillés dans des étoffes admirables. Il apprécie, soupèse le tweed, froisse la soie, parle d'une mousseline persane qui serait parfaite pour une blouse, de pierreries qu'il faudrait à ce décolleté. Il a le talent de transposer le quotidien dans le merveilleux[18].

Haute couture contre bas-fonds ? Mais avec ceci d'un peu trop acharné, héroïque, que les fonds ne sont jamais assez bas, qu'il faut draguer la vase jusqu'au sec. André souvent à sec, il dépense tout et au-delà, sachant que de l'argent – cette boue –, il n'en manque jamais dans le fond, il suffit de n'être pas dégoûté. Il ne l'était pas : on n'est pas scrupuleux avec *ça*. Repas fins, toilettes, merveilles. Un jour de l'été 1939, il expédie Josette sans explication dans un garage à la porte Champerret. Une ravissante Ford V8 décapotable (d'occasion, quand même) qu'il a fait repeindre en grenat y attend la jeune première sous l'œil goguenard des prolos. Elle n'a jamais conduit pareil carrosse, embraye radieuse, accroche un peu tout au passage, fait le tour de Paris, jusqu'à Joinville où André achève *Sierra de Teruel*. Et les voici partis au hasard, par Chartres, les Eyzies, jusqu'à Montpellier, en vedettes d'Hollywood, un Fred Astaire qui ferait virevolter Ginger dans les portes tambours des grands hôtels, s'il n'était à ce point emprunté.

C'est sa féminité, à André, chat maigre qui danse à contre-temps, s'arrête tout d'un coup, fait sa toilette de moustaches. Sa veine « farfelue », la fantaisie féline. Et cette souveraineté, « pas un mot », d'un chat qui s'installe, impérieux, chez vous, sur vous, et vous prend en otage. « Il assurait, rapporte Friang, écrire certaines pages de ses manuscrits en rond autour de ses chats. » Venus s'asseoir, le dos tourné, sur la ligne qu'il écrit[19], il approuvait au fond leur réprobation de ce que ce monsieur prétendît avoir mieux à faire que de prendre soin d'eux. Ainsi d'André avec les siens : vous avez vos « personnels problèmes », vos « secrets », c'est bien excusable, permettez que je m'assoie dessus, et vous avec moi. « Au milieu des autres hommes, Malraux est tel qu'un vrai chat au milieu de chats en peluche[20]. » A quoi pensent ces animaux songeurs ? A ce qu'était le monde en « 1938, 1941 ou 1968 *avant* Jésus-Christ[21] ». Intempestifs, ombrageux, ils n'accordent pas foi à ce qui est présent.

Même dans la gent féline, la félonie femelle laisse encore les mâles jaloux et désarmés... Brigitte Friang rapporte cette note reçue de l'ancien camarade de Bondy, Marcel Brandin, que le ministre en 1959 gardait auprès de lui, avec Louis Chevasson :

> Dans une de ses lettres, sous l'annonce « hier drame de l'adultère chez Malraux, personnages, le mari (A.M.), la femme (la chatte Fourrure), le vil séducteur (votre serviteur) », Marcel Brandin me raconta que, quant à lui, la première fois qu'il avait été à Verrières, Malraux l'avait prévenu, « ne te vexe pas si les chats se sauvent, ils se méfient des étrangers ». Là-dessus, m'écrivait Brandin, je gratte délicatement la nuque de

Fourrure, à rebrousse-poil, puis le menton. Fourrure se laisse caresser quelques instants puis s'écarte paisiblement pour aller, c'était clair, méditer dans un coin sur la conduite à tenir à mon égard. Nous nous asseyons à table et elle arrive au petit trot pour sauter sur mes genoux et se faire caresser. Et y reste. Malraux était blême. Il me dit méchamment, c'est l'odeur qui l'attire. Mais moi je sais que je ne sens ni le Ronron ni le pipi de chat et le lui dis. Il reprend, alors, tu as dû te frotter à un chat avant de venir. A la fin du déjeuner, l'air sombre et résolu, il me jette, ce soir, quand elle viendra sur mon lit, je lui dirai, fous le camp, salope, va coucher avec ton Brandin. J'étais navré. Sa voix était sifflante. Quant à Fourrure, elle s'en foutait visiblement. Elle savait que le soir venu, son Boubouroche lui aurait pardonné, Ah, ces femmes, concluait Brandin[22].

Ah ! ce Malraux qui n'a de cesse d'infiltrer sa défaite, de rappeler, jusque dans ses chatteries fantasques, que de la différence sexuelle, on ne vient jamais à bout. Il la protège comme on sauvegarde une source d'inspiration, inexplicablement pure et polluée, intarissable. « L'homme et la femme appartiennent à des espèces différentes. Que penseriez-vous de l'auteur qui viendrait vous exposer les sentiments de l'oiseau ? Qu'il vous propose une déformation des siens. C'est ce que nous [les Chinois] pensons de l'écrivain qui nous parle de ceux des femmes[23]. » Il croira aimer Josette comme sa Galatée : elle attendait passionnément que la vie et les parures de la vie lui fussent accordées par André. Mais avec l'assistance d'Aphrodite. Car enfin, l'adorable créature dont Pygmalion lisse l'ivoire des genoux avec ses mains, si elle s'anime et le désire, c'est à la fantasque déesse qu'il le doit. André le sait-il, a-t-il jamais cru faire de Josette son œuvre à lui tout seul ? Il a rencontré une beauté tout apprêtée à qui ne manquait que la vie. Elle aussi connaît qu'elle est vivante grâce à l'amour. Mais lequel ? Celui d'André ou le sien ? Amour tout court : le petit compagnon de la divine Pourvoyeuse. Et le fruit aussi bien de la Fossoyeuse inlassable.

« Il n'est aucune de vos passions, écrit M. Ling à l'ami français, qui autant que l'amour caresse la bête, puis l'éveille[24]. » D'où le tourment. A peine éveillée, voici Josette à la torture. Son créateur si aimable a d'autres œuvres en cours. Sa statue à lui, peut-être ? Mais si pourtant, espère-t-elle, l'amour était partagé ? A ce sujet, le maître européen de *La Tentation* a sa doctrine faite. Il faut séparer l'amour partagé « de la volonté de conquérir une femme[25] ». Est-ce donc que l'on doit renoncer à signer l'ardeur quand elle est réciproque ? Cet amour-là est « une étrange forêt ». Forêt, bien entendu, mais son étrangeté… ? On n'y trace pas sa piste à force de projet. Nulle voie royale, on est plongé dans les sous-sols, et là « la sensibilité joue et souffre à son aise ». Aucun doute qu'André connut les affres de cette dépendance. Avec Clara dans les débuts, plus tard avec Josette. Il avait vingt-cinq ans et rentrait de la forêt khmère quand il entrevoit les enfers de la dépossession : « Joue et souffre à son aise, et, parfois, nous sépare, comme si, saturés de nos sentiments, nous ne pouvions plus les supporter[26]. » Amants excédés de leur servitude, sphères chargées d'électricité qui s'accolent et se rejettent, Malraux n'ignora pas cette haine de l'amour qu'il y a dans l'amour, l'épuisement de vouloir encore quand on ne veut plus rien.

Dans la courte lettre qu'il adresse à Suzanne Chantal en guise d'exergue au *Cœur battant*, où il s'efforce d'éviter les confidences sur ses rapports avec Josette et déplace l'accent sur la seule amitié de celle-ci avec Suzanne, ce mot pourtant lui échappe : que ces pages intenses, que les deux femmes s'adressaient l'une à l'autre avec une loyauté si constante, sont à l'amitié ce que furent à l'amour les *Lettres* de la religieuse portugaise. Nous n'avons, toi et moi, qu'une seule gorge pour deux, et nul ne peut le supporter longtemps. Ce qu'il y eut entre Josette et lui, la douleur, la pudeur et le dégoût du biographique le turent.

Mais en comparant son amour pour Josette à l'union infrangible des amies, l'amant confesse combien violente avait été leur communion à eux. La jeune femme ne marchanda jamais sa reddition à André. Il fut étourdi par l'appel qui lui venait d'une beauté si nue, si peu soucieuse de sa sécurité, au fond si humble dans sa splendeur. Elle ne songea jamais à s'égaler à lui et par là, sans le vouloir, lui fit sentir qu'il ne pourrait pas être son égal dans l'abandon. Il tomba dans une dépendance peut-être sans précédent, dont il avait besoin et qu'il détestait. Plus elle demandait à se donner, plus il résistait et accordait. Ils s'agencèrent en un accouplement d' « insectes qu'on tue sans pouvoir desserrer leur étreinte. Cramponnés l'un à l'autre comme les mourants se cramponnent au fer rouge de l'agonie[27] ».

En septembre 1936, entre deux séjours à Madrid, André harassé – « Je dors trois heures par nuit » – concède à Josette et à l'épuisement de longues matinées d'abandon dans leur chambre inondée de soleil, à l'Elysée Park sur le Rond-Point. Se croit-elle exaucée ? Il dort lové contre elle comme un enfant, elle le contemple, elle fait monter des brioches, le moka, il aura faim en ouvrant l'œil. Si l'on ne connaît pas ses grasses matinées, on ignore ce qu'il est. Les génies sont insomniaques ? Très bien, écrit-elle à son amie, André n'est donc pas un génie... Penchée sur le berceau de Florence rue du Bac, elle avait osé dire : « Moi aussi, je voudrais avoir un petit enfant comme celui-là. » Sur quoi, Clara, sèchement : alors, voyez plutôt Roland[28]. Impossible. Sa grande chair dorée et son âme plaintive, à qui d'autre qu'André pourraient-elles faire l'offrande de leur somptueuse détresse ? « Merveilleux d'ouvrir les écluses de soi-même devant quelqu'un qui prend tout, pour toujours[29]. »

En 1934, à l'hôtel du Théâtre-Français, déjà nue, elle tirait les rideaux, baissait les lampes, quand il surgit de la salle de bains. « Fermez les yeux », supplie-t-elle. Il rit : « Pourquoi ? La Vénus de Syracuse se laisse bien admirer. » Et ferme les yeux gentiment. Elle lui demandait s'il était vrai qu'elle ressemblât à Brigitte Helm. Oui, oui, mais dans le mode grave, vous êtes plutôt *La Nuit* de Michel-Ange, et dans le tendre, la *Pénélope* du Primatice[30]. Ténèbres, araignée qui tisse le retour : figures de l'épouvante, mais sublimées par l'art. Happé par son désir, il cherche à s'en relever en faisant d'elle une œuvre. Elle n'en avait pas besoin, étant par nature, dans son âme, une créature de l'art. Ce jeu la fait mourir de déception : elle donne tout, André se prête. « Mon amour, ma vie se passe en monologue

232

avec vous […]. Est-ce que, lorsque j'aurai soixante-dix ans, je risque de pouvoir vous téléphoner la nuit sans terreur et aller au cinéma, avec vous, le dimanche[31] ? » Elle n'aura jamais soixante-dix ans.

Cependant, avec Clara, les choses se défont immanquablement en une suite d'escarmouches pénibles, par la même raison qu'elles s'étaient faites : leur fraternité dans la culture, l'intelligence et l'intrépidité. Gide en ces années 30, qui tend une oreille indiscrète aux confidences de Clara et à ses doléances, tout en déclarant aux tiers l'épouse insupportable, lui dit un jour, rêveusement : vous avez une sexualité masculine. Elle se flattait surtout, comme un homme en effet un peu vain eût pu le faire, de ne pas céder le pas à Malraux. Elle l'avait suivi presque partout autant par défi que par amour, incapable d'aimer sans braver, comme pour lui signifier, et à la cantonade, qu'elle pouvait lui rendre des points, en tous propos, le risque et l'aventure, l'intelligence, le savoir et l'écriture. La volonté, surtout : Clara souffrait d'une ténacité sans merci, dans l'amour et dans la haine. Ce qui valut à Josette de ne jamais pouvoir épouser André : « Elle est mooorte ! » aurait claironné Clara publiquement en entrant dans la librairie des amis Trentin à Toulouse, lorsqu'en décembre 1944 elle apprit l'accident mortel qui venait d'éliminer sa rivale[32]. Et si la petite Florence ne dut qu'à l'énergie de sa mère de survivre aux poursuites de l'occupant et à la disette, elle dut aussi à son ressentiment d'être élevée dans une hostilité constante au père : la lettre anniversaire que celui-ci lui avait écrite en 1943 pour fêter ses dix ans, interceptée par Clara, ne fut connue de Florence que quarante-six ans plus tard[33]…

Au cours des années 30, Malraux accumule activités, initiatives, responsabilités de toutes sortes. Il sature ses journées à les faire déborder comme s'il avait à fuir quelque chose au-dedans : les livres, les meetings antifascistes, le petit tour chez la reine de Saba, la *NRF*, les expositions, les polémiques, bientôt l'Espagne, il est partout. Parfois, Clara vient à Madrid, en militante, féministe ou autre. « Je ne sais plus de combien de comités je fais partie[34]. » Le *Neu Beginn* avant tout l'accapare,

« nouveau départ », un petit groupe de réfugiés politiques allemands de tendance trotskiste où elle fait ses classes de clandestine, les faux papiers, les caches, les rendez-vous au fond du café près de la porte de la cour ou dans le troisième wagon d'une rame de métro. Sécurité française, Gestapo, Guépéou sont aux trousses des proscrits, ses sympathies affichées en Espagne pour l'anarchisme, les trotskistes, le POUM agacent le coronel qui essaie alors de se faire accepter par les staliniens. Corniglion-Molinier, logé à côté d'eux à l'hôtel Florida de Madrid, entend les Malraux s'engueuler tous les soirs.

Mais Clara est retenue à Paris par son bébé. Florence est née le 28 mars 1933, un an après la mort de Berthe, neuf mois avant le Goncourt. André-Garine disait : « Je ne veux pas donner de gages à la société. » En Suisse où ils se reposent un peu pendant l'été 1932, Clara l'entraîne un matin dans une pâtisserie et se met à avaler gâteau sur gâteau. « Qu'est-ce qui vous prend de dévorer de cette façon ? » Elle rit : « Puisque je suis enceinte depuis une heure[35] ! » Cette enfant, « c'est tout ce que vous vouliez de moi », ronchonne le monsieur par horreur de la reproduction et par vanité offensée. Quant à l'enfant, « elle a au moins fait quelque chose d'intelligent pour son début dans l'existence, c'est d'être une fille et non pas un garçon. Je n'aurai pas supporté une caricature de moi-même[36] ». Comme s'il jetait le mauvais sort sur les deux fils que Josette lui donnera : tués à vingt ans. Un peu ému pourtant, l'anti-père, en 1933, qui suggère qu'on prénomme l'« objet » Florence, en mémoire des grandes heures toscanes. Et Flo, en allemand, se dit la mère qui fond de gratitude, c'est : ma puce. Pour André, c'était le nom inverse, une floraison d'éclairages, de tons et de volumes si altière que les bestioles n'en venaient pas à bout.

Clara était une garçonne. Tandis qu'il écrivait *La Condition humaine,* en 1932, il lui avait lu la « scène de l'aveu », promise à la célébrité[37]. Le drame se situe à Shanghaï, avant l'aube du 21 mars 1927. Responsable des sections communistes armées, Kyo est à la torture : quelle est politiquement la ligne juste, déclencher l'insurrection contre Tchang ou suivre les consignes attentistes qui vont venir de Moscou ? May rentre de l'hôpital où elle exerce – sa compagne dans la lutte politique, sa femme dans l'amour partagé. Elle a « fini par coucher avec

Lenglen », un collègue qui la presse depuis longtemps : sans importance, dit-elle, et Kyo connaît sa droiture. « Un sentiment sans nom, aussi destructeur que le temps ou la mort, » le saisit pourtant et l'étouffe : « il ne la retrouvait plus[38] ». Suit une méditation solitaire sur leurs rapports : il l'entend, il est entendu d'elle, non pas, comme d'habitude, par le truchement de leurs oreilles, mais en direct par la gorge, comme on entend sa propre voix. Une autre grande « scène », celle du « repentir[39] », survient, le 11 avril vers minuit, en dénouement de la première : au moment de partir rejoindre l'insurrection, Kyo ferme la porte sur May, se refusant à l'exposer à être tuée avec lui. Il s'en va, se ravise, il revient sur ses pas en courant : « il ouvrit »...

« Les plus belles pages d'amour écrites ces dernières années pour une femme », avait déclaré André à son épouse, sans vaine modestie. Clara s'était indignée, et doublement[40]. D'abord, c'était du pillage, le texte s'inspirait, mot pour mot, de l'aveu qu'elle avait fait à André en 1925, au retour d'Indochine, de sa brève liaison avec G. En vérité, l'auteur, c'était elle. (Malraux, exaspéré, dira un jour à Alain : « Madame Clara a écrit tous mes livres[41]. ») Quant au fond, elle avait paru concéder : « Il a raison, nous entendons notre voix par la gorge, celle des autres par les oreilles. » Mais de la vraie question qui soutient le monologue de Kyo : s'il arrive qu'on entende l'autre par la gorge, et si l'amour est cela, Clara n'en sut rien. Une surdité qui la conduisait à conclure sans ambages : « Dans la scène de Kyo avec May, nous ne suivons que le chemin de l'homme. » Ce « suivisme », on l'a vu, la « suicidée » de Phnom Penh s'y refusait déjà dans son lit d'hôpital, alors qu'elle tenait ses « comptes » sous les draps. En faisant valoir ses droits d'auteur sur la publication de la scène de Shanghaï, elle persistait huit ans plus tard à dire non à la fusion avec l'autre que Kyo découvre au fond de soi. Désarmée, Clara ? Elle n'en avait pas idée.

En septembre 1934, ils revenaient tous deux par le Transsibérien de Novossibirsk, siège du nouveau complexe industriel créé par le régime. Un index posé sur la carte les yeux fermés leur avait assigné cette ville pour y épuiser leur réserve de roubles avant de quitter l'URSS. Après quelques jours passés dans une confortable maison de repos pour cadres, au pied du mont Altaï, les voici en tête à tête dans le wagon-lit du retour. Par la fenêtre du compartiment vide, moutonnait le troupeau des collines couronnées de bois. Clara était plongée dans un livre. – Qu'est-ce donc qui vous passionne à ce point ? – Laissez-moi finir. C'était *Commentaire*, de Marcelle Sauvageot. L'auteur vient de mourir, toute jeune, de tuberculose ; Charles du Bos a préfacé l'édition de ses textes en décembre dernier. André feuillette :

> Pourquoi me dites-vous : « Existe-t-il celui pour qui vous êtes faite ? » On dit à une femme : « Celui pour qui vous êtes faite », et à un homme : « Celle qui est faite pour vous » ; voit-on : « Celle pour qui vous êtes fait » ? L'homme est : tout semble avoir été mis à sa disposition… même quelque part dans le monde une femme à sa convenance, dont l'union avec lui préexistait à sa naissance[42].

Le train s'arrêtait en haletant quelque part dans la steppe. On faisait de l'eau, une baba longeait le ballast en offrant des paniers de framboises, des mendiantes mendiaient, des moujiks montaient dans le wagon d'à côté. André tourne les pages :

> Aimer, c'est pour l'un conquérir, pour l'autre, se soumettre… et tout le reste reçoit les noms vagues d'amitié, affection, dévouement…[43] ?

André claque le livre, le jette sur la banquette en face. – Evidemment, il est fait pour vous plaire. – Et pourquoi donc ? – Parce que c'est un livre plein de jugements. – Vous jugez bien les femmes, elles n'auraient pas le droit de vous juger ? – Vos perpétuelles revendications sont absurdes. – Vous êtes un Charles VII, bien servi et ingrat. – Dès que je vous aurai quittée, vous sombrerez dans le plus sordide Montparnasse. – Et vous, pensait-elle, dans la plus fate mondanité. – Du reste, trouve-t-il pour la déchaîner, je ne vous ai épousée que pour votre argent. – Marlou ! Clara trente ans plus tard raconta la scène à Alain : « Je l'ai traité de ça en le giflant ! Alors, il a été bien ; il m'a pris les poignets très fort en me disant : Ne soyez

quand même pas trop bête ! » Et toi Clara, s'enquit Alain perfide, il ne t'a jamais giflée ? « Avec une emphase cette fois
véritablement bouffonne, elle laissa tomber, un rien pompeuse :
Il n'aurait pas osé[44]… »

Ils se plaisaient ainsi à se haïr, ils s'en haïssaient mieux,
de se plaire à cela, de savoir de concert mettre en scène leur
exécration et de l'interpréter au plus juste. Il lui avait joué plai-
samment le rôle du bellâtre qui confesse sa dernière conquête à
la vieille amie, en revenant de la prendre à Marseille au retour
de Jérusalem. Dans le Transsibérien, ils exécutèrent à l'unisson
ce grand classique du répertoire des ménages, la scène de rupture.

Moins fatale en apparence, plus libertine et gaie, Louise
avait la curiosité d'un Clappique pour ce que les hommes (et les
femmes ?) tireraient d'elle. Ses amants innombrables furent
tous follement amoureux. Etait-ce qu'elle se prêtait sans
réserve à l'érotisme ? Elle avait en tout cas pour devise « Au
secours », que l'on grava selon ses volontés sur sa tombe dans
le parc de Verrières. Quel secours pouvait espérer, aurait pu
accepter un narcissisme si parfaitement inexpugnable dans sa
détresse même ? Ses amants ne tirèrent d'elle rien dont elle ne
sût déjà être capable. Elle n'apprit rien, elle fit des vers de mir-
liton, des olorimes, des palindromes, changea de mari comme
de raquette entre deux manches, accueillit le monde entier dans
son château. « Muscade, je passerai par le tamis de l'éternité.
J'aurai eu mes nuits dans la nuit des temps, dans son affreuse
obscurité. J'aurai dans le noir tendu mes bras, offert mes bras
aux chevaliers en veston. J'aurai fait comme les autres, ni plus
ni moins, mais comme je sais tout cela, j'aurai vécu et je mour-
rai vivante[45]. »

Tout le contraire de l'obsession d'André, qui vivait mort.
Comment put-il être séduit par un désespoir si blasé, si bien
niché dans une sagesse gaie ? « Louise, confesse-t-il à Gogo de
Karolyi, c'était une maladie[46]. » Laquelle, et qui en souffrait ?
« Je subis son charme, et elle devrait m'exaspérer[47]. » Enchanté
qu'elle sût si fort que tout est vain, excédé par sa frivolité, alors
qu'il était veuf de presque toute sa vie. Les mondanités déchaî-

nées au salon bleu de Verrières, tard dans la nuit, les dimanches, au milieu des adorateurs, le ton d'une Guermantes encanaillée, les « mots », les jugements littéraires sans appel, « c'est nul, c'est emmerdant comme tout », laissaient Lazare de marbre : « Développez, ma chère, développez. » Ce beau monde, qui se foutait de tout (tant qu'on ne touchait pas au portefeuille), jugeait le ministre pédant. Il était permis d'être n'importe quoi, sauf ennuyeux. Malraux n'était pas drôle, il avait des idées. Elle l'appelait « mon grand gisant[48] ». Sa mélancolie l'épouvantait, qui réveillait la sienne. « Je suis seule, étouffée, je demande grâce. Oh ! je ne croyais pas qu'il m'emmènerait vers ce désert-là. J'avais vu dans ses yeux d'autres promesses[49]. »

Que pouvaient promettre les yeux d'André à la coquette qui implorait du secours en souriant, sinon sa perte ? Louise s'éteignit en décembre 1969, dans sa chambre, d'un élégant arrêt du cœur, à la vue du héros déconcerté : « C'est la première fois que je suis confronté à une mort douce », confessait-il, habitué d'être au front quand on meurt à l'arrière. Le décès des femmes, naturel évidemment, et d'abord de sa mère, le guerrier n'y avait pas pensé. Gallimard publia quelques mois plus tard un choix de poèmes que Malraux préfaça. Il tentait de rendre hommage à la triste gaieté des ritournelles de Louise : prosodie, écrit-il, « née du passage d'une voix qui parle à une voix qui se tait », « conscience de l'éphémère », le ton de Louise était, décidait-il, celui de Heine. Tout du pareil au même, dit la chanson des pauvres : « Louise, plaisantait la poétesse, est mon nom de guerre lasse. » André fit donc un Tombeau à la fatigue de plaire et de se plaire à tout sans croire à rien. Elle boitait un peu, comme la reine Balkis, elle était belle, une star inconsolable. C'est ainsi qu'il l'aima.

L'effluve d'érotisme et de libertinage, dont elle l'avait empreint en 1933, l'étourdissait encore, trente ans après, tendrement fané. Il avait été moins curieux que Louise des possibles sensuels, des voies inconnues que la jouissance peut s'ouvrir dans les corps et les âmes ; mais surtout pour elle, ces jeux étaient de toute nécessité, comme l'écriture leur cousine : seuls moyens de tuer le temps de sa vie morte. Cependant que dans la théologie ou l'a-théologie de Malraux, l'érotisme avait toujours signifié la sauvegarde de soi, un refus de se perdre dans la communion amoureuse.

« La pensée qui s'applique à élucider une femme, explique Gisors sentencieux à Ferral, a quelque chose d'érotique. Vouloir connaître une femme, n'est-ce pas, c'est toujours une façon de la posséder ou de se venger d'elle. » Ce que l'Européen conclut, non moins poseur : « L'homme peut et doit nier la femme[50]. ». La femme, nom générique pour la chose qui, sous l'apparence humaine, réveille l'abjecte envie de vivre et de proliférer, et l'assouvit par le moyen des mâles. Alors « l'homme », qu'habite aussi la concupiscence, s'efforce d'en faire subir toute la dévoration à sa seule partenaire. Il ne jouit pas d'un plaisir spontané, mais de démasquer la vérité de l'autre : la belle créature quelconque vaincue par le délice se tord comme un ver que la bêche a coupé dans la terre. En cette section, en ce coup et cette coupe, se déclare son être d'homme : cela qui signe.

Mais qui signe sa séparation, sa phobie de la différence. Un misérable agité par la même diablerie qu'il excite en la femme pour la détruire, un mâle sans objet, sans autre amour que de soi. « Son plaisir jaillissait de ce qu'il se mît à la place de l'autre, c'était clair : de l'autre contrainte, contrainte par lui [...]. Sa volonté de puissance n'atteignait jamais son objet, ne vivait que de le renouveler [...]. Il posséderait, à travers cette Chinoise qui l'attendait, la seule chose dont il fût avide : lui-même[51]. » Ces messieurs sont des puissances clivées, tendues entre la fantaisie de dominer le sexe et l'angoisse de lui être soumis. Quant à l'autre, elle n'est pas toujours la-Chinoise-qui-attendait. « Une femme est *aussi* un être humain, proteste Valérie. Je me refuse à être un corps autant que vous un carnet de chèques[52]. » Reproduction du capital et sa jouissance : le sexuel siège à la banque comme il couche dans nos lits. Ferral *est* un carnet de chèques, il pèse son poids de fric boueux, mais il le signe. Sur le corps qu'elle est, Valérie entend aussi avoir la signature.

Son « être humain » tient ses comptes et entend toucher les intérêts de ses placements : telle est la signature qu'on a, qu'on peut avoir, et qu'on réclame comme Clara. Affaire de droit de propriété, cet *habeas corpus*, selon Malraux. Les amants infernaux, édéniques, les vrais, oublient leur quant-à-soi, l'amour n'est signé par personne, la différence sexuelle se devine à ce paraphe qui manque. Seule l'ingénuité d'un jeune mâle a pu lui suggérer de maîtriser la libido à la façon de Perken au bordel somali : « La patronne avait poussé vers Perken une fille toute jeune qui souriait. / " Non, dit-il ; l'autre, là-bas. Au moins ça n'a pas l'air de l'amuser[53]. " » L'indifférence affichée par l'objet, sa frigidité ou sa peur, va décupler, croit-il, le plaisir de le soumettre à ses manœuvres érotiques. La permission de violer la fillette, obtenue par l'argent, se solde pourtant par un fiasco[54]. *La Voie royale* s'ouvre sur cet adieu forcé à la perversion ingénue des lupanars, et l'aventure qui suit – Perken creusant sa trace dans le corps de la femme-forêt – s'achève aussi sur un four complet. La leçon que la différence sexuelle administre aux libertins de Malraux est constante : qui veut jouir du beau sexe en maître se découvre l'esclave de lui-même ; qui ne songe qu'à forniquer perd jusqu'au pouvoir de toucher l'autre.

Imagine-t-on éviter ces déboires en inversant les rôles, en laissant la Fossoyeuse vous dévorer ? L'abject, après tout, est tentant. N'être qu'objet à passades, un corps de passe, indifférent aux signatures, se laisser signer n'importe comment et par n'importe qui ou quoi, peut-être est-ce aussi fort que de vouloir signer... Une forme du suicide ? Sans doute, et de la survie. On n'en est plus à faire des chèques, faute de provision, on est à découvert, on joue à la roulette. On « mise » ses derniers sous sur le hasard. A ce jeu-là, Clappique laisse passer l'heure d'avertir Kyo que la police de Tchang va le cueillir. Soûlé d'irresponsabilité, le baron passe devant un bar de prostituées, encore, mais pour se dire : « Je suis comme les femmes qui ne savent pas ce qu'un nouvel amant tirera d'elles. Allons nous suicider avec celle-ci[55]. » Dans l'abandon au « Qu'importe ? » gît chez le mâle amateur de putains un secret désir d'inversion. Alors même qu'un Ferral prétend tirer de « la-femme » l'assertion de son identité conquérante, n'est-il pas *dévoré* déjà par l'avidité de connaître ce que « celle-ci » va pouvoir faire de lui ?

Sous un régime ou sous un autre, actif ou passif comme

on dit, le contrat érotique se signe avec soi seul. L'entreprise vient toujours de la même question et y retourne sans réponse : qu'en est-il de moi quant au plaisir ? Question maudite entre toutes, selon Malraux. S'il existe une issue à l'autisme occidental, elle se perce dans le sous-sol de la prison du moi, en deçà de ses yeux, loin de ses oreilles, elle passe par la gorge.

Récurrent tout au long de l'œuvre de Malraux, le motif de la gorge s'exprima tôt, dès 1929, et sous un aspect inattendu : à propos du roman moderne et de sa réception, quand l'écrivain répondit des *Conquérants* devant l'Union pour la vérité. « Depuis que la chrétienté a disparu en tant qu'armature du monde, le romancier, après le philosophe, est devenu un homme qui propose – qu'il le veuille ou non – un certain nombre de modes de vie ; et qui les propose en fonction d'un élément irréductible étroitement lié à la création littéraire, en fonction d'une dimension particulière qui n'existe pas dans la vie[56]. » Dépouillée de l'autorité que lui conférait la foi commune en Dieu ou dans l'Homme, l'écriture littéraire se soutient de ce que Malraux, six ans plus tard, commentant *Les Nouvelles Nourritures*, nommera une « obsession particulière » : matrice à peine consciente sur laquelle se moulent obstinément les impressions et les expressions d'un écrivain et qui donne à son écriture sa singularité secrète.

Dès lors, quel écho l'œuvre issue d'une telle séparation peut-elle trouver chez les lecteurs ? « Nous entendons notre voix avec la gorge et la voix des autres avec les oreilles[57]. » Chacun donc n'est-il pas incarcéré dans l'incommunicable ? Au contraire, la lecture peut opérer ce miracle : « à travers les faits biographiques », en deçà d'eux, nous prenons conscience du personnage « comme nous prendrions conscience de nous-mêmes[58] ». Ecrite intensément, exigeant d'être lue avec passion, l'histoire d'un héros, aussi étrangère à nous-mêmes soit-elle, nous parvient par la gorge. La littérature (comme l'art) tient sa souveraineté, comme dira Bataille, de faire partager ce qui n'est pas partageable. Est-ce une issue heureuse à la schizophrénie ? Celle-ci persiste, intraitable, qui dit adieu au lecteur. La solitude représentée dans l'œuvre est cela même qui touche le lecteur enfermé dans la sienne. Celui-ci entend bien l'histoire du héros comme la vie d'un autre ; dans cette rumeur, une voix silencieuse se fait pourtant écouter du lecteur, celle de sa propre angoisse.

Est-ce même une voix ? Dans ce texte précoce, l'étrange communication apporterait une « prise de conscience »... Comment le geignement de ma gorge engouée, mêlé au tien, peut-il donner prise à une connaissance ? En 1956, *Les Voix du silence* parlent moins obscurément : « Nous savons que l'homme ne prend pas conscience de lui-même comme il prend conscience du monde ; et que chacun est pour lui-même un monstre de rêve. J'ai conté jadis l'aventure d'un homme qui ne reconnaît pas sa voix qu'on vient d'enregistrer, parce qu'il l'entend pour la première fois à travers ses oreilles et non plus à travers sa gorge ; et, parce que notre gorge seule nous transmet notre voix intérieure, j'ai appelé ce livre *La Condition humaine*[59]. » On comprend que le soi dont la « voix intérieure » éveille la conscience est un monstre ; que la conscience qu'on en a n'est pas une connaissance objective ni subjective ; et que le plus intime en nous, quand il est présent, est aussi le plus étranger. Séparés de nous-mêmes autant que des autres, il faudrait dire : hantés. En 1929, Malraux proposait : obsédés.

En 1974, Lazare se souvient : « J'ai mis en scène un personnage (lequel ?) qui entend un phonographe émettre sa voix enregistrée, et ne la reconnaît pas. L'expérience aujourd'hui banale n'a pas perdu sa force de symbole. Les hommes entendent toujours leur voix avec la gorge, et celle des autres avec les oreilles[60]. » L'impartageable encore, mais la question de son partage se pose, à l'irréel : « Si nous entendions une autre voix que la nôtre avec la gorge, nous serions terrifiés. » Horreur presque mystique. Comment savoir que la gorge est d'un autre si le râle de gorge est commun ? On ne sait pas, mais l'Augustin des *Confessions* ou la Thérèse d'Avila discernent un autre ton, tant bien que mal, qui vient s'unir à leur lamentation. Et la noce inaudible porte alors le nom de grâce.

1933. Dans une ruelle de Shanghaï, en pleine nuit, Kyo marche auprès de Katow, tous deux muets. « Oui, se dit Kyo, sa vie aussi, on l'entend avec sa gorge, et celle des autres ?... Il y avait d'abord la solitude, la solitude immuable derrière la multitude mortelle comme la grande nuit primitive derrière cette nuit dense et basse sous quoi guettait la ville déserte, pleine d'espoir et de haine. » L'immense ténèbre au ciel et sur la terre des hommes, où chacun est égaré, qui appelle sans écho. « Mais moi, pour moi, pour la gorge, qui suis-je ? Une espèce d'affirmation absolue, d'affirmation de fou : une intensité plus grande que celle de tout le reste. Pour les autres, je suis ce que j'ai fait[61]. » Lazare atterré au fond de son vertige y discerne ce « je-sans-moi », qui résiste au passage fatal[62]. Le moi joue sa biographie sur la scène du monde, parade, parodie, mort éloquente ; à l'intérieur, sous les planches, un je persiste, bestialement, reste là. Affirme quoi ? Rien : qu'il y a ... Qu'il y a du reste.

Expérience ontologique, un sentiment de l'être que l'homme n'éprouve pas, réprouve ; mais à qui l'inhumain en lui dit oui. Ce qui n'est pas pragmatique est-il communicable ? « Pour May seule, il n'était pas ce qu'il avait fait ; pour lui seul, elle était tout autre chose que sa biographie. L'étreinte par laquelle l'amour maintient les êtres collés l'un à l'autre contre la solitude, ce n'était pas à l'homme qu'elle apportait son aide ; c'était au fou, au monstre incomparable, préférable à tout, que tout être est pour soi-même et qu'il choie dans son cœur. » Grâce au discours indirect libre, Malraux mêle la voix de la femme au soliloque de l'homme, et la sienne à la leur. L'épreuve de l'amour « n'était certes pas le bonheur, c'était quelque chose de primitif qui s'accordait aux ténèbres et faisait monter en lui une chaleur qui finissait dans une étreinte immobile, comme d'une joue contre une joue – la seule chose en lui qui fût aussi forte que la mort[63] ».

L'amour, coït de larves, fait bruire la vérité de l'être. Une gorge s'ouvre en tranchée dans l'existence humaine par où passe, venue de la fosse commune, la plainte muette des bestioles asservies à la redite. La déploration reste inouïe. « Les avions de chasse italiens foncent sur nous devant les grands viseurs de l'époque. Je commence à tirer ; le viseur est furieusement secoué, un chahut d'enfer emplit la tourelle de l'avion. » Voici pour le théâtre. Et, quant au monstre incomparable, « une fourmi parcourt nonchalamment le viseur à travers lequel je tire sur les Italiens qui me mitraillent de leur mieux :

les fourmis sont sourdes. / D'une certaine façon, les hommes aussi[64] ».

La communion n'a de chance d'advenir que de cette surdité bestiale, mystagogique. Elle fait exception à l'interlocution, au discours. « J'avais écrit que tout homme entend la vie des autres avec les oreilles, mais non dans la fraternité ou dans l'amour[65]. » En guise de scène initiatique, voici des soldats ennemis, allemands et russes, qui se cramponnent les uns aux autres, s'agencent en monstres titubants, illisibles dans la nappe putride des premiers gaz de combat, tout à fait sourds : sur le front de la Vistule en 1916, la forêt de Bolgako se décompose en cloaque archaïque, le Fléau réduit la guerre des hommes à une convulsion de larves[66]. Fraternelle ici, amoureuse ailleurs, la même syncope cabre l'être humain à proximité de l'immonde, sans parole.

(Communion comparable – s'il m'est ici permis de comparer – à l'animalité extatique et nocturne à quoi vise « l'expérience intérieure » de Bataille. Malraux rend à celui-ci, en 1958, un hommage rapide, étincelant : « Je tiens Georges Bataille pour un des vrais écrivains de ce temps, et l'auteur de quelques-uns de nos meilleurs textes sur l'art[67]. » Chez les deux écrivains, la résolution de voir dans les ténèbres, la conviction que le moi et le discours interdisent la communication vraie, que celle-ci n'advient qu'à l'expérience de l'extrême, aux confins du spasme, à l'agonie, le sens du sacrifice sans retour, donnent à leur intelligence respective du nihilisme, toute différente qu'elle soit par le ton et par le mode – je pense au sort fait à l'action ici et là –, une conséquence analogue : l'inhumain seul, abject et innocent, et non pas le surhumain, peut accomplir le meurtre de Dieu parce qu'il se nourrit de la putréfaction de son cadavre.)

Est-il bien nécessaire de trancher si l'amour ou la fraternité l'emporte, pour Malraux, en violence communielle ? S'il le fallait, ce serait peut-être à l'avantage de l'amour. La fraternité est dite virile parce qu'elle est éprouvée au combat, serait-ce par des femmes. Il y a une clarté stupide, une stupéfiante évidence, des combats. Guerre ou engagement politique, on y monte en première ligne, et Malraux ne manque pas de s'y faire voir. Colonialisme, fascisme et nazisme, franquisme, démocratisme avili, stalinisme, c'est toujours le même ennemi : le mal qui dans l'homme veut soumettre et humilier l'autre, le forcer à la bassesse, une méchanceté qui, cette fois, fait front, au titre de quelque cause fallacieuse. On l'affronte donc, sur la scène du monde.

Dans l'amour, l'ennemi ne s'avance pas de face. Il occupe déjà la place, immanent à la passion, masqué sous la tendre tyrannie du désir. Le sexuel est innommable, l'innommable peut-être. Sa menace du moins symbolise toute expérience intense, celle du combat d'abord : « Aucun nom ne désigne le sentiment de marcher à l'ennemi, et pourtant, il est aussi spécifique, aussi fort que le désir sexuel et l'angoisse[68]. » L'épouvante que Lazare découvre sous les décombres du moi-qui-meurt se désigne, on l'a lu, de la même comparaison : indépendante de toute peur « comme la sexualité indépendante de tout objet (mais non de nous-mêmes)[69] ». Les chars d'Hitler ou de Franco s'avancent en vagues ou en convois comme des scorpions qu'on voit, qui tuent. Leur force gît pourtant au ventre du combattant qui les affronte. La même force qui désarme l'homme en mal de femme ?

On peut détruire des tanks, la volonté peut signer ses victoires, se les approprier, s'en faire gloire. Et s'oublier ainsi comme fille d'Eros. Mais la chose au-dedans, au-dessous, aura-t-on jamais assez « fait » l'amour pour qu'elle crève ? « Tout corps qu'on n'a pas eu est un ennemi[70] », confie Perken à Claude : il vient exciter la bassesse, raviver la sujétion au sexe. Au bordel de Djibouti, le fiasco n'était pas dû à l'impuissance, il était le symptôme de la défaite *a priori* qui attend le conquérant libertin : « Toutes les femmes que j'ai manquées […]. On n'imagine pas ce qu'il y a de haine du monde dans le " une de plus "[71]. » Epouvanté par sa faiblesse, Don Juan comptabilise ses victimes comme autant d'insectes anéantis. Ils renaissent, il meurt châtré.

En 1939, Malraux publie « Laclos et *Les Liaisons dangereuses* » dans le *Tableau de la littérature française* dont il avait suggéré le principe dix ans plus tôt à la *NRF* : un écrivain d'aujourd'hui s'aboucherait, en toute liberté, c'est-à-dire selon son

« obsession », à un écrivain d'hier saisi selon la sienne. Aucun académisme, on ferait de l'écriture gorge à gorge.

L'argument du *Laclos* tient en deux phrases : « Toute psychologie, toute expérience viennent de l'homme ressenti comme un mystère. Toute mythologie est une victoire sur ce mystère[72]. » Héros est le vainqueur : il ne supprime pas le mystère, il le « dévalorise ». Valmont et la Merteuil sont des héros. Ils entendent soumettre l'énigmatique désir sexuel à leur mythologie, à la représentation qu'ils se forment d'eux-mêmes : se rendre maître du sexe, précisément. *Les Liaisons* exposent la fable d'une volonté qui se veut elle-même en contraignant le désir. L'érotisme naît de la contrainte. Il s'intensifie du fait que et la stratégie qui commande l'intrigue et l'axiomatique des passions que les manœuvres mettent en jeu sont exposées sans fard au lecteur par le moyen des lettres : celui-ci jouit en voyeur d'avoir tout le dossier étalé sous ses yeux.

Malraux pourtant brouille un peu ce diagramme. Laclos n'aurait écrit, soutient-il, que l'histoire d'une femme fortement décidée à faire cocu l'amant qui l'a quittée « si le livre n'était que l'application de la volonté à des fins sexuelles. Mais il est tout autre chose : une érotisation de la volonté. Volonté et sexualité se mêlent, se multiplient, forment un seul domaine […]. La volonté devient […] une composante du domaine érotique du livre[73] ». Voici le psychique et le mythique confondus dans une embarrassante connivence, comme si la volonté de maîtrise tombait au rang d'une formation du désir et que la mythomanie – ou, plus grave, la mythopoïèse, la création – était le jouet du sexuel alors même qu'elle prétend se jouer de lui.

La plume de Malraux suggère à deux reprises cette lecture très sombre (qu'il republie en 1970, avec les essais non moins nocturnes sur Saint-Just et Goya, sous le titre commun *Le Triangle noir*) quand il situe Laclos parmi ses héritiers, d'abord : « On perdra cette belle confiance en la puissance de l'esprit sur la vie […]. L'intelligence qui, dans *Les Liaisons*, ne s'oppose somme toute qu'à la bêtise (ou à la vertu) finira par rencontrer chez les Mères un plus redoutable ennemi[74]. » Et dans la conclusion, cette conjecture encadrée par deux alinéas : « Ce n'est peut-être pas par hasard que le *dernier* meneur du jeu est une femme[75]. »

L'héroïne du vouloir qui s'exerce comme Loyola à maîtriser plaisirs et souffrances n'est pas la vraie meneuse. On sait de reste que la Merteuil succombe à la jalousie amoureuse, jusqu'à vouloir périr, quand elle voit Valmont épris de sa victime, la Présidente. De ces faiblesses répétées, Malraux ne tire pas la moralité attendue, que l'amour sort vainqueur des conflits de vanité parce qu'il est rebelle à tout calcul. Non, ce qui fait défaillir l'orgueil militaire des décisions n'est pas un cœur trop tendre. Le fils de Berthe y entrevoit l'effet de la chose anonyme qui contraint tout à naître et à périr : le déjà-dit fatal des Moires, le dernier mot des Mères (du second *Faust*) et leur premier, indifférent aux entreprises. Merteuil n'est pas la meneuse du jeu, elle est aussi tenue par ça – le monstre de fond.

NOTES

1. Chantal, 49-50.
2. *Ibid.,* 50-51.
3. *Ibid.,* 58.
4. *Ibid.,* 51.
5. *Ibid.,* 41-43.
6. Clara 4, 210.
7. *Ibid.,* 208.
8. *Ibid.,* 210.
9. *Marronniers,* 335.
10. Clara 4, 164-169 ; *Revue contemporaine* (1951).
11. *Louise,* 79-80.
12. *Ibid.,* 93-94, 85.
13. Chantal, 40.
14. *ML,* 30.
15. D'Astier de la Vigerie, *L'Evénement* (septembre 1967).
16. *Louise,* 69.
17. *CH,* 594.
18. Chantal, 66.
19. Friang, 164.
20. Chantal, 42.
21. *ML,* 10.
22. Friang, 162-163.
23. *TO,* 78.
24. *Ibid.,* 76.
25. *Ibid.,* 99.

26. *Ibid.*
27. *ML*, 911.
28. Clara 4, 207.
29. Chantal, 80.
30. *Ibid.*, 59, 60.
31. *Ibid.*, 81, 83.
32. *Marronniers*, 367.
33. *Ibid.*, 343-344.
34. Clara 4, 218.
35. *Ibid.*, 178.
36. *Ibid.*, 207, 180.
37. *CH*, 541-549.
38. *Ibid.*, 546.
39. *Ibid.*, 654-660.
40. Clara 2, 270.
41. *Marronniers*, 43.
42. Sauvageot, 61.
43. *Ibid.*, 71-72.
44. Clara 4, 275 ; *Marronniers*, 332, 337.
45. *Louise*, 304.
46. *Ibid.*, 83.
47. *Ibid.*, 284.
48. *Ibid.*, 287.
49. *Ibid.*, 300.
50. *CH*, 676-677.
51. *Ibid.*, 682.
52. *Ibid.*, 670.
53. *VR*, 372.
54. *Ibid.*, 413.
55. *CH*, 693-694.
56. *OC*, 287.
57. *Ibid.*
58. *Ibid.*, 288.
59. *VS*, 628.
60. *ML*, 926.
61. *CH*, 548.
62. *ML*, 889.
63. *CH*, 549.
64. *ML*, 634.
65. *Ibid.*, 926.
66. *Ibid.*, 850-868.
67. *La Ciguë* 1 (1958).
68. *ML*, 241.
69. *Ibid.*, 892.
70. *VR*, 413-414.
71. *Ibid.*
72. *TN*, 43-44.
73. *Ibid.*, 48.
74. *Ibid.*, 31.
75. *Ibid.*, 48.

14

ENTRECHATS

A la nuit tombée, la clé tirée d'une poche, et glissée dans la serrure de la petite porte de derrière, une main aveugle s'avance en direction de la lampe basse posée à droite sur le vieux coffre à bois et fait éclore faiblement un coin de la cuisine comme une ombelle. On retire sans bruit ses souliers, on dénoue sa cravate. Se verse-t-on un verre silencieux, s'assoit-on à contempler la volute fantaisiste d'une dernière cigarette posée au bord d'un cendrier ébréché, qui se pavane ? On se laisse baigner par les parfums d'épice émanant du placard et le relent du civet d'hier soir. Venus d'un peu plus en arrière, l'acidité des laitages passés, l'arôme beige flottant autour des ceps remisés dans la souillarde prennent la liberté de vous humer aux narines comme des bêtes amies pour se faire reconnaître et vous identifier.

Il prête l'oreille déjà au léger souffle depuis le fond du couloir, qui patiente après lui dans la chambre à coucher. Il se glisse en souplesse auprès de la chose de pulpe, animale, végétale, abandonnée au désordre immobile du sommeil, opalescente au fond de son terrier de couvertures. Modeste fabrique de chaleur destinée à sa propre conservation durant la traversée des ténèbres, elle ne laisse pas d'envelopper dans son climat le dur corps, froid, épuisé, le vôtre, qui vient se ranger auprès d'elle et lui fait tourner ses fesses ou ses seins vers vous en bredouillant. Un homme rentre chez soi. Un enfant peut dormir à côté et des photos d'autrefois attendre au mur qu'on les honore. Il y a du temps de reste et du sursis à la fatigue. Pas besoin de se grimer comme Ulysse en mendiant pour déjouer des prétendants. Il n'y a pas d'ennemi dans la demeure de l'homme, elle donne, elle tire de lui une vérité plus ancienne que ses guerres, une paix jamais prise en défaut par les désordres.

Telle était l'offrande que Josette tournait vers lui : mas de Vernet pendant l'été 1937, villa de Roquebrune sur la Côte en 1942, château de Saint-Chamant de Corrèze en 1943 et 1944, autant de girons qu'elle lui ouvrait. Ce fut apparemment en vain. Il ne supportait pas d'être accueilli. Il s'abhorrait en petit garçon que la mansuétude des femmes absout le soir de ses bêtises du jour. Il n'habitait pas, disait-il, il était de passage ici et là. Il emporta partout sur soi son rasoir, son revolver, ses cigarettes et son stylo, les armes, les jouets de l'évadé. Non qu'il fît du vagabondage un principe, à la manière d'écrivains ou d'artistes entichés de chambres d'hôtel ou de meublés et vivant d'un quignon, croyant ainsi soustraire leur existence au poids de la résidence bourgeoise. Il avait une préférence pour le somptueux, au contraire, comme certains parvenus. Cette villa de Roquebrune, et même Saint-Chamant, pendant la guerre, et par la suite l'hôtel particulier de Boulogne, et puis le pavillon de la Lanterne dans le parc de Versailles à lui cédé par le Premier ministre, ou le manoir Vilmorin à Verrières où il trouva refuge à la fin – toutes demeures qui l'hébergèrent tour à tour, parfois longtemps, n'inspiraient pas, qu'on sache, la commisération. Le fugueur en cavale apportait toujours le dernier soin à son vêtement, autant qu'il se pouvait : le ministre s'habillait chez Lanvin. Et s'il prit tôt coutume de déjeuner au restaurant comme les voyageurs de commerce et les prolos, les tables où il avait ses habitudes furent vite parmi les plus fines de Paris.

Cependant cet élégant pouvait vivre huit jours en combinaison d'aviateur et le gourmet se nourrir d'un bout de fromage sur du pain quand il tournait son film dans l'aride montagne catalane assiégée par l'ennemi, sans broncher. Prisonnier de guerre au camp de Sens, où la ration fut pauvre ou nulle et où les hommes couchaient sur le sol sans abri, aucun signe ne lui échappa qu'il souffrît de cette condition. Il mit même quelque ostentation à manifester son endurance. Mais à bien chercher, quel mérite avait-il à cela ? Après quel confort perdu, après quelle demeure aurait-il pu languir ? Le tabac et le vin, pouvoir sortir et disparaître, là était son vrai chez-soi. Il pourra s'arranger du régime de la caserne à Provins, la règle militaire tolérant les dérogations. Mais prisonnier à Sens, tout lui manqua d'un coup, alcool, cigarettes, et un mur qu'on pouvait sauter. Restait son passe-partout, le stylo. Et à trouver du papier. « Ici, écrire est le seul moyen de continuer à vivre[1]. » Ce qu'il avait déclaré à Clara en quittant l'Indochine.

Il s'évadait par la plume avant de s'évader tout court. Sans quitter sa place, il la transfigurait en écrivant. Le *Lager* de Sens devint un « camp de Chartres » pour *Les Noyers*. L'imaginaire surclassa l'exactitude réaliste. Faux témoin, la littérature était plus vraie qu'un mémoire. Si demeure il y eut, elle était celle-ci qui se compose et s'abolit au fil de la plume, jamais fixée au sol. Domiciles, adresses firent office à l'oiseau d'étapes dans sa migration, d'occasions pour prendre l'air. Pris en otage dans les cuisines, les lits, les bras, dans l'encombrement des sommeils comme dans des cachots, il ne pensait plus qu'à filer. Armé à la légère, *expeditus*, dormant d'un œil, il refusait à son corps émacié, « trop grand pour sa taille », disait-on, le repos et la réparation domestique.

L'hospitalité qu'on lui donnait ici et là alertait sa terreur du piège à glu. Un lit de camp faisait l'affaire, et dans son sac, deux ou trois fétiches indiens, océaniens, un petit Braque, pour tout avoir. Calendriers, cartes, journaux, il feuilletait l'immense catalogue des noms du monde et se fixait, en chacun d'eux, l'entreprise d'une enquête à mener sans tarder et *de visu*. Lawrence aussi eut « la passion des cartes » autant que des reliques médiévales. Il fallait qu'il aille voir. A vingt ans, il sillonna l'Angleterre et la France à vélo (280 km par jour, note André effaré, qui ne maniait que la crosse des revolvers) pour prendre des clichés de poteries anglo-romaines, de châteaux forts et des empreintes de gisants[2]. En cours de route, Malraux classait et épinglait ses clichés. C'est pourquoi tous ses livres furent des albums d'instantanés pris au vol, choisis pour leur intensité et propres à se laisser composer. Cadrer, découper, monter, c'était l'ouvrage d'un grand reporter, le rapprochement saisissant de plusieurs faits obtenu par l'ellipse. Puisque « l'objet de l'art » n'était plus de « détruire le fait » au bénéfice d'un monde fictif créé par la métaphore (où le reportage ne pouvait avoir ni fonction ni valeur), si l'art recherchait à présent « le rapprochement elliptique non de deux *mots* mais de deux faits », alors « cinéaste et reporter retrouvaient leur force, et c'était la même[3] ».

On ne trouve dans l'œuvre aucune de ces pauses intimistes, aucun de ces longs plans, qui donnaient leur *tempo* de langueur aux récits de Gide ou de Proust, de Mauriac, de Martin du Gard. A part les chambres où l'on veille la dépouille d'un fils ou d'un père mort, ce ne sont qu'esquisses de rues, de déserts, de forêts, de montagnes et de nuit sidérales : projets de monuments à la solitude, hâtivement pochés pour rappeler la vanité d'agir, les flashes d'un *memento mori* dont les oraisons funèbres vinrent plus tard déployer la pompe. Les seuls « intérieurs » déchiffrables dans les romans sont ateliers d'artistes, bibliothèques d'intellectuels, salles de colloques, fumeries et cafés, lieux de rencontre pour militants, boîtes aux lettres de clandestins, bureaux improvisés de commissaires politiques. Dans la maison de Gisors à Shanghaï, on fume, on parle d'art, on passe pour prendre et laisser des messages. Le fils et la belle-fille s'y rencontrent, amants plutôt qu'époux, combattants qui mettent à l'épreuve leur engagement dans la révolution bien plus qu'enfants de la famille se retrouvant chez eux.

« Petit rapace hérissé, à l'œil magnifique [qui] venait se poser au bord de ma table sous ma lampe[4] » : artiste de l'ellipse, oiseau de haut vol, long-courrier, ce portrait qu'il mit tout son soin à parfaire n'offre pourtant qu'un aspect du personnage. A s'en laisser accroire par lui, on conclurait qu'il avait pour vocation le célibat, un monachisme soldat à la manière de Lawrence.

Il l'avait conçu ainsi d'abord. Echappé de Bondy à dix-neuf ans, il s'était posé avenue Rachel dans un petit meublé montmartrois, l'avait quitté peu après pour une chambre au Lutetia, bientôt laissée en faveur d'une garçonnière rue Brunel, à la porte Maillot. Ici ou là, même absence de femme, même frugalité d'étapes où l'on fait halte sans habiter, table, sommier, matelas en guise de pressing à pantalon, le café du matin pris au zinc d'en bas avec le populaire, dont il aima toujours la blague et la mélancolie. La vraie vie était dispensée au-dehors, à traquer dans Paris les merveilles venues s'y déposer depuis le monde entier et celles qu'on y était en train d'inventer.

Insouciant de sa sécurité, il avait exposé son regard, et tout son corps, à l'épreuve du plus intense. Octroyer leur violence aux choses écrites ou peintes, aux situations, aux rencontres, exigeait une physiologie asséchée par des extases brusques et la fatigue. Lui concédait-il quelque répit, un peu de domicile, c'était pour mieux l'aguerrir. « On l'eût cru destiné à entrer dans une de ces confréries de distraits qu'on appelle les intellectuels, si chacune de ses passions n'eût été liée à une activité[5]. »

Paris avait alors été tout le territoire offert à sa concupiscence. Quand Clara lui avait annoncé qu'elle partait pour Florence, il avait sauté prestement dans son coche pour aller voir ailleurs. Il avait cru étendre son horizon, il épousa la fille étourdiment, qui le nicha chez sa mère au retour d'Italie. On sait comment ils s'étaient ébroués de par l'Europe et jusqu'en Extrême-Orient. Mais même une fois bannis de la maison Goldschmidt avenue des Chalets, un hasard troublant avait fait qu'à chaque retour les oiseaux migrateurs avaient trouvé abri auprès des dames Lamy, d'abord à Montparnasse, boulevard Edgar-Quinet, où elles avaient déménagé après avoir vendu l'épicerie de Bondy, et puis boulevard Murat, à la porte de Saint-Cloud, dans un ensemble bon marché. On aurait dit qu'ils comptaient sur les mères pour leur donner protection, et parfois même pension quand ils crevaient de faim. Mais ils ne restaient jamais longtemps.

On avait vu le cas qu'ils faisaient de leur « demeure » quand, après le succès des *Conquérants* et de *La Voie royale*, ils avaient pu prendre pied rue du Bac en plein Paris rive gauche, entre Gallimard et Grasset. L'appartement spacieux, très Saint-Germain, était resté à peine meublé : quelques œuvres d'amis aux murs, quelques pièces rapportées d'Orient sur les cheminées, un sofa où Clara tenait salon (en exhalant son amertume contre l'ingrat), le moïse de Florence dans un coin, et la table d'André dans l'entrée regardant la porte palière. Avant la naissance de l'enfant, ils avaient continué de s'expédier vers les contrées lointaines, la Perse encore en 1930, le tour du monde en 1931. On les avait vus plaisanter, se taire d'admiration, se disputer tout en sautant de cabines en compartiments, de taxis en camions, secoués dans les bus surchargés et les pousses. Ils étaient passés dans cette agitation à Singapour et Shanghaï, Pékin, Kyoto, Vancouver et New York. Rien n'avait échappé au regard de Malraux, tout s'y fixait, s'y recréait : aucune œuvre au monde qu'il n'eût faite. Il inventait la seule demeure où il était chez lui, sans dedans ni dehors, antique et toujours neuve, l'immense musée qu'il appela imaginaire parce que la puissance de la fantaisie créatrice, en y faisant entrer des merveilles imprévues, obligeait à déménager sans cesse l'ordonnance des œuvres établies.

Qui aurait pu alors soupçonner Clara de vouloir prendre l'oiseau au piège d'une demeure ? Avec lui, elle avait laissé le soin des choses aux mains des femmes expertes en domesticité. Il se croyait comme elle assuré d'échapper aux paumes ménagères, d'esquiver la tendre asphyxie qu'elles préparaient inconsciemment. Peu à peu, une énigme pourtant était venue jeter son ombre sur leur complicité : pourquoi avait-il eu besoin qu'une femme dût témoigner partout de ses explorations ? On l'a déjà vu courir les salles des Offices à débusquer les merveilles, et rapporter son butin à sa maîtresse. Il avait eu beau maquiller vivement son rabattage en leçon d'esthétique, le geste laissait échapper une dépendance envers elle qui n'était pas moins patente pour avoir été réprimée. Pourquoi Clara partout, pendant des années ? Elle avait de l'argent, parlait des langues étrangères ? Il avait osé lui dire cela en face dans le Transsibérien, mais par provocation, comme pour se faire envoyer la gifle qu'il reçut en effet en guise de réplique. Mais c'était vrai, aussi : Clara l'aidait à fuir.

Du musée de Florence au train russe, son attachement était resté obstinément dénié, il n'en avait pas moins, au contraire, changé du tout au tout. Clara fut peut-être aimée jusqu'à la fin, mais André s'était pris à exécrer sa présence. Cas ordinaire, dira-t-on, dans les ménages qui vieillissent. De ménage pourtant, ils n'en eurent point, ils étaient compagnons de voyage. Et l'on verra une semblable mise au ban frapper tour à tour toutes les compagnes après Clara, Louise, Madeleine même, et Josette qu'une mort effroyable sauva seule de la disgrâce qui l'attendait sans doute.

L'étrangeté de la chose ne tenait pas seulement à la montée de cette irritation qui le poussait enfin à répudier les femmes, mais aussi à l'urgence qui le pressait d'abord d'avoir toujours l'une d'elles à demeure, à son besoin de demeurer auprès d'elle, chez elle, comme s'il ne savait pas comment cela devait finir, tant la dénégation était puissante en lui, indépendante. Est-il absurde alors de retourner le tableau ? On voit sur son revers que ce même écrivain si mâle, ce flibustier coureur de mondes, qui se prévaut de ne faire qu'escale à domicile et qui soupçonne toujours en son hôtesse une geôlière prête à l'étreindre, on voit que s'il écrit, navigue, manque de périr, c'est aussi pour pouvoir jeter sur le seuil de celle qui l'attend son trophée d'images sans pareilles, pour la méduser et pour se faire choyer d'elle. Alors le foyer, de répit indispensable à l'évasion qu'il semblait être, se mue en son motif et son but inavoués. Malraux ne l'avoua jamais, il en avait trop peur, il s'en allait ou il ostracisait. Les mères cependant, sinon les amantes, ne s'y méprenaient pas, hommage était rendu à leur invincible attraction. Et quel hommage ! Il mit toutes ses forces et son talent à sublimer la misère commune aux hommes, de ne pouvoir admettre en eux la femme qui déjà les habite. Et l'œuvre incessante fut l'enfant de ce déni... En vain : elle restait sous la tutelle de l'autorité féminine. A en croire Ferral, la femme était tout à la fois un ennemi, un repos, un voyage[6].

En l'été 1932, Eddie du Perron abrita dans sa maison de Chevreuse la finition de *La Condition humaine*, qui lui fut dédiée. Chambres d'hôtel encore lors de la guerre d'Espagne, à Madrid, à Paris, à Barcelone, à Valence. Chassés-croisés, tumultes des jalouses, comédies. Sur le pas des portes entrebâillées entre Josette et Clara, André semblait un chat qui

trompait le moment de sauter. Il expédiait appels téléphoniques, petits bleus, pneumatiques, messages de trois mots
signés d'une silhouette de chat, il fixait des rencontres, les
annulait, il ne « correspondait » pas. Mot inconnu de lui, geste
qui demandait ce qu'il ne pouvait pas, l'unisson, des adresses,
une continuité.

Josette cependant l'attendait, en rêvant de disposer des
fleurs en des vases élégants, de mijoter des cuisines, de
répandre des parfums autour de consoles de palissandre lustré
et sur les parures qui patientent dans le secret d'armoires, elle
aspirait à des tiédeurs insouciantes, à des tendresses mater-
nelles, aux lourds tapis où se rouler le soir devant un feu, tout
nus. Il emmena la lascive en coup de vent pour la tournée américaine en 1937 avec le titre de secrétaire. Ils galopèrent d'un
hôtel à l'autre, harassés tous les deux par l'agenda saturé,
jamais laissés en tête à tête. Elle essuyait tout à coup la célébrité de son héros comme une mitraillade. Elle revint désespérée. Elle le pressait de divorcer, se voulait consacrée son
épouse et la mère d'un petit Malraux. De retour à Paris fin
avril, elle obtint quelques jours de sursis à l'hôtel du Louvre,
sur quoi il s'en retourna rue du Bac pour voir Flo, surtout pour
secouer les rets que la jeune femme ne se cachait pas d'ourdir
autour de lui. « Vous faites votre chemin, vous poussez les
portes comme les chats[7] », la complimentait-il. Il prenait peu
de soin de la procédure de divorce entamée avec le consente-
ment de Clara. Et brossait à Josette, dans le détail, le tableau
du « vieux » ménage : solidarité d'habitudes, estime partagée,
vie commune impossible. Et s'en tenait là.

Au sortir de l'ultime Congrès des écrivains, inauguré à
Valence, clôturé à Paris en 1937, sorte de comédie ambulante
où la harangue de gauche cachait mal les haines intestines et
l'angoisse (Moscou intentait son deuxième grand procès en
trahison), Josette recueillit en juillet André exaspéré pour
l'installer à Vernet-les-Bains, non loin du Canigou, entre elle-
même et son amie Suzanne. Un réceptacle de pénombre, une
eau profonde sous le soleil, un silence où montaient les voix
fines des femmes, où glissait un frôlement d'espadrilles, un
bain d'effluves de romarin, de melon et de vin jeune mêlés, le
timbre couleur noisette d'un cruchon vide qu'on pose sur le

carreau de la cuisine, rien ne manquait au décorum simple et fabuleux qui convenait au bonheur selon Josette depuis son enfance à Perpignan. Objet de ces égards procurés, comme il se doit, par une providence féminine, la plume du maître volait de page en page. Ainsi s'écrivit *L'Espoir*, que Josette dactylographiait à mesure pour l'éditeur. L'écrivain avait pu dauber son « zénana », le harem des Iraniens, quand peu de temps auparavant, à Paris, une amie des deux femmes était venue se joindre à la communauté, il lui avait trouvé cet avantage de distraire de lui la soupirante. L'ingrat prit-il même garde que ce gynécée faisait réplique à celui de Bondy et que ses amours avec Josette y gagnaient un vague parfum d'inceste ?

Toujours est-il que Clara fut celle dont l'avis lui manqua sur ce qu'il écrivait, et qu'il partit sans tergiverser pour Toulon afin de lui soumettre son manuscrit. L'épouse jugea le livre « stalinien », elle argumenta, il prolongea son séjour, ils disputèrent, cinq journées acharnées, sur le fond, entraînés par le plaisir, elle plaidant la générosité des libertaires et des marxistes oppositionnels en Espagne et lui l'efficacité communiste. Ces heures furent les dernières que devaient partager les époux désunis. En sillonnant à pied le port et les collines, ils réglaient comme autrefois son compte au monde entier, encore séduits par le jeu serré de leurs intelligences mais les âmes désormais déprises. Et pourtant, au moment de partir, les yeux perdus au-dessus d'un dernier verre de rosé, l'amant de Josette aurait, au dire de l'épouse, lâché cette confidence : « Pourrai-je passer ma vie avec une femme qui n'a aucun goût pour les idées[8] ? » Selon la même source, Clara aurait jeté sur le garçon inquiet un regard étincelant qui disait : imbécile, je te l'avais bien dit, et aussi : mon pauvre, je l'avais, moi, ce goût, et tu n'as pas pu me garder.

Il rentra chez les femmes mettre fin à *L'Espoir*. Le livre une fois remis à Gallimard en septembre, il fila sans préavis à Barcelone et Madrid, pour voir sur place cette fin des espoirs, qui s'annonçait partout. On apprenait de Russie (Roland en revenait avec des appels de détresse) que Babel, Meyerhold, Eisenstein étaient sous surveillance, bâillonnés ou portés disparus. Plus aucune chance que l'auteur du *Potemkine* mît en scène *La Condition humaine* dans le pays de la révolution, comme on l'avait rêvé à Moscou en 1934. Alors, se dit Malraux, je vais mettre tout seul *L'Espoir* au cinéma, et en Espagne. Telle fut sa manière de dire encore non à Franco. Et il omit d'intercéder auprès de Staline en faveur des camarades menacés.

Mais il devait compter avec « la colle ». Le populaire disait alors « vivre à la colle » pour une liaison libre et durable. A peine eut-il averti Josette par téléphone qu'il rentrait à Paris, en novembre 1937, qu'elle sauta le rejoindre par le premier train pour Toulouse, dans l'allégresse d'apprendre que le cher disparu vivait toujours : partagée entre la prudence d'arranger leurs rencontres à l'abri d'un constat d'adultère toujours possible à Paris, et l'imprudence, car elle était enceinte. Elle faillit se vider de son sang sur le trajet du retour et, par malchance, il se trouva que Monsieur son père, de passage à Paris, souhaita voir sa fille. Il fallut sortir vite la malheureuse de la clinique, la coucher dans un hôtel, celui des Grands Hommes, place du Panthéon, sous un faux nom, et jouer à son papa la comédie d'une mauvaise grippe. André guetta Joseph à la réception pour éviter qu'il demandât la chambre d'une demoiselle Clotis, et le conduisit fort naturellement à sa fille. On jouait du Beaumarchais, s'amusa-t-il.

Quelle ne fut pas l'énergie d'accommodation qui animait alors la jeune femme ! Elle l'aimait. A la Pâque 1938, elle l'assista quelques jours à Moulins – incognito des hôtels de province – pour mettre au point le scénario du film espagnol et, dès l'automne, dans les pires conditions, prenait part au tournage en Catalogne. Enfin, elle pouvait, à ciel ouvert, dans l'ombre des studios, aux tables des cafés, auprès de lui derrière la caméra, apparaître pour sa vraie femme. A ce prix, l'enfant gâtée se montra résolue à supporter la disette de tout que la progression en étau du front fasciste imposait au dernier carré républicain. De l'enjeu politique avait-elle cure ? Il lui manquait des crèmes démaquillantes et des terrines. Elle supporta sans le comprendre le dramatique exode par Cerbère, en janvier 1939, d'un peuple défait encore en armes, qu'on désarmait à la frontière avant de l'interner. Et quand les rushes sauvés d'un tel désastre montrèrent à l'évidence, dès les premiers visionnements, qu'il fallait suppléer à plusieurs plans et séquences manquants, elle fut encore auprès de lui quand il tournait à Villefranche-de-Rouergue, en avril 1939, ces rapiéçages.

Sur quoi pleurait-elle, le 3 juin, lors de la première projection privée de *Sierra de Teruel* à Paris ? De quoi rit-elle avec tous les copains en partageant l'énorme paella dont ils dînèrent ensuite dans un restaurant espagnol ? Elle balançait de la gaieté à la mélancolie, deux fois folle, tantôt de le tenir à pleins bras, tantôt de le sentir se dérober, une manière d'épouse qui restait clandestine et de maîtresse de plus en plus affichée. Le voyage à bord du « coche estupendo », la Ford rose, jusqu'à Nîmes lui procura le bonheur d'une lune de miel ; elle se prenait à espérer. Et puis on placarda partout la mobilisation générale.

Daladier avait déjà censuré la diffusion du film, par égard pour Franco. La grande station commençait, la drôle de guerre, « automne mou, journées cloîtrées, avenir bouché[9] ». Josette vida les valises rue Le Marois, s'ingéniant à caser les livres, les papiers, les vêtements, le linge dans tous les coins de la chambre sans âme tandis que son André se tenait là, le dos tourné à tout, regardant en silence le mur d'en face, aveugle, par la fenêtre, paralysé par l'immense défaite que cette guerre signifiait. Il cherchait du service, il attendait. L'armée de l'air avait rejeté ses offres : trop vieux, le réserviste ; incompétent, le coronel aviateur ; et du reste, dûment exempté du service armé. De plus, c'était un rouge des Brigades internationales, ajoutait le Deuxième Bureau. Il attendait, il voyait tout un peuple d'hommes découragés se laisser convoyer par les gares, les casernes, par les camps de transit et par les cantonnements jusqu'aux positions dites de combat où il resterait à croupir désœuvré dix mois durant jusqu'à l'instant où le premier assaut ennemi le ferait refluer d'un coup, ahuri, jusque dans ses foyers. Un quidam de trente-huit ans voyait cela, et il voulait en être. Qu'espérait-il encore ? Partager le sort des compagnons sacrifiés par Staline et son pacte avec Hitler à la revanche des fascistes ? Il se porta volontaire comme simple soldat dans l'arme blindée. A défaut de voler, on pouvait embarquer sur un char. En souvenir du père, en mémoire de Lawrence. Il attendait donc dans la nuit qui tombait sur l'Europe, quand à la fin un général crépusculaire auprès de qui il s'était fait recommander permit, en avril 1940, que parvînt au deuxième classe Georges Mabiaux l'ordre de rejoindre l'unité de cavalerie motorisée stationnée à Provins. Dans le wagon qui le convoyait à son tour vers le fond de la Brie, le hussard à moteur ruminait la défaite à venir. Les badernes n'avaient même pas créé « l'arme blindée ». Le seul mot dérangeait trop la nomenclature séculaire des armes. On se croyait en 1917.

Quant à Josette, aucun égard à la torpeur de la France dans l'angoisse qui la saisit au départ du soldat :

> Je ressors de sept ans de vie – dont j'ai tant cru que c'était un destin – comme de l'eau lustrale du baptême. J'ai été nourrie, logée, blanchie. J'ai vieilli de sept ans. Pour le reste, c'est absolument comme si j'avais rêvé. Pas un objet que nous ayons acheté ensemble. La voiture est à son nom (je pense que je devrai la rendre à Clara). Pas un quartier où nous ayons habité ensemble ; une maison, un foyer, un lit contre un mur, une concierge. Pas une ligne, une note, un mot dans ses écrits qui me concernent. Pas un enfant. Parti sans laisser de trace. J'ai attendu, espéré, désespéré, patienté, trépigné... en vain. Ai-je existé ? S'il part demain, si... Je resterai les mains vides[10].

L'imprévisible phénix, soudain réné de sa débine et incliné à se faire pardonner, l'avait pourtant installée en décembre 1939 dans un gentil meublé rue Berlioz, près de l'avenue Foch, qu'elle eut loisir d'orner pour recevoir quelques amis. Il passa voir Clara qui vivait petitement avec sa fille porte d'Orléans, pour régler les affaires. Le *Livre de comptes* que la *NRF* venait de publier lui tomba sous les yeux, il le feuilleta et le jeta par terre : « Voilà ce que vous avez fait de vingt ans d'amour[11]. » Et lui, qu'en avait-il fait ? On s'en tint là pour le mélo. Mais Clara ne désarmait pas. Un jour de février 1940, il reçut d'elle une enveloppe gonflée de photos de leur fille. Il songea un moment, penché sur ces images, virtuelles plus encore que réelles, et les serra dans un tiroir. Josette l'avait vu faire et les contempla en cachette. L'urgente envie d'enfanter la saisit, plus facile à satisfaire en ce temps-là qu'à contrôler. Des nausées peu après la trahirent, et elle dut avouer sa tendre rouerie, après quoi il s'avéra que son désir d'être enceinte avait seul déclenché les symptômes d'une grossesse.

Occasion rêvée d'en découdre. Ils s'étaient donc déchirés en toute cruauté, il avait crié qu'il ne se laisserait pas flouer, elle qu'elle en avait assez d'être frustrée, après quoi le mâle encore une fois dut céder à l'absurde nécessité de reproduire qu'on appelle « la vie », non pourtant sans couvrir sa retraite d'un air de décision. Il la prit dans ses bras et lui dit : « On peut aussi le faire exprès, ensemble[12]. » Deux mois après, l'ingénue était parvenue à ses fins : « J'ai un enfant dans mon ventre, c'est bien sûr et certain, personne ne me l'enlèvera. Je le tiens comme une relique. »

Au même moment le père, en bourgeron, astiquait de vénérables chenillettes sur le polygone de Provins : les gradés occupaient ainsi la troupe en attendant de stopper net l'offensive allemande. Comment lui faire connaître l'heureuse nouvelle ? Fait accompli, Josette riait, comme elles font toutes, de mettre l'homme en face de ses œuvres, et elle tremblait de savoir qu'avec lui rien n'était jamais acquis. A défaut d'idées, dont elle n'avait aucun goût, l'amour et la solitude lui inspirèrent des mots profonds :

> Je voudrais vous dire de vous dédoubler, de ne pas faire attention à tout ça [la caserne], sauf pour vous en amuser et y pêcher ce qui est à pêcher. Vous le dire avec tant d'amour et d'une volonté gaie. Rien de tout cela n'est la vie, ça ne ressemble à rien. C'est le soldat Mabiaux, c'est un double qui y est allé à votre place, pendant que la sérieuse part de vous-même est sûrement ici, à réfléchir à l'art byzantin.
>
> Quittez votre peau sensible et laissez-la au magasin d'habillement, on la renverra à la maison avec les civils. Et faites-vous rire vous-même de la bêtise du monde. Soyez comme les femmes qui, me disiez-vous, changent d'âme avec leur robe[13].

Langue de la tendresse, et d'une perspicacité meurtrière : aller imaginer le condottiere en femme ! Des rendez-vous s'arrangèrent dans les hôtels et les meublés usuels aux villes de garnison. Elle venait le rejoindre, il sautait le mur ou soudoyait l'adjudant de garde.

Les journées passaient, vides, réglées par la « décision » affichée chaque matin par le bureau du colonel, bruissantes du babil continu des hommes et des menus incidents nés de leur désœuvrement. Nouveau séjour forcé et nouvel entrechat. Comme autrefois à Phnom Penh et à Saïgon et comme bientôt au camp de Sens, l'écrivain mit à profit sa résidence surveillée au quartier de Provins. Il relevait et stockait des traits à distribuer sur des visages, des bribes de répliques, des accents, des coups d'œil, des épaisseurs et des gestes de mains, avec quoi composer les silhouettes populaires, allemandes ou françaises, grâce auxquelles le Berger père et fils des *Noyers de l'Altenburg* accède et à « la consomption résignée » des vaincus et à « la noblesse que les hommes ignorent en eux[14] ».

La solution d'André Malraux ne fut pas celle que préconisait l'amoureuse. Georges Mabiaux se laissa au contraire immerger dans la touffeur d'étable qui émanait du peuple rameuté sur ses cantonnements en attendant dieu sait quoi. L'écrivain put, grâce à l'incognito, commencer à esquisser la fresque qu'il préparait en hommage à ce temps de défaite. Il voulait célébrer dans ses camarades de chambrée, bruyants, tragiques, les victimes d'un tort dont la cause leur était inconnue : un fléau, la peste. Sa plume témoignerait au moins de leur résistance endémique à ce destin de plomb.

Le peloton du cavalier Mabiaux avait pour margis un homme de tradition conservatrice, qui aimait la lecture et la musique. Albert Beuret reconnut bientôt le célèbre romancier « rouge » dans ce soldat cordial, disposé à prendre sa part des corvées mais incapable d'avaler le rata, nanti de mains trop fines et d'une étrange autorité. Il se laissa conquérir. La population militaire fut consignée dans ses quartiers dès que se déclencha l'offensive ennemie en mai 1940. Le futur père se hâta d'informer Josette que le temps n'était plus à faire des enfants, surtout illégitimes. Mais le gynécologue se refusa à avorter la jeune femme, et une « faiseuse d'anges » entrevue lui fit tellement horreur qu'elle décida de garder la relique.

En juin 1940, une fois Paris conquis, les Panzer de Guderian déferlaient par la vallée de l'Yonne. Les hommes du dépôt de cavalerie 41 firent mouvement à pied avec leurs antitanks vers l'ouest comme s'ils devaient se rendre du côté de Beaune-la-Rolande. Malraux n'ayant jamais marché, il traîna le godillot sur les routins brûlants de l'été. Faits prisonniers après un semblant de défense, les cavaliers sans chevaux (même vapeur) furent dirigés en troupeau vers Sens et sa cathédrale, et parqués au soleil sur un vaste entrepôt de matériaux de construction que le vainqueur, submergé par le déluge des redditions, baptisa sur-le-champ camp de captivité. Prison pour prison, Sens pour Provins, l'incarcération fut déclarée propice à un grand livre :

> Trois livres tiennent en face de la prison [...]. *Robinson, Don Quichotte, L'Idiot* [...]. Or remarquez bien que c'est le même livre [...]. Dans les trois cas [...], un homme nous est donné initialement comme séparé des hommes, Robinson par le naufrage, Don Quichotte par la folie, le prince Muichkine par sa propre nature, par... vous voyez ce dont il s'agit... disons : par l'innocence [...]. Ecrits l'un par un ancien esclave, Cervantès, l'autre par un ancien bagnard, Dostoïevsky, le troisième par un ancien condamné au pilori, Daniel de Foe[15].

Ecrire donc le livre qu'aurait écrit un ancien prisonnier de guerre ? Mis aux arrêts avec les autres, par milliers, en 1940, pour délit de folie, innocence et naufrage à la fois. Le peuple avait cru changer le monde, il avait manqué la révolution, il avait perdu l'espérance. Défaite énorme comme un crime que le délinquant ahuri payait, couché par terre, dans les camps du vainqueur. « J'attends que ça s'use... – Quoi ? – Tout. J'attends que ça s'use[16]. » Notre défaite, leur victoire... Que s'use aussi chez l'écrivain, au frottement du peuple affalé devant la cathédrale, la prétention de différer des autres par sa culture et son engagement idéologique : « Je sais [...] qu'un intellectuel n'est pas seulement celui à qui les livres sont nécessaires, mais tout homme dont une idée, si élémentaire soit-elle, engage et ordonne la vie. Ceux qui m'entourent, eux, vivent au jour le jour depuis des millénaires[17]. »

Ecrire ce livre-là voulait que cette distinction d'abord fût renoncée, que l'intelligence érodât son orgueil sur une sagesse plus rauque : « Celui-là a un de ces visages gothiques de plus en plus nombreux depuis que les barbes poussent. La mémoire séculaire du fléau. Le fléau devait venir, et voici qu'il est là[18]. » Cette mémoire-là n'avait pas attendu la défaite pour se réveiller :

> Je me souviens des mobilisés silencieux de septembre, en marche à travers la poussière blanche des routes et des dahlias de fin d'été, et qui me semblaient partir contre l'inondation, contre l'incendie ; mais au-dessous de cette familiarité séculaire avec le malheur, pointe la ruse non moins séculaire de l'homme, sa foi clandestine dans une patience pourtant gorgée de désastres, la même peut-être que, jadis, devant la famine des cavernes. « J'attends que ça s'use[19]. »

Quand le commun est mis en cale sèche de l'Histoire majuscule et livré pour réparation à ses seules grosses mains, juste rompues à résister depuis toujours, ce n'est pas un monsieur l'écrivain, trop distingué qu'il est du populaire par sa plume, qui pourra rendre hommage à un tel abandon. « Ce qui sourd aujourd'hui de la foule hagarde qui ne peut plus se raser n'est pas le bagne, c'est le Moyen Age[20]. » Politique moderne morte et bouffée par la vermine, assaut contre les puissants mis en déroute – les peuples renvoyés à leur chiennerie et balancés au fond de la fosse commune n'y crèvent pas pour ça : « Leur joie, toute en bourrades et en éclats, elle n'a pas changé depuis Breughel, depuis les fabliaux ; ces claques et ces rires, comme leur son monte d'une fosse plus insondable, plus fascinante que tout ce que nous connaissons de notre race, fascinante comme leur patience[21] ! » *Les Noyers* vont se monter aussi, de cette fosse, tant bien que mal, en quatre ou cinq « journées » exemplaires, comme un mystère joué sur le parvis de « Chartres ». A la passion des grands pour le pouvoir et la connaissance, les petits font réponse par les humeurs du jour et de toujours, la peur, la tendresse, la fatigue, l'entêtement qui tient lieu de courage, le rire, l'ignorance jamais à bout de savoir-faire.

Quant au soldat Mabiaux, il n'avait aucun doute que les services nazis mettraient bientôt la main sur le leader antifasciste abrité sous son nom. Les livres de Malraux figuraient déjà sur la liste noire à Paris. Il fallait s'évader d'urgence. On laissa donc la plume, on rassembla quelques complices sûrs, Beuret, Grosjean, l'abbé Magnet, et l'on se porta volontaire en groupe pour un commando de moissons au village de Collemiers près de Sens. Le maire fut mis dans le projet. Et pour le commandement allemand, pas fâché qu'on prît soin de l'intendance et du fourrage et qu'on désencombrât le Lager surchargé, il n'y regarda pas de trop près. Avec l'aide de Clara qui se cachait avec Florence dans un causse près de Cahors et n'avait pas un sou vaillant, sauf à vendre quelque trésor khmer, Roland fournit son frère en vêtements civils et en argent de poche. Voici donc André debout dans un couloir de train bondé un beau jour de Toussaint, un pied blessé lors de l'escarmouche guerrière et l'autre encore meurtri de la marche forcée, André qui se demande si son train arrivera jamais à se frayer sa voie vers Paris au milieu du désordre régnant sur le réseau ferré. Josette attendait son enfant pour le début de décembre. Roland, le frère à toute épreuve, lui donnerait son précieux nom, puisque le père était marié ailleurs. Et lors de la naissance, on aurait bien trouvé moyen d'obtenir un laissez-passer pour que Josette et le bébé rejoignent les parents Clotis en leur nouvelle résidence d'Hyères. On convint de se retrouver là-bas, en dépit de l'accueil exécrable que la mère ne manquerait pas de faire à la fille perdue : vous pensez, un enfant, pas épousée, d'un Parisien, un intellectuel rouge, un homme marié… !

Le prisonnier en cavale, une fois le scénario mis au point, rembarque pour le Sud. Sorti du train à Bourges, il prit le temps de soulager ses pieds en s'asseyant un moment dans une salle de cinéma, où les actualités allemandes lui infligèrent en guise de distraction l'apocalypse de Varsovie embrasée par la Luftwaffe, sur une musique de Wagner. C'est Guernica en grand, songeait-il en rechaussant les souliers trop étroits de Roland, et puis « ils » seront écrasés tout pareil, brûlés vifs à leur tour, et le monde après ça aura le choix entre Wall Street et le Kremlin… « Mon passé m'encombre. Le jour anniversaire de ma quarantième année, lorsque je passais clandestinement la ligne de démarcation avec le chat noir, j'aurais voulu être né la veille[22]. » Plus de père, plus de guerre, plus d'histoire : le cortège d'un chat, un peu ostentatoire en la circonstance, il est vrai, venait signer, comme d'un pied de nez, l'adieu de l'ex-colonel espagnol, passé bidasse en France, à la grande politique et à ses crimes. En dépit de tout ce qui pourra suivre, cet adieu fut définitif : il était une naissance.

Ce qui passait la ligne avec le chat, c'était la grande tribu du Passage : les barbus médiévaux et leur Breughel, les petits Annamites écrasés rigolards et leurs bodhisattvas, les croquants d'Estremadure et Goya ; et bientôt le Périgourdin, l'Alsacien, éternisés dans leurs tympans romans et leurs absides gothiques. A peine le petit peuple s'évadait par le chas de la passe que Malraux s'apprêtait à en faire une grosse légende. Une « dernière incarnation sociale de la justice » lève, elle est en dessous du temps et des lignes, comme les œuvres ignorent époques et frontières, « quelque chose de beaucoup plus élémentaire » que l'histoire, « le vieux maire aux cheveux blancs, avec un bras en moins, un peu maçon, un peu toutes sortes de choses, mais qui connaît ses administrés et qui sait qu'on ne fait pas la sécurité sociale que pour des gens qui sont des guignols ou des ivrognes […]. La justice à la base[23] ». Une base intolérante aux injustices, résistante à l'horreur des combats victorieux et perdus, habituée aux fléaux, usée et inusable, ce fantasme d'un socle incorruptible, d'un « élément populaire » avec quoi la « solidarité » a valeur absolue et qu'on touche au fond du désastre, trouve son nom quatre ans plus tard : « le bloc Michelet[24] ».

Malraux aura alors – c'était en 1945 – repris du galon, il commandait la brigade Alsace-Lorraine sur le front des Vosges, dans un froid polaire, face à la résistance meurtrière d'un ennemi résolu à interdire le passage du Rhin et l'invasion de son pays. Mais pour le colonel ex-Berger et l'ex-cavalier Mabiaux, ces combats, leurs aléas et leurs enjeux se réclamaient avant tout du menu peuple enterré dans les bois, les trous gelés et les villages étouffés de neige avec lequel il se sentait faire corps, comme la Jeanne d'Arc, le Danton et le Téméraire de Michelet avaient figuré la France dans son histoire parce qu'ils incarnaient la justice élémentaire des « goujats ». Même les Allemands, après tout… : l'écrivain qui avait mis en scène la fraternité de leurs pères avec les Russes quand le fléau des gaz les saisit tous en bloc sur le front polonais en 1916, pouvait-il douter que ses ennemis du moment fussent moins opiniâtres et moins solidaires que ses Alsaciens ? Et de Gaulle, peu après, prit à son tour sa place dans le « bloc Michelet » simplement parce qu'il n'avait pas désespéré de la vaillance inhérente à un peuple humilié et prostré.

Est-ce à dire que le prophète rebelle tombait alors dans une sorte de populisme ? Tolstoï sans doute, et son patient Koutouzov, émergèrent du désastre des grandes ambitions. Tenir semblait plus décisif que conquérir. Cette conversion parut étrange. On s'y méprit. On supposait, à l'issue de la guerre, Malraux devoir continuer à faire cavalier seul sur la crête des révolutions modernes et souffler dans son olifant pour appeler les humiliés à leur affranchissement. Or il allait se refuser désormais à ce rôle d'intellectuel de gauche. Sartre le jouerait à sa place comme on sait – en se trompant toujours. Et Malraux savait bien pourquoi ce défaut de jugement : le temps n'était plus aux grandes luttes, front contre front. Le Mal et le Bien étaient désormais indiscernables. Avait-il donc accepté que la honte et l'offense ne fussent pas vengées ? Nullement, mais l'injustice portait tous les noms. Il saisissait qu'un peuple, un homme, même humilié, ne l'est jamais, ayant en lui, dans son abaissement, une dignité intacte, non moins présente dans sa persévérance que conquise par la rébellion.

Une telle révélation fut plus dramatique qu'on ne pense. C'était comme si l'hypothèse de base, métaphysique et nihiliste, de laquelle son œuvre et sa vie s'étaient alors réclamées, était mise en question, et avec elle, la poétique de la révolte. Voici que, dans les sous-sols de l'existence, ne se trouvait pas seulement la putrescence où se digère et se vomit la dépouille des valeurs mortes, où la création et la fraternité doivent descendre puiser leur force ; on y découvrait un « élément » solide et solidaire qui fournissait peut-être des motifs d'écrire et de vivre moins désespérés et moins paradoxaux qu'auparavant. De sous le temps spasmodique des rébellions, émergeait une permanence sans durée, sans histoire, un état latent du vouloir sans volonté dont la « communion » naguère invoquée avait peut-être été le premier aperçu. Un retour de l'Asie… ? Encore un entrechat, l'exotisme à demeure.

Les Noyers de l'Altenburg portèrent quelques traces de cette bonne nouvelle. C'était Berger le père, gazé dans les fonds du bois de Bolgako, qui essaye de fuir la nappe mortelle et soudain est saisi, dans sa course, « d'une évidence fulgurante, aussi péremptoire que ce sifflement ténu dans sa gorge : le sens de la vie était le bonheur, et il s'était occupé, crétin ! d'autre chose que d'être heureux[25] ! » La note placée en avertissement au livre pouvait nier la portée de cette évidence, la réduire à une « simple réaction psychologique » qui ne saurait valoir « réponse aux questions posées dans la première partie[26] » – qui donc Malraux espérait-il tromper par cette palinodie ? « Psychologique » n'avait pas sous sa plume le sens d'émoi individuel, on le sait. Et pourquoi n'avoir pas « simplement » supprimé l'épisode ? Ce cri au bonheur resta, il fut plus fort que lui.

Aux dernières pages du livre, en tout cas, le déni ne pouvait plus s'appliquer. L'équipage du char réchappé de sa fosse pendant la nuit et qui s'arrête au matin dans le village évacué célèbre son retour au monde dans un carillon de nativité. « Ainsi Dieu, peut-être, regarda le premier homme […]. Ce matin, je ne suis que naissance […]. A peine si je me souviens de la terreur ; ce que je porte en moi, c'est la découverte d'un secret simple et sacré[27]. » Partout alentour, les chaumières et les granges abandonnées offraient leurs « portes entr'ouvertes – entr'ouvertes sur la vie qui m'est révélée, ce matin pour la première fois, aussi forte que les ténèbres et aussi forte que la mort[28] ». Le message des mages à « l'Enfant », écrit Malraux, ne consistait pas en présents, il était maternel, les rois annoncèrent que des portes entr'ouvertes battaient pour lui de par le monde. « Voici que se lève de la nuit la miraculeuse révélation du jour[29]. » Le mot est prononcé. Les autres mondes menacent toujours, « celui des cristallisations, des profondeurs marines », et l'on n'a pas fini avec les monstres froids et clos. Pourtant, « avec ses arbres aussi ramifiés que des veines, l'univers est plein et mystérieux comme un jeune corps[30] ».

Naissance, révélation, mystère de l'Enfant Saint – la péroraison des *Noyers* évoque la prosodie des Psaumes ou de Claudel. Malraux invoquait l'histoire de Michelet plutôt que *Le Soulier de satin*, mais la célébration était en vérité la même à ses yeux : peuple ou Jésus, fraternité ou charité, tu es toujours auprès de moi, même en enfer. Le désespoir des ans 38-40 paraissait gracié, sans être dissipé. Quand il écrivit ces lignes, André avait son fils dans ses bras. Le jeune corps « plein et mystérieux » comme un univers tout neuf qui advient, n'était-ce pas le bébé ? – Ainsi va le biographe qu'il n'hésite pas à trouver les raisons d'un écrit dans les événements de la vie de son auteur. Le signataire des *Antimémoires* interdit ces sottises. Il les renverse : si bébé il y eut, ce fut André qui, « né d'hier », franchit la ligne de démarcation en trébuchant dans ses méchants souliers comme s'il ne savait pas marcher. Et qui reconnut dans Bimbo le Jésus cette candeur nouvelle.

L'édifiante révélation s'accompagnait du sentiment d'une déroute complète : la révolte des peuples avait été broyée partout afin que le conflit mondial pût éclater à l'aise, or leur écrasement révélait une résistance en eux inexténuable ; et lui-même qui se croyait destiné à l'incessante migration, au moment où la fatigue l'assommait et le clouait par terre, il recevait de Josette cet enfant comme une jouvence. Demeurer auprès d'un peuple, auprès d'une naissance, n'était donc pas seulement une autre manière de mourir. Au point que vieillir même pouvait faire sourire, comme un enfant. Le sourire enfantin d'André, jusque très tard, délivrait soudain le visage hérissé de tics, et tous les amis s'étonnaient. L'aïeule, à la fin des *Noyers*, assise devant sa porte, « accotée au cosmos comme une pierre, elle sourit pourtant, d'un lent sourire retardataire, réfléchi […]. Elle semble regarder au loin la mort avec indulgence, et même – ô clignement mystérieux, ombre aiguë du coin des paupières – avec ironie[31] ». Tout au bout des *Anti-*

mémoires, Lazare qui sombre dans un coma en appelle à la même sagesse : « *Ironie* inexplicablement réconciliée, qui fixait au passage la face usée de la mort[32]. » Un chat va faire semblant de disparaître en paix, celui d'*Alice* et de *Lazare*, laissant après lui son clin d'œil ; et un chat est apparu qui apporte sa paix au monde dans son sourire. Celui-ci s'appelle Pierre-Gauthier. *Les Noyers de l'Altenburg* lui furent dédiés.

Pendant qu'en cet automne 1940 l'évadé passait la ligne, le drame des amours adultères suivait son cours à Paris. Josette se trouvait seule dans la capitale occupée après que son amie Suzanne Chantal fut repartie de justesse pour le Portugal avant l'expiration de son visa. Comme son calendrier le lui avait fait anticiper depuis beau temps, les douleurs la prirent bien avant le terme prévu, au hasard d'un wagon de métro. Des mains anonymes l'expédièrent d'urgence par ambulance à la clinique de Neuilly où son accoucheur, dépourvu de l'anesthésique promis, ne la délivra pas sans mal. Pierre, Guillaume, Valentin – ainsi l'enfant fut-il nommé au débotté pour les besoins du registre hospitalier – sortit d'elle sanglant, le poing au front, le 5 novembre. On la retint plus que de raison à la clinique. Elle n'avait pas d'argent, la facture se faisait lourde. Elle partit à la recherche d'une aide. On garda le nourrisson en gage. Elle obtint quelque argent de ses amies d'antan, riches oisives dont s'étaient flattées naguère ses ambitions bovarystes. André, à Hyères chez les Clotis, et l'adorable papa retournèrent leur poches. Le mandat qu'ils expédièrent, en cachette de Madame, rendit la liberté à Josette et à son fils. Quelle angoisse ! Drieu, en collaborateur affiché de l'occupant, se fit un plaisir de lui procurer l'Ausweis requis pour gagner la zone libre.

André accueillit la jeune mère et l'enfant à la gare de Menton d'où ils partirent en fiacre pour Roquebrune-Cap-Martin. Le fils fit connaissance avec son père sous le dais précaire d'un véhicule Second Empire qui trottinait sur la route de corniche. Ils s'installèrent à la Souco, une villa cédée par les Bussy, un artiste anglais et sa femme, sur les instances de leur vieil ami André Gide. Ils devaient y demeurer, jusqu'en décembre 1942 quand l'occupation du Sud-Est par la troupe et la milice de Mussolini les contraignit à décamper. La fortune des armes changeait alors de camp : à Stalingrad, Guadalcanal, El Alamein, l'offensive des forces de l'Axe était stoppée, les Alliés occupaient l'Afrique du Nord. On pouvait s'attendre à une férocité accrue. Vichy déjà organisait la déportation massive des juifs.

La Souco s'avéra un havre propice au nomade harassé, vaste belvédère à cinq baies qui donnait vue jusqu'à la Riviera et Monaco, étagé en paliers dans un parc saturé d'essences immémoriales, qui frangent la Méditerranée depuis les Cyclades jusqu'au Cimetière marin. Luigi, le majordome laissé dans la villa par les Bussy, se prit d'affection pour les nouveaux patrons, une maîtresse gracieuse comme un Bellini, un maestro grand écrivain sans une ombre de morgue, un putto si rond et si doré que le serviteur le baptisa Bimbo. Luigi mit son honneur et son ingéniosité à fournir cette tablée de fines bouches en mets inestimables dans ce temps de disette, une barbue négociée sur le port à la criée, une moussaka de rutabagas à s'y méprendre, qu'il servait à l'anglaise en dolman blanc.

André, étant privé des droits d'auteur de Gallimard par ordre de l'occupant, n'avait d'autre ressource pour assurer ce train que les cinquante à soixante-quinze dollars mensuels mis à sa disposition sur son compte à New York par l'éditeur de *L'Espoir*, Robert Haas. Varian Fry, responsable du Emergency Rescue Committee américain à Marseille, assurait le versement en francs de ce modeste avoir à l'auteur. Le Comité faisait passer aux Etats-Unis ou aidait à survivre les écrivains, les artistes et les intellectuels menacés par le nazisme ou par Vichy. Or Malraux, à la surprise générale, se montrait apaisé, presque insouciant des choses. Il écrivait « un grand roman », « bien ambitieux », confiait-il à Gide en novembre 1941, poussant même la vérité jusqu'à concéder : « On ne fait pas le roman que l'on veut. » Aussi bien, ce n'était pas un roman qui se voulait, c'étaient *Les Noyers*... La Petite Dame ébaubie nota qu'il n'avait plus de tics. Les visiteurs qui tour à tour vinrent le presser de reprendre les armes furent éconduits aimablement. Le lutteur fameux paraissait si débonnaire que, recevant José, le mari de Suzanne Chantal, venu voir son fils à la Souco (où l'amie de Josette avait voulu accoucher), il accueillit cet ancien reporter en Espagne d'un journal fasciste portugais comme s'ils avaient alors combattu côte à côte[33]. Enchanté comme sont les enfants qui s'essaient à leurs premiers pas, Bimbo pouvait bousculer la table de la terrasse où André travaillait parfois, son père lui faisait au passage une caresse tendre et songeuse : « Roquebrune, le bruit des petits sabots de mon fils dans le jardin aux arbres de Judée en fleur (et je pensais que j'entendrais ainsi les battements de mon cœur quand je mourrais)[34]. »

Filiation assurée par la disparition des pères. Le nom précisément fut transmis au garçon par son oncle, qui adopta l'enfant né de père inconnu. Quant au prénom, André ne voulut rien entendre de Guillaume. Pourquoi ? Ceci peut-être : Singapour, 1965, Clappique divague à l'entrée de la rue de la Mort :

> Un jour, les Américains m'ont envoyé un zèbre allemand, ancien assistant de la grande Leni Riefenstahl. Rentrez sous terre ! Il préparait un film sur Hitler. On n'a jamais vu le film. Mais le zèbre moustachu avait tiré ce qu'il avait pu de ses souvenirs, de ceux de sa patronne, de ceux des autres, et même de Nuremberg. Il racontait des histoires de journaliste, et aussi, pas un mot ! des histoires de Shakespeare. Shakespeare, vous connaissez ? Guillaume, comme l'autre ! Et comme Apollinaire. Lequel est mort pendant qu'on gueulait « A bas Guillaume ! » dans sa rue. Le monde est petit[35].

Trop répandu, Guillaume, autre nom de la mort. L'enfant sera Pierre-Gauthier, et Malraux par filiation adoptive. Etrange destin de ce nom : on dirait que tous les hommes de la famille doivent se relayer à la barre pour sauver du naufrage un patronyme désemparé par la tempête des passions et des guerres.

Pour l'instant, le dernier-né du nom croyait surtout en ses pieds ronds qui s'avançaient sous lui. Et sa mère ? Put-elle croire son désir accompli, André à demeure chez elle comme chez lui, qui veillait sur leur fils ? Que manquait-il encore ? Elle était là, gorgée de sa maternité, de soleil, de mer, « leur amour justifié par le plein air, la nudité des corps entraînés à la beauté et à l'impudeur[36]», offerts enfin sans précaution à la sensualité des nuits et des siestes chaudes. Elle célébrait Eros à la manière de la sainte Epouse du Cantique : « Il aime faire l'amour le matin. Il aime faire l'amour volontiers. Il aime faire l'amour simplement. Puis il noue ses bras autour de mon corps, sa joue contre ma joue, nous ne bougeons pas plus que deux brins d'herbe [...]. Son corps lové contre le mien [...], la confiance totale d'un corps abandonné au sommeil, ses cheveux lustrés – j'aime leur couleur chaude – ses beaux cheveux en désordre sur mon bras[37]. » Qu'en dépit – ou en raison – d'une relâche si complète, l'homme fût de passage, restât sans *home* et rêvât encore de partir ailleurs, Josette le sentait bien. Elle éludait un moment les conséquences.

Il trouva son exil à demeure, et elle essaya de l'accepter. Il s'enfermait à l'ombre pour écrire, ne descendait jamais nu à la plage, s'intoxiquait passionnément avec tout ce qu'on pouvait alors trouver à fumer et à boire, hostile aux délices païennes auxquelles il était convié, dont il se relevait en sursaut pour se jeter sur sa plume. « Visage vert », « tête d'enterrement de jour et de nuit », il recherchait « la délivrance de la vie stagnante où il était plongé [38] » en écrivant des horreurs, disait-elle, « les assassinats, les scalps, le meurtre de l'Arabe par Lawrence, la pourriture par les gaz, le trou du cul bouché des rois sassanides[39] ». Elle dactylographiait ces monstruosités et n'y lisait qu'une chose, c'est qu'elle était perdue : « Il m'enlève les moyens de tendresse qui sont les miens [...]. Je suis sur le chemin du non-amour[40]. »

Auprès d'elle, fort loin d'elle, à régler ses comptes avec la défaite, avec toutes les défaites. On l'a lu, il écrivait un grand Tombeau en l'honneur du peuple vaincu et de sa persistance, au titre de *La Lutte avec l'ange* ; il dressait le constat de décès de l'aventure Lawrence égarée par le Démon de l'Absolu ; il entreprenait de peindre la mort et la résurrection de la création artistique en une vaste fresque qui s'appellerait *Les Voix du silence*.

Et par-dessous tout cela, l'aveu, l'avis désespéré d'une disparition : le roman était mort. De passage chez Malraux, Gide fut invité à écouter la lecture de fragments de *La Lutte* et n'y entendit rien : la forme était décidément mauvaise. L'élève, exaspéré, se laissa corriger sa copie en silence et persista. Quant au Lawrence, l'excuse de renoncer sera bientôt trouvée. L'aventurier n'avait-il pas déjà conté sa vie en huit cents pages, de première main ? Pourquoi recommencer en quatre cents, et sans pouvoir rien inventer ? « Les parties les plus subtiles de l'aventure de Lawrence seraient rendues beaucoup plus intelligibles par la fiction que par l'analyse que j'en fais[41]. » Or ce n'était pas la loi du genre biographique, de fabuler. Pourquoi s'y risqua-t-il ? Pour voir si l'on pouvait écrire sans imagination ?...

Quand Suzanne fut partie pour Lisbonne et Roland pour Toulouse, Josette se trouva seule devant son otage dans le grand living silencieux surplombant la mer grise, et elle vit qu'il n'avait rien à lui dire. « Clandestine, [il] m'aimait. Depuis qu'il est avec moi, qui peut dire s'il m'aime encore. Il n'a plus un pas à faire pour me retrouver[42]. » Il lui faisait faux bond sur place, d'un entrechat.

NOTES

1. *NA*, 30.
2. *DA*, 738.
3. Préface à Andrée Viollis, *Indochine SOS*, p. VIII.
4. François Mauriac, *Le Figaro* (11 février 1937).
5. *DA*, 738.
6. *CH*, 681.
7. Chantal, 92.
8. Clara 5, 176.
9. Chantal, 131.
10. *Ibid.*
11. *Marronniers*, 353.
12. Chantal, 157.
13. *Ibid.*, 160-161.
14. *NA*, 249, 250.
15. *Ibid.*, 119-121.
16. *Ibid.*, 25.
17. *Ibid.*, 27-28.
18. *Ibid.*, 25.
19. *Ibid.*, 26.
20. *Ibid.*, 28.
21. *Ibid.*

22. *ML*, 883.
23. Stéphane, 34-35.
24. *Ibid.*
25. *NA*, 245.
26. *Ibid.*, 11.
27. *Ibid.*, 292.
28. *Ibid.*, 290-291.
29. *Ibid.*
30. *Ibid.*
31. *Ibid.*, 291.
32. *ML*, 932.
33. Chantal, 256-257.
34. *ML*, 877.
35. *Ibid.*, 317.
36. Chantal, 251.
37. *Ibid.*, 275.
38. *Ibid.*, 273, 271.
39. *Ibid.*, 270.
40. *Ibid.*, 252, 253.
41. Lettre à Roger Martin du Gard (2 février 1943) ; Cate, 377.
42. Chantal, 273.

15

BERGER EN COLONEL

Le 11 novembre 1942, l'Allemand occupe la zone libre et l'Italien la Côte jusqu'à Nice. On se met à traquer l'étranger, le juif, le bolchevik, le franc-maçon dans les faubourgs de Lyon et de Toulouse, dans les hameaux du Quercy et des Alpes. On patrouille sur la frontière des Pyrénées. On déporte à pleins convois. Il faut de nouveau fuir. Du refuge de la Côte, les suspects détalent de tous côtés, compagnie de lièvres débusqués. Les Sperber passent en Suisse à pied avec leur nouveau-né sur le dos. Gide embarque pour la Tunisie, Suzanne et son bébé filent au Portugal, Luigi se trouve une planque à Monte-Carlo. Mireille, qui chantait « Le petit chemin qui sent la noisette », se terre avec Emmanuel Berl sous les châtaigniers de Corrèze.

André part prospecter la retraite des Berl dans les environs d'Argentat. A Toulouse, il s'arrête embrasser Roland. Celui-ci lui présente sa fiancée, Madeleine Lioux, qui enseigne le piano au Conservatoire. Le chef de la famille Malraux offre à la nouvelle venue une partition d'Honegger, *La Danse des morts*, comme s'il lui signifiait le destin auquel elle vient de se lier. Quant à Claude, le dernier-né de Fernand, l'enfant prodigue, un peu voyou, Roland a trouvé un emploi plus respectable à ses dons de débrouille en le faisant entrer dans le Special Operation Executive (SOE), réseau de Résistance dirigé depuis Londres. Non loin d'Argentat, André déniche la résidence rêvée, un château qui domine Saint-Cha-

277

mant et la vallée de la Souvigne. Il obtient trois pièces dans cet observatoire à l'abri des surprises et fait venir aussitôt Josette et le garçon.

La vie reprit comme par-devant. Lui enfermé dans sa tour à écrire tandis qu'elle l'attendait au coin du fourneau, au bord du lit. Elle n'avait guère que l'enfant pour épancher son besoin de tendresse. Le sobre château se montra cependant, à l'usage, plus accueillant à ses plaisirs que la somptueuse villa de Roquebrune. « Vous n'imaginez pas notre vie en Corrèze. Mais c'est la PAIX. Nous ne voyons pas un Allemand. Jamais. Il n'y en a pas [...]. La gastronomie emplit le plus clair de ma vie, je dois le dire. Comme d'ailleurs celle de la majorité des Françaises. Une ferme est attachée au château et nous avons tous les produits de la terre. Je fais toutes les recettes du *Jardin des modes*[1]. » Elle se lovait en chatte, l'Occitane, dans l'hiver limousin, tâchait d'y creuser sa corbeille, elle ronronnait : « Tout cela est roux, vous en seriez émue, écrit-elle à son amie. Nous avons des tas de tours, nous habitons une tour, notre chambre est ronde, comme le bureau où nous mangeons devant un grand feu de bois[2]. » Un deuxième enfant s'était annoncé, pour combler ces délices. Ce serait son double à elle, cette fois, et elle attendit une Corinne. Ce fut Vincent, tout droit issu des *Noyers*, qui arriva en trombe, le 10 mars 1943, dans un couloir de clinique à Brive. Le malheureux puîné sera mis en consigne, par le père et par la mère, toute sa vie, comme un bagage excédentaire. Sa tutelle fut aussitôt confiée à la femme du notaire de Saint-Chamant, Rosine Delclaux, promue marraine.

Quant au parrain – car Josette entendait faire les choses dans les formes – ce ne fut pas Berl, leur voisin, qu'elle n'aima jamais, ce fut, devinez, Drieu... Sa nonchalance grand seigneur, son goût des femmes, le prestige de son nom avaient toujours étourdi la provinciale au point qu'en le priant de parrainer Vincent, des phrases insolites et meurtrières lui montèrent à la plume : « André et moi qui sommes sans frères voudrions bien donner aux enfants des sortes d'oncles parfaits. Si ça ne vous ennuie pas, voilà, je vous donne Vincent[3]. » André sut-il qu'elle faisait ainsi tout crûment offrande à l'autre de son fils à lui ? Et que, du même trait, elle rayait l'existence de

Claude et de Roland, avant que la Gestapo s'en chargeât peu après ? Et qu'elle donnait encore quitus à Pierre, « voilà », du différend radical qui l'opposait alors à André : « Malraux tout à fait destitué depuis qu'il n'est plus dans le bolchevisme vit à la campagne entre deux Juifs médiocres, fait des enfants à sa femme et écrit une vie de Lawrence, sans doute pour justifier sa désertion du communisme et sa neutralité gaulliste[4]. »

Drieu accepta le parrainage. Ostentation maligne ? Il ne pouvait pas être sourd à ce que lui disait le désir de la belle, entre les lignes. Il écrivait ceci de « sa » Suzanne, peu avant de se suicider : « C'est une femme comme je les aime ; sans prétention à l'intelligence, sans expression verbale qui me dérange, elle semble rêver doucement sur ce que dit sa forme[5]. » Ainsi sans doute Josette avait laissé vaguer ses formes voluptueuses tandis que sa demande s'écrivait auprès du feu de bois dans la chambre où dormaient les garçons en l'absence du père. Et somme toute, ce n'était pas si incongru qu'il paraissait. Que demandaient ces messieurs les écrivains, les Drieu, Martin du Gard, Gide, Lawrence, Montherlant, en la matière ? Une idée de féminité qui ne dérangeât pas leur homosexualité misogyne, honteuse ou déclarée. Et Malraux même : pourquoi son livre sur Lawrence fut-il mis aux oubliettes ? Biographie impossible sans doute, mais compromettante aussi : on y aurait trop vu l'indécente propension tapie sous la « fraternité virile ».

Un jour de septembre 1943, un M. Arnouilh était venu sonner au château pour faire savoir qu'une société Bloc Gazo, qu'il dirigeait à Brive, serait dorénavant représentée dans le secteur par un M. Chevalier. Le gaz, le bloc ? Rien qui pouvait distraire la mère de ses langes, la gourmande de ses recettes, l'amante de ses malheurs. André décrypta le message : bloc du populaire, gaz de son asphyxie, il fallait donc s'y remettre, à la résistance élémentaire des vaincus. La partager et la signer, sur le terrain, sous quelque pseudonyme. Trop de risques s'attachaient au nom propre de l'écrivain antifasciste, et trop de préventions contre le « communiste » de la part de certains réseaux. Le faux nom, il l'avait : à la Souco déjà, l'auteur des *Noyers* demandait à la ronde : « Il faudrait un ton pour Walter », ou : « Je cherche un décor », ou encore : « Berger, comment trouvez-vous ça comme nom ? Berger ? En Français et en Allemand, ça sonne bien, non[6] ? » Le pseudonyme serait alsacien, restait à trouver le terrain, ou le décor.

La société de vente et de distribution d'appareils à gazogène permettait au réseau SOE de la Corrèze d'effectuer ses liaisons et ses missions sous des dehors vraisemblables. L'organisation britannique dont le colonel Buckmaster était le responsable avait la charge de transmettre à Londres toutes informations sur les déplacements des troupes ennemies et de réceptionner les parachutages d'agents, d'armes et de munitions destinés à saboter les voies de communication qu'emprunteraient les unités allemandes basées dans le Sud-Ouest lors du débarquement allié sur le littoral de la Manche. Les hommes du réseau devaient opérer en coordination avec les groupes de résistants français actifs dans le secteur, l'Armée secrète gaulliste et les Francs-Tireurs et Partisans communistes principalement, mais sans entrer dans leurs dissensions domestiques, qui les rendaient peu fiables aux yeux du commandement allié. Malraux, bientôt mis en contact avec Harry Peulevé, responsable pour la région, le mit en rapport avec le fidèle Raymond Maréchal, le Gardet de *L'Espoir* (signe caractéristique : une plaque de métal à la place du nez, qui est resté avec l'avion broyé dans la montagne de Linares). A son tour, Jack Peters, dit Captain Jack, né Jacques Poirier, officier anglais francophone, prit contact avec Maréchal. Et peu après, Roland Malraux fut introduit dans le réseau SOE local, codé « Author », sur la recommandation d'André.

Celui-ci persiste à penser qu'il est trop tôt pour s'engager, que le rapport des forces est déplorable, qu'on va au massacre. Il faut attendre l'action alliée sur le front ouest, qui désorganisera le dispositif des troupes d'occupation. Alors seulement les unités de partisans, si elles sont bien coordonnées entre elles et avec les divisions alliées, pourront jouer un rôle véritable. Le modèle de cette stratégie, Malraux l'avait trouvé dans l'action de Lawrence au Hedjaz et en Jordanie en 1917 et 1918. Après l'avoir décrite en détail dans deux chapitres du *Démon de l'absolu*, « Marche vers le Nord » et « La clé de Damas » écrits en 1942-1943[7], il revient sur le génie militaire et politique du colonel d'Arabie en glosant la biographie que Liddel-Hart, journaliste militaire au *Times*, lui avait consacrée en 1935[8].

« Une nouvelle forme de guerre se préparait. Il [Liddel-Hart] voyait dans la campagne d'Arabie une préfiguration de cette guerre prochaine. » Lawrence n'avait nullement « refait une campagne de Saladin », comme on l'imagine souvent, mais « la première campagne de la guerre à venir ». A l'encontre du dogme reçu dans les états-majors, la stratégie du prochain conflit sera fondée, comme celle de Lawrence, sur le raid : des corps d'élite légers, munis d'une grande puissance de feu, opèrent à l'intérieur de la zone ennemie par déplacements rapides. La campagne d'Arabie, si elle avait été « servie par des corps mécanisés, eût impliqué la guerre éclair[9] ». Qu'était-ce que Guderian ? Lawrence équipé de blindés, au lieu de méhara. Désuets la guerre de position, l'assaut frontal des corps d'armée. La vitesse, la surprise, la connaissance concrète du terrain, la formation en commando ont fait leurs preuves. Tactique de partisans, puisque la guerre moderne est toujours une guerre civile : « Quel pays, dans la prochaine guerre, pourrait ne tenir aucun compte de son ennemi intérieur[10] ? »

Peu à peu, la carte d'Arabie en 1918 va venir surcharger dans l'esprit de Malraux celle de la France de 1944. Les maquis seront les tribus de Lawrence, de Gaulle leur émir Fayçal ; il va refaire la nation dans le reflux des troupes allemandes, comme le prince arabe dans la débâcle de l'occupant turc ; il va grossir lui aussi son armée régulière en lui incorporant les combattants de l'intérieur et tâcher d'entrer dans son Damas, Paris, avant que ses redoutables Alliés ne l'occupent. La marche à suivre était toute tracée : coordonner les actions des maquis ; les fournir en armes, explosifs, instructeurs et argent ; employer leur courage et leur résolution à fixer les unités ennemies dans le Sud et le Centre comme Lawrence avait retenu une partie de l'armée turque autour d'Amman tandis qu'Allenby s'avançait vers Damas ; désorganiser les communications adverses : routes, chemins de fer, ponts, lignes téléphoniques ; attaquer par surprise ; se dérober à l'affrontement quand le rapport des forces est trop défavorable. Tout dans Malraux le prédispose à concevoir cette guérilla d'appoint, à aimer, à diriger la guerre des gueux.

Mais voilà : nous sommes au printemps 1944, et Malraux n'est rien dans la Résistance intérieure. Il avait fallu à Lawrence, bon an mal an, des mois de présence sur le terrain et le soutien de l'état-major anglais du Caire pour mener son affaire. Malraux ne l'ignore pas : rien ne peut convaincre un chef de maquis sourcilleux, ancien dans le combat clandestin, de se laisser coiffer in extremis par un bleu, à moins que ce dernier ne lui procure des parachutages réguliers, que la puissance alliée peut seule octroyer. Conclusion : si le retardataire décidait de se mettre en campagne, et dans le rang qu'il jugeait convenir à sa réputation, il devait pouvoir s'autoriser de Londres et obtenir rapidement, d'agents alliés en Aquitaine, des signes tangibles de son autorité et des pièces à conviction, telles que liaisons radio, armes et explosifs, instructeurs, faux papiers, et le reste. S'il avait douté de sa chance et de ses facultés d'envoûtement, Malraux eût renoncé à une manœuvre aussi hasardeuse. Mais l'occasion d'essayer se présenta bientôt. Tout éprouvante qu'elle fût, il la saisit au vol et s'instaura patron d'un « état-major interallié » inventé en quinze jours.

Roland est en mission à Paris, en ce même printemps 1944, avec la charge de procurer des caches et des filières d'évasion aux aviateurs alliés tombés en France et aux agents du SOE repérés. Madeleine est devenue sa femme, elle attend un enfant et vient passer près de lui, chaque semaine, les quelques jours où elle ne travaille pas à Toulouse. Le 9 mars, Roland est informé par le SOE Normandie (réseau Salesman, responsable Philippe Liewer) que Claude vient d'être arrêté à la suite d'un double sabotage dans les environs de Rouen. Aussitôt alerté, André monte à Paris presser son frère et sa belle-sœur de quitter la capitale au plus vite. Ils embarquent ensemble pour le Sud-Ouest à la gare d'Austerlitz, André descend du train à Tulle pour rentrer à Saint-Chamant, Madeleine poursuit vers Toulouse, Roland la quitte à Brive, où il rejoint son groupe. L'équipement radio et le dépôt d'armement du réseau SOE Author avaient trouvé refuge dans une modeste maison sise à l'écart sur la route de Tulle. Le 21 mars, sur dénonciation d'un milicien, un commando des services de sécurité allemands pénètre par surprise dans le repaire, arrête Roland et ses trois compagnons en flagrant délit de liaison radio clandestine et les expédie à Limoges pour interrogatoire. Maréchal alerte André, qui lui confie Josette et les enfants et repart aussitôt pour Paris afin de brouiller sa propre trace. Groet sollicité l'envoie au Vaneau, où Maria Van Rysselberghe lui ouvre l'appartement de Gide. Tandis qu'il examine les lieux en clandestin averti, les balcons, les toits, le vis-à-vis, l'escalier de service (l'immeuble a vue sur l'hôtel Matignon), la « petite dame » ne peut s'empêcher de sourire : « Il tournerait le film *Malraux* qu'il ne jouerait pas mieux[11]. »

Cependant, l'ennemi, infiltré dans le réseau Author, s'efforçait de le détruire méthodiquement : Maréchal fut pris dans sa voiture sur une route, ses mains plaquées sur le gazo brûlant, et achevé sur place à la mitraillette ; Peulevé et ses trois camarades, dont Roland, après avoir subi un premier interrogatoire à Limoges, furent dirigés sur la prison de Fresnes. Ils seront par la suite déportés au camp de Neuengamme. Jack l'Anglais échappa par chance au désastre : on l'avait peu avant envoyé se mettre au vert en Savoie chez sa mère. Rentré dans le Sud-Ouest, Londres le chargea de reconstituer un réseau sous le nom de code Digger. On décida d'installer la nouvelle base dans « le Château », une grande bâtisse occupée par un menuisier communiste et sa famille située en plein bourg, à Siorac-en-Périgord. Le nouveau repaire jouissait de la complicité de la population, entièrement acquise à la Résistance, et de la protection des facteurs et demoiselles standardistes des alentours. On réceptionna deux agents anglais et du matériel parachutés par Buckmaster sur un terrain voisin, improvisé par « Soleil », l'ancien adjoint de Maréchal.

Le réseau s'étoffe vite, d'autant qu'une division de la Wehrmacht se met à ratisser par le menu cette région infestée de terroristes. De son côté, cravaché par la disparition de ses frères, Malraux précipite l'exécution de son plan. Il doit aller à Paris, dit-il, et sous prétexte de veiller à la sécurité de Jack, lui conseille de l'accompagner. Bonne occasion, se convainc l'Anglais, de voir sur place comment faire sortir Peulevé de

Fresnes. André trouve une planque à Jack par la filière résistante de la NRF, Camus, Lescure, Paulhan, tous hommes d'honneur, tous sous surveillance policière. Ce sont les Pâques 1944, que les « forteresses volantes » américaines carillonnèrent une nuit pleine en écrasant Villeneuve-Saint-Georges et sa gare de triage sous leurs bombes. On n'a pas souvenir qu'aucun Parisien pût dormir cette nuit-là, à l'exception de Jack. Le lendemain, André entend confirmer que l'ennemi procède à une grande opération de nettoyage antiterroriste dans le Sud-Ouest. Il fait prévenir Josette d'avoir à quitter Saint-Chamant discrètement, sans délai.

Elle débarque chez les Gallimard avec Bimbo de grand matin, tout à fait égarée, ayant croisé du regard, prétend-elle, sur le quai de la gare de Lyon (pourquoi est-elle passée par Clermont-Ferrand ?), Roland menottes aux mains entre deux Allemands (que faisaient-ils dans cette gare ?), encore tremblante à l'idée que l'enfant aurait pu courir se jeter dans les bras de son oncle en riant de joie. Il y a peu de vraisemblance dans cette scène. On la dirait plutôt cauchemardesque, une hallucination où s'accomplissait le désir adressé à Drieu : « André et moi qui sommes sans frères. » Quel frère voulait-elle donc ? En déjeunant avec elle dans un bistrot cent pour cent marché noir à Censier, Malraux mesure l'ampleur du délire : Gaston Gallimard allait, lui annonce-t-elle enchantée, faire authentifier une fausse carte d'identité au nom de Josette Malraux, et Pierre Drieu (derechef) l'attendait le jour même, sur la demande pressante de l'étourdie, pour qu'il accorde sa protection à André et à sa petite « famille ». Il la secoua comme on gifle quelqu'un qui perd la tête : pas un mot de ma présence ici à Drieu, vous m'entendez, et renoncez je vous prie, à prendre mon nom en ce moment, on ne fait pas plus sot. Elle le jugea inexplicablement nerveux, mais qu'importait ? Il lui donna deux nuits dans un hôtel, comme aux beaux jours, et un dîner chez Prunier, où le personnel l'accueillit de dix « Bonsoir, monsieur Malraux ! » déférents et pervers, qui voletèrent par-dessus les hauts gradés de la Wehrmacht, absorbés à déguster l'exquise cuisine du vaincu. Le maître bluffeur était ravi : un occupant occupé à faire bonne chère dispense le clandestin des précautions d'usage. Il invita donc chez le même Prunier, le lendemain, Captain Jack en personne.

Cela fait, ils regagnent ensemble le Périgord. Les vieux boggies ferraillent et se secouent d'un aiguillage à l'autre derrière la locomotive asthmatique. Un Spitfire descend parfois piqueter le dos du pachyderme de quelques volées de mitrailleuse. On a fait des progrès dans l'aviation de guerre, depuis l'Espagne... Dans un compartiment vide, Malraux se tourne vers l'Anglais : Je suis le colonel Berger. Le Conseil national de la Résistance vient de me charger de coordonner toutes les actions patriotiques dans la Corrèze, la Dordogne et le Lot. Vous et les vôtres, vous avez les liaisons radio avec Londres, les militaires capables d'instruire des combattants novices, et des parachutages d'armement réguliers. Donc, nous travaillons ensemble[12].

Manière signée Malraux, le même « style » qu'aux tribunes antifascistes ou sur les terrains militaires de l'aviation espagnole. Je travaille avec vous, je ne suis pas à vous. Thomas Edward au Caire... N'est-il donc qu'à lui-même, hanté par le soin de sa gloire ? Sans doute, et pourtant il ne parle pas en son nom propre. Ce pseudonyme dont il se couvre, comme c'est la règle, fera de lui, rêve-t-il, le sans-nom en qui un peuple humilié peut incarner sa résistance. Ce n'est pas un Malraux qui peut signer cette levée, c'est un Je sans passé. Les figures de Michelet se dressèrent ainsi, de rien, et se désignèrent elles-mêmes au peuple quand il ne se reconnaissait plus dans les noms institués. La République a roulé au ruisseau, l'Etat de Pétain lèche les bottes de l'occupant et prend sa revanche sur Dreyfus. Reste la Résistance ? Mais déjà, droite ou gauche, elle brigue le pouvoir et se querelle, comme avant. Berger entend signer une résistance « élémentaire » qui n'appartient à personne, celle du peuple croquant qui se passe les histoires à mi-voix en buvant sa chopine pendant la foire, qui enterre et déterre ses vieux fusils, trouve vivement une cache pour le type tombé du ciel. Les Jacques ont partout ces coutumes, personne ne les leur a enseignées, ils n'ont guère idée de la grande politique, ils savent juste quoi faire, et comment, quand les accapareurs leur envoient les dragons pour les sabrer. Or c'était le cas.

En même temps, la plongée de Berger dans l'élément populaire eut aussi pour André valeur de parodie. Travesti pour les autres, il exécuta pour lui-même une dernière parade comme pour s'assurer que sa volonté était encore intacte. Ce jeu où il prit un plaisir d'enfant n'excluait pas mais exigeait qu'il pût, comme les autres, être arrêté, torturé, déporté ou fusillé sur place : c'était le prix à payer pour avérer sa fable à ses propres yeux.

Pendant les mois qui vinrent, on put croire que l'exaltation de feindre et de braver, de s'exposer à l'ennemi par pure témérité, sans garde personnelle, sans souci d'emprunter les itinéraires abrités pour protéger ses déplacements, et la joie de se fondre dans le peuple frère lui faisaient oublier tout le reste. Absorbé à percer le désordre de la clandestinité, il fixait des visages incertains sous de faux noms, localisait des bourgades, des causses déserts, des coins de bois, déchiffrait des messages codés sur des récepteurs radio de fortune. A travers l'écran qui le séparait de la vie ordinaire, derrière la vitre du café, du wagon, de l'auto, par la lucarne du grenier et de la soupente, sur les dernières marches de la bouche de métro, l'œil du migrateur cherchait à discerner, en visions sûres et brèves, ce qui annonce le péril et ce qui encourage l'audace. Exercice d'acuité et de résolution qui le tint en alerte pendant des mois, émacié, radieux, comme dans un grand jeu scout.

Mieux encore : sous l'accoutrement du combattant, il éprouvait la même joie exotique, mortifère, qu'il prête au jeune archéologue Lawrence quand il arpente à pied la Syrie vêtu à l'arabe :

> Dans toute société non choisie par lui, il se sentait – se savait – un étranger. Qu'il le fût donc totalement, qu'il eût le droit de l'être, qu'il devînt le passant, le chef de chantier chrétien, le voyageur, et son équilibre était retrouvé. Et plus que l'équilibre : la joie. Le droit qu'il avait cherché en Orient, sans en être tout à fait conscient, c'était le droit d'asile[13].

Grand jeu de l'estrangement lui aussi, le maquis se joue mieux en compagnie « des pauvres, paysans, manœuvres, que des bourgeois pour qui l'état civil compte ». Comme à Lawrence l'Arabie, le Sud-Ouest clandestin accorde à Malraux « le droit d'être étranger[14] ».

Mais non pas étranger à tout ce qui n'était pas la partie de guérilla. Car tout exalté qu'il fut, il ne manqua jamais de passer et repasser voir la femme et l'enfant, il leur faisait savoir autant qu'il le pouvait ce qu'il faisait et quoi faire, revenait les chercher pour les changer d'abri. Ce soin pour sa « maison », jamais négligé malgré les péripéties des combats, faisait un contrepoint à son activisme militant, militaire. Un pourvoi en amour se trahissait dans ces retours réitérés, un appel bien caché, oublié, comme d'un père qui transporte par le monde, sans plus y penser, au fond de son sac de voyage le petit lapin de peluche déjà usé que son fils lui a donné quand il avait quatre ans, ou d'un amant vieilli dont le portefeuille recèle, à son insu, la lettre jaunie par le temps, ourlée de brun, friable, où on lui avait dit oui. André n'en savait pas plus sur sa tendresse que Josette ne comprenait pourquoi elle était abandonnée. Parfait différend : les visites impromptues et les disparitions subites la convainquaient surtout qu'il s'éloignait d'elle, tandis qu'il y était poussé par l'amour et par le peu de foi qu'il avait dans l'avenir.

Quant aux combats, en effet, mise à part l'excitation enfantine qu'il y trouvait, leur issue ne faisait aucun doute. A l'inverse des luttes d'Indochine ou d'Espagne, les dés cette fois étaient jetés, il le savait, les Allemands avaient perdu la guerre à Stalingrad, et les hauts faits de Berger en Aquitaine n'auraient aucune incidence sur l'issue du grand conflit. Simple esbroufe, maladie de séduire, doublée au mieux d'un exercice de courage. C'était trop tard, non parce qu'il avait trop attendu pour entrer en Résistance – il avait, pensait-il, résisté avant bien d'autres, et plus – mais trop tard pour nourrir même le mythe qu'on pouvait changer le monde à l'occasion ou à l'issue du monstrueux massacre. Un morne empire s'y enfantait mécaniquement, ou d'Ouest ou d'Est, ou des deux, qui n'allait laisser aucune marge à la révolution, ni à la rébellion, pas même à l'aventure. Les bien-pensants, appointés ici par l'office de la liberté, là de la justice sociale, allaient pouvoir en toute tranquillité comptabiliser au profit de l'un ou de l'autre les succès et les insuccès de n'importe quelle révolte. Fini le temps des « conquérants », celui des conquis s'annonçaient. Madame la Redite avait gagné la guerre.

Vers 1942-1943, Malraux avait réécrit pour *Le Démon de l'absolu*, à la manière d'un Thucydide, le « sermon de minuit », déjà rapporté par Lawrence, que celui-ci fit aux guerriers Serahins (orthographié Cerans dans le manuscrit de Malraux) pour les engager à prendre part au raid très périlleux qu'il allait tenter dans les gorges du Yarmok en zone contrôlée par les Turcs[15]. En doublant la voix du colonel défunt, le futur Berger s'annonçait à lui-même, en solitaire aux prises avec le désespoir, de quelle philosophie soutenir ses prouesses guerrières et politiques à venir : ce fut une sorte de déclaration solennelle, qui resta impubliée.

« Qu'était la loi du désert sinon l'éternel refus de tout ce par quoi les hommes s'accordent au monde, le mépris des mille formes du démon que la vermine des villes appelle bonheur ? Elle tenait en trois mots : aller plus loin[16]. » Villes vautrées dans l'attente de l'assouvissement tandis que « les errants » courent à l'expérience limite de leur résistance. Ce n'est pas la flibuste, mais « l'exaltation de la misère choisie ». « Etre un [homme *biffé*] errant, c'était savoir au moment où l'on tombait parce que les nerfs, le corps avaient supporté tout ce qu'ils pouvaient supporter, qu'on ne tombait que pour attendre l'instant de repartir. » Exact autoportrait en long-courrier prédateur, qu'on a déjà examiné : vrai et faux, a-t-on dit. De même pour Berger : feint d'une fiction vraie. Seule éternité, « marcher vers son avenir » ; seul acte suprême, « le dépouillement » ; seule liberté, « ne rien posséder », « ne rien espérer ». L'auteur de *L'Espoir* écrit ceci, en 1943 : « L'espoir était le piège suprême du démon, celui qui englue l'homme dans son bonheur futur. » A l'intention de Josette, et de l'amant de Josette ? Sûrement pas alors : à l'intention des militants, des combattants, des politiques. « Si le désert est sacré, c'est qu'il est le lieu du monde où l'espoir est mort. »

Non pas cicatrisée mais passée au cautère et squameuse,

la plaie ouverte par toutes les défaites, en Europe, en Espagne, en France... L'espoir de *L'Espoir* n'était pas politique ni personnel, il était déjà le désespoir des *Noyers de l'Altenburg* et du *Démon de l'absolu* : certitude que les puissances sont mauvaises, de pure redite, ordinairement triomphantes ; et que seuls valent « les instants flamboyants où l'homme affronte la toute-puissance dans une lucidité désespérée[17] ». Trois pages suivent, de la même veine : le Prophète n'a pas *promis* le Paradis au moudjahid ; « chacun porte en soi sa divinité » ; que nul n'attende une récompense. La prophétie est sans avenir, comme la Révolte est sans but, « semblable au désert ». « Qu'y aurait-il à y gagner [à la Révolte] ? Rien. Akaba prise, il avait fallu marcher sur le Yarmok. Après le Yarmok commencerait un autre raid. La Révolte exigeait les souffrances du désert – plus grandes [...]. Elle marchait de ville en ville, non pour s'y installer mais pour atteindre une ville inconnue qui s'appelait l'Arabie et qu'elle ignorait autant que le nomade ignore le lieu vers lequel le désert le pousse[18]. »

Remplaçons Révolte par Résistance, et nous saurons dans quel esprit Berger s'introduit dans les maquis du Sud-Ouest, comment surtout il formera plus tard la brigade Alsace-Lorraine : à la recherche de l'absolu et secondant déjà, sans le savoir, un chef bédouin nommé de Gaulle en quête d'une « ville inconnue » nommée France. Malraux ne devait certes pas être accueilli dans la Résistance aquitaine comme un prophète nihiliste. Le Toulousain plus ou moins rouge et qui croyait en l'avenir le vit venir d'un œil mi-méfiant mi-rieur, comme un fada irresponsable et un agent parisien à surveiller. Mais par l'Alsace, terre déracinée, incertaine, zone frontière, désert d'identité, rive de la Rhénanie mystique, le « sermon de minuit » du colonel d'Arabie transcrit par Berger pouvait être entendu. C'est-à-dire mécompris. Quant à lui, le Berger, pasteur des monts arides, comment on l'accueillait, peu importait, pourvu qu'on l'acceptât.

Du coin de sa banquette, Jack l'Anglais surveillait le couloir en écoutant Malraux se déclarer colonel. Le voilà enfin décidé à s'y mettre. Bon, il faut qu'il bluffe : le Conseil national de la Résistance n'a pas l'habitude de nommer en cinq jours colonel un type qui débarque, surtout avec ses états de service, pas précisément patriotes. Mais de Gaulle, après tout, a bien fabriqué sa France libre en cinq minutes d'appel radio. Par les temps qui courent, on ne vérifie pas les mandats, bien content si l'on a des volontés.

Ils arrivent en Dordogne, déplacent la base du réseau Digger à Castelnaud-Fayrac, l'abriteront un peu plus tard au château de la Vitrolle près de Limeuil. Voici donc Berger entouré de ses Anglais, des rescapés d'Author, de deux officiers français venus rejoindre l' « état-major interallié », déjà réputé pour les moyens dont il dispose ou disposera. Le titre dont la modeste compagnie se pare indique clairement les tâches qu'elle s'assigne. Par groupes entiers, les réfractaires du pays fuyant les ratissages de la milice, de la Gestapo, et bientôt des unités allemandes en mouvement vers le nord-ouest affluent vers l'état-major de Berger. Ce sont les derniers jours de mai 1944.

Un beau matin de 1er juin, le radio anglais capte l'annonce, pour les jours qui viennent, du message attendu : « La girafe a un long cou. Je répète... » Berger saute sur ses pieds : le débarquement ! Le lendemain, il passe à Saint-Chamant, confie encore une fois Vincent à sa marraine Rosine, la femme du notaire et embarque Jo et Bimbo pour Toulouse. Il s'évertue pendant trois jours à convaincre les Lioux de le laisser mettre à l'abri leur fille Madeleine, qui est une Malraux, dans le Périgord en compagnie de Josette et de leur fils. La femme de Roland doit accoucher prochainement et André craint que la division SS Das Reich ne passe nettoyer la capitale de l'Aquitaine, qu'on sait acquise à la Résistance. La solitude du causse, les vallées abruptes et tourmentées, les grottes, les bois de chênes bas et de châtaigniers, les écrans de murets et le secret des bourgs, tout dans le Haut-Quercy offre à ceux qui se cachent une protection impénétrable, quand il est si facile à la troupe ennemie, secondée par la milice locale, de boucler un quartier, de contrôler une rue et de verrouiller un immeuble en pleine ville. André obtient enfin de faire monter tout son monde dans le dernier train pour Souillac, le 5 juin, trouve pour les deux femmes et les garçons une grande chambre à l'hospice des vieillards de Domme, et rejoint son QG tout proche, en aval sur la Dordogne.

Le 6, au signal convenu, les maquis font sauter les voies ferrées, les ponts, attaquent à l'arme légère les redoutables unités de la division blindée qui montent vers la Normandie. A quel prix les populations du Périgord et du Limousin payèrent cette bataille de retardement, on ne le sut que plus tard tant la région fut alors garrottée par la terreur. Pendaisons à Tulle, massacre à Oradour, partout les maîtres aux abois anéantissaient tout ce qui faisait mine de contrarier leur marche ou ce qui, simplement, osait les regarder en train de perdre la guerre en France.

Le 11 juin à Domme, les vieux de l'hospice tendent l'oreille : c'est bien l'antique vocifération des parturientes dont l'écho leur parvient. Madeleine met au monde le fils de Roland disparu, un Alain Malraux donc, qu'accueillent avec des linges de couvent et un bassin d'eau bouillie pour tout équipement deux sœurs charitables et un médecin clandestin. La mère de Bimbo, dans un coin de la chambre, étreignait son garçon en tremblant de détresse. Fallait-il que toute mise au monde, comme celle de Bimbo à Neuilly, fût frappée par la misère et l'abandon ? André passa pourtant en coup de vent le lendemain pour saluer le dernier-né du clan : ressemble à un général japonais, décida-t-il gaiement. Et s'éclipsa.

Madeleine qui ne peut pas nourrir l'enfant épuise vite le peu de lait en poudre apporté de Toulouse. Fièvre puerpérale, infection mammaire, et le médecin qui disparaît alors qu'une unité SS vient prendre ses quartiers à Domme. Le soir du 18 juin, la porte s'ouvre, un bel officier à tête de mort entre chez les femmes, prend en riant dans ses bras le blond Bimbo qui pérore : « Moi m'appelle Bimbo Maraux. Pas Berzer, Maraux[19]. » On se contraint donc à rire cependant qu'au-dehors est collé au mur sans délai tout ce qui semble suspect. Madeleine assourdie par les cris du nouveau-né affamé, égarée d'hallucinations fébriles et d'angoisse, essuie soudain une rafale de hurlements, la panique : « Ils vont nous faire tous crever [...] ! Vous ne voyez pas qu'en nous laissant ici, André a fait de nous des otages [...] ! Dans l'état où vous êtes, ça vous est bien égal[20] ! » Josette perd la tête. Longtemps épargnée par la guerre, voici que l'inexplicable férocité la débusque tout d'un coup et les menace de mort, elle et son fils, saints innocents. L'épouvante la suffoque, la fureur contre ce fou qui l'a tout exprès posée là, sans secours. Ce que sa mère lui ressasse depuis dix ans, qu'André se moque d'elle, c'est cela qui lui sort de la gorge : malheur sur les Malraux ! – Madeleine en resta si bouleversée qu'elle ne put cacher la scène à son fils quand il fut grand : quelle entrée dans la vie, la SS à sa porte, son père disparu, sa mère mourante, une tante éperdue de terreur !

La nuit fut terrible dans le bourg, à la mesure du déchaînement domestique : exécutions, mitraillades, explosions, ordres gueulés et cris, moteurs qui s'emballent, imminence de la mort, insomnie à l'hospice. La section SS ayant évacué Domme le lendemain matin, le médecin aussitôt accouru du maquis avec son équipement chirurgical put secourir Madeleine. La chambre aux femmes reprit vie, les enfants et leurs mères se nourrirent quelques jours des fruits du coin. Expédiés sans tarder par Malraux, un capitaine belge maquisard en Gironde et une vraie infirmière, Raoul Verhagen et Hélène Huffman, vinrent prendre livraison de Josette et Bimbo sur leurs vélos et allèrent les abriter au château de Castelnaud-Fayrac. Hélène revient à Domme prendre soin d'Alain et de sa mère. Et trois semaines après, femmes et fils Malraux se trouvaient réunis dans le manoir Fayrac, à l'exception de Vincent, toujours consigné à Saint-Chamant sous la garde de Rosine. C'est là qu'ils apprennent, le 23 juillet, qu'André la veille a été blessé et arrêté par les Allemands, et que son second, le commandant Jacquot, prend sa relève à l'état-major interallié.

Entre-temps, ce dernier s'était acquis un immense prestige, grâce aux loyaux services du SOE. Le 14 juillet, cent quarante-quatre forteresses volantes escortées par deux cents chasseurs britanniques avaient largué rien de moins que deux cents containers sur deux terrains aménagés par les soins de Captain Jack à Montsoulat en Corrèze, et de George Hiller à Loubressac pour le SOE du Lot. Une manne de munitions, de fusils-mitrailleurs et de mitraillettes, de grenades et de pistolets par milliers se dandina sous les parachutes dans le matin de juillet et vint armer le bras des maquisards éblouis pour les derniers combats. L'armée de l'ombre se faisait reconnaître en pleine lumière, on lui promettait la victoire, elle en avait les larmes aux yeux. Le colonel Berger arriva un peu tard à Montsoulat mais ne se fit pas faute d'attribuer le mérite de l'opération mirobolante à son état-major[21].

Huit jours plus tard, le voilà donc aux mains de l'ennemi. Le Pierre Jacquot qui le remplace, un officier d'active engagé dès 1941 dans l'Organisation Résistance armée (ORA), appréciait fort le génie franc-tireur de Malraux et son génie tout court. Berger avait idée de mettre sur pied une opération d'envergure destinée à retarder les unités ennemies sur la Dordogne. Le militaire ne s'opposa pas à ce projet d'esprit assez lawrencien : il s'agissait de déployer les maquis opérant dans la région sur une double ligne de trente kilomètres au sud de la rivière et de cinquante au nord. Mais comment obtenir la coopération d'unités de partisans politiquement aux antipodes les unes des autres et parfois ouvertement hostiles ? On imagine un gradé de l'armée régulière en train de négocier le mouvement de son bataillon avec l'électricien CGT de Rodez désigné par le PC du coin pour diriger le maquis FTP... Le chef de la région FFI de Limoges jugeait ce Berger « un peu cinglé » : il se déroba. Ravanel, commandant FFI du Toulousain, se montra plus coopératif. Quant aux FTP nombreux dans cette zone, ils s'occupaient avant tout de faire triompher la démocratie populaire en Aquitaine à la Libération, et n'entendaient nullement aliéner leur liberté d'action dans une fumeuse opération Berger. Seul l'un des maquis FTP, de tendance socialiste, pouvait n'être pas réticent.

Malraux décida, avec George Hiller, chef SOE du Lot, de contacter ce groupe et c'est alors, le 22 juillet, sur une route de Cajarc vers Gramat, que leur voiture essuya de plein fouet le feu d'un barrage allemand : le chauffeur fut tué net ; Hiller grièvement blessé fut traîné par son garde du corps au milieu d'un champ de maïs où il attendit à bout de sang qu'on vienne le secourir ; Malraux fut touché à la jambe et arrêté. Il était vêtu en officier supérieur français mais sans galons... On simula de l'exécuter à Gramat, on le transféra à Figeac, puis à Villefranche-de-Rouergue (où il tournait la fin de son film, six ans auparavant : hier...). Station dans un château où siégeait un état-major ennemi, dernier transfert à la prison Saint-Michel de Toulouse. La Gestapo décida de remettre l'interrogatoire faute de disposer du bon dossier : le Malraux qu'elle tenait n'était pas celui qu'elle croyait. Les noms sont narquois. La police nazie le prend pour Roland, alors que Roland est déjà pris. Elle lâchait le vrai Kassner, dans *Le Temps du mépris*, pour un faux qui se livrait à sa place...

Nul doute que l'atermoiement de la sécurité allemande fut encouragé par la menace de représailles sur les prisonniers des maquis au cas où Malraux serait exécuté, et aussi par l'offre de pots-de-vin : le SOE et surtout le MUR (Mouvements unis de la Résistance) de Dordogne, qui s'était emparé de plusieurs milliards de francs en braquant un convoi de la Banque de France, firent savoir qu'ils avaient les moyens d'acheter la tolérance des policiers[22]. Aucune mention n'est faite de cette initiative dans les *Antimémoires* : le récit de l'incarcération à Toulouse et de la libération abonde au contraire en « embellissements pathétiques[23] », comme disait Clara. Le 19 août au matin, l'occupant évacuait la ville insurgée, les portes de la prison s'ouvraient, et Malraux se sauva avec les autres. Il alla s'abriter chez les parents de Madeleine où Josette vint le chercher, en voiture de fonction, pour le ramener à Fayrac.

Pendant son internement, les régions Sud-Ouest R5 et R6 (Corrèze-Dordogne et Lot) s'étaient libérées. Et Jacquot, en obtenant la reddition sans condition des garnisons de Brive et de Tulle, s'était acquis l'autorité de chef interrégional FFI, que le responsable militaire de la zone Sud, Bourgès-Maunoury, avait refusée à Malraux en juillet. Quand celui-ci se rendit à Urval en Dordogne où le PC de l'état-major interallié avait été transféré, il n'y avait plus personne. Dans les maquis de l'Angoumois comme à la réunion des chefs de la Résistance à Périgueux où Berger se présenta sans convocation à la fin août, il fut mal reçu, presque comme un imposteur. La victoire lui avait échappé : « Comme je vois, on ne veut pas de moi [...]. Je n'ai plus ma place ici, je m'en vais[24]. »

Une amertume répugnante l'envahit. Il monta à Paris humer l'excitation de la capitale libérée. De Gaulle négociait sans entrain la formation d'un gouvernement provisoire avec les politiciens retrouvés. Il y avait une République et un pays à reconstruire. On épurait. André passa voir la bonne tante Marie Lamy restée seule à Paris après la mort de la grand-mère Adrienne en 1940 ; il entrevit le GI Hemingway installé en chef de gang armé dans une chambre du Ritz, et qui mortifia autant qu'il put le petit résistant de province. Lequel s'en retourna déconfit à Argentat.

Aventure avortée, gloire manquée ? En sortant de la réunion de Périgueux, il avait déclaré rageusement : « Vous entendrez parler du colonel Berger. » Il voulait mener sa guerre à bien. Une autre voie s'offrit. Au début de mai 1944, il avait reçu à Castelnaud-Fayrac la visite de Diener dit Ancel, un jeune instituteur lorrain qui commandait l'un des trois maquis Alsace-Lorraine basés aux environs de Périgueux (le Haut-Rhin avait été évacué en Dordogne). Ancel cherchait des instructeurs et des armes. Quinze jours après, le colonel avait été inspecter la « centurie Bir-Hakeim » rangée en carré dans une clairière : on présenta les armes, on hissa les couleurs. Berger leva le poing, déclara en trois mots aux hommes qu'ils auraient les armes et les instructeurs dont ils avaient besoin, qu'ils se battraient puisqu'ils voulaient se battre, leva le poing et disparut. Ç'avait été un grand moment : les pieux chrétiens de l'Est, abandonnés, reprirent d'un coup confiance grâce à la résolution de ce « communiste » insolite. Un contact suivi s'était établi avec Ancel et les centuries Alsace-Lorraine. Après tout, le Malraux de l'Espagne rouge travaillait à présent avec Londres et obtenait bel et bien des parachutages...

Or, le 30 août 1944, de retour de Paris en piteuse condition, ayant enfin retrouvé Jacquot à Aubazines, entre Tulle et Brive, il est en train de déjeuner avec lui en compagnie des Berl quand trois hommes du mouvement Alsace-Lorraine entrent dans la salle du restaurant. Bernard Metz, officier de liaison pour les trois centuries, est en quête d'un chef capable d'organiser les deux mille hommes de ce maquis en unité combattante et de conduire celle-ci aux côtés de l'armée de Lattre jusqu'au cœur de Strasbourg. Car ils sont décidés à libérer leur province par eux-mêmes. Metz vient demander à Jacquot de prendre ce commandement. L'officier le présente à Malraux. L'Alsacien reconnaît aussitôt l'auteur de *L'Espoir*, qu'il admire, et s'en laisse imposer par son grand air, son charme et sa rhétorique. Lorsque Berger ajoute : bien sûr, vous voulez rentrer chez vous en vous battant, c'est un symbole (c'est-à-dire : je signe), Metz a compris que le chef qu'il lui faut, ce sera lui.

En paraphant de son nom l'Alsace-Lorraine, le Berger issu de l'*Altenburg* ne fait que vouloir ce qui le hante : la possibilité, la précarité. Allemand contre les Russes en 1915, Français contre l'Allemand en 1940, le patronyme, selon qu'il est prononcé, attestait combien la généalogie trébuche sur la marche frontalière. La vallée du Rhin, plutôt qu'à conquérir, est à délivrer des appartenances et à rendre à la vocation spirituelle qu'André célébrait pour Clara devant la Lorelei, en 1921, après s'être échappé des quartiers du régiment hussard à la Robertsau. Les *Antimémoires*, dès l'incipit, surchargent le sigle en puissance transhistorique : « Je reprends donc ici telles scènes autrefois transformées en fiction. Souvent liées au souvenir par des liens enchevêtrés, il advient qu'elles le soient, de façon troublante, à l'avenir[25]. » Suivent deux pages où Malraux pointe la récurrence prémonitoire du sigle Alsace-Lorraine dans son œuvre et sa vie.

Collines et forêts inspirées, un paysage émane des provinces de l'Est, qui évoque Barrès. Il occupe le fond de l'imaginaire récit du dernier entretien avec de Gaulle, daté du 11 décembre 1969 à Colombey[26]. Tous les bois malruciens viennent s'abattre ensemble sur la Boisserie, charpentes de Dunkerque, noyers de l'Altenburg, sapins de Bolgako et des Vosges, hévéas khmers. « Il aurait fallu, songe-t-il après les obsèques, que la dépouille du Général ne soit pas dans un cercueil mais déposée, comme celle d'un chevalier, sur des rondins de bois[27]. » Les collines de Colombey étaient celles de Clairvaux, l'Ordre de la Libération celui des Templiers.

Malraux n'est pourtant pas barrésien. Il aime dans le parage vosgien son aspect de *limes* incertain, une fin et un début, sorte de limbe : Le Corbusier, que le ministre célèbre en 1965, savait ce qu'il faisait en élevant son église sur les pentes de Ronchamp[28]. Douces inclinaisons qui montent et s'abaissent d'un seul mouvement, retenant embrassées dans leur usure la révolte et sa défaite. La mêlée est sans fin comme la lutte avec l'Ange. On ne prend pas racine sur ces pentes, elles sont un seuil, comme l'Arabie pour Lawrence, comme la France pour de Gaulle. Un rien va convertir les mauvais garçons qui forment la brigade en soldats exemplaires lors des durs combats des Vosges. Le très laïc Jacquot pouvait dauber « la très chrétienne brigade », et Malraux le mystique pouvait la célébrer comme « une bande de brigands du XIIᵉ siècle[29] ».

Jacquot et Metz obtinrent sans coup férir la reconnaissance de ladite brigade, et la nomination de Berger à sa tête, par l'autorité militaire de Toulouse. L'obstacle vint des hommes de l'Est. Quoi ! nous, chrétiens de tradition, servir sous un chef rouge, pilleur d'églises et tueur de curés, et chanter derrière lui le Te Deum dans la cathédrale de Strasbourg ! Comme au Québec... Bernard Metz tient tête. Il a compris que l'auteur de *L'Espoir* n'est plus, ou n'a jamais été le bolchevik fanatisé qu'ils croient. Fusillez-moi après la guerre, crie-t-il aux chefs des centuries qui délibèrent, si vous regrettez d'avoir servi sous lui ! Tout est enfin réglé à Dijon, le 17 septembre 1944, au QG de de Lattre : la brigade, grossie d'un bataillon d'Alsaciens venus d'Annecy, est confirmée dans son statut d'unité militaire spéciale au sein de l'Armée de la France libre ; la liaison avec le commandement de celle-ci sera assurée, pour le bonheur de tous, par le complice de Pontigny, André Chamson. Et les brigands sont engagés dans le secteur de Bois-le-Prince dès le 7 octobre. Ils percent la défense ennemie sur le Haut de la Parère, au prix de lourdes pertes. La résistance allemande sur le front vosgien se fait si acharnée – cette fois, on défend la patrie – que de Lattre décide de tourner l'ennemi par le sud. La brigade est déplacée vers Altkirch pour servir d'infanterie d'appui à la Cinquième Division blindée.

En l'école de Montagnay en Franche-Comté, le 11 novembre 1944 (sous le signe du Scorpion, le sien), Berger prend part au briefing du matin quand le planton lui tend un télégramme : Josette mourante à l'hôpital de Tulle. Morte le 12 quand il arrive. Elle est tombée, en gare de Saint-Chamant, sous les roues du brave tortillard qui s'ébranlait. Pas plus qu'un gros jouet d'enfant grandeur nature... Qui s'en méfierait ? Elle est boulée contre le ballast, tout le corps incrusté de silex, et les genoux divins broyés. Sa mère était venue la voir depuis Hyères, elle avait recommencé la guerre : qu'est-ce que tu fais avec ce type ? tu ne seras jamais sa femme ni tes enfants les siens... un Parisien... déjà marié... intellectuel... un rouge... C'est l'épouvante pour Josette, ces vociférations, « la tragédie de ma vie[30] », elles crient son anxiété à elle. Maman, tu t'en vas tout de suite. Maman souffre d'arthrite, sa fille lui descend sa valise à la gare et la place dans le compartiment, ivre de hurlements, de désespoir. Le train s'ébranle, elle saute en marche et son pied glisse (vous savez, ces semelles compensées, en bois articulé...). Diane mise en pièces par la fureur des Mères ! A la clinique de Tulle, Josette interdit sa porte à Madame, pendant que le froid lui monte de ses jambes mortes. Juste le temps de commander à Rosine : maquillez-moi et coiffez-moi. La Vénus de Syracuse se voit avec les yeux d'André. C'était toute son œuvre, à elle, sa beauté, et celle des garçons. Il avait résisté, elle savait qu'il n'y résistait pas. Voilà ce que je peux te donner, lui dit le masque lisse à la morgue de Tulle, en protestation d'amour. Ceux qui virent Malraux à Paris s'en retournant au front d'Alsace, il eut beau tenter de n'en laisser rien paraître par principe d'invulnérabilité, ceux-là, s'ils l'aimaient, furent atterrés : les traits, les tics, les mains, le regard vibraient à rompre.

La division Leclerc fonce vers Strasbourg par Baccarat et Schirmach, la brigade est accrochée devant Dannemarie, par un froid polaire. Une semaine à progresser de trou glacé en trou glacé, dix kilomètres, pour arriver à Strasbourg, le 27 novembre. Les gueux forcent l'admiration des chefs, les chefs se font sublimes : Jacquot blessé trois fois dans le mois continue en première ligne, Malraux cherche à se faire tuer. Pour qui la cérémonie qu'il demanda à Bockel, son aumônier, de célébrer en la cathédrale de Strasbourg, restituée au culte après quatre ans d'interdiction ? Leclerc n'y avait pas pensé. On pleura tous les morts au combat, de l'Indochine et de l'Espagne jusqu'au Périgord noir, et l'on pleura Josette, et Roland, et Claude. Tout le peuple, en un mot, toujours vaincu, celui des chapiteaux et des frontons, on le pleura.

Ténébreuses Ardennes, l'histoire s'y répète. En décembre 1944, Rundstedt perce le front allié comme en 1940. Eisenhower resserre son dispositif, l'appuie sur les Vosges, dégarnit la plaine d'Alsace. Image insupportable : la croix gammée flottant de nouveau sur la place Kléber, la honte, et la promesse de terreur. De Gaulle refuse de découvrir Strasbourg, y maintient de Lattre avec ordre de sauver la ville coûte que coûte. La brigade couvrira l'abord sud de la capitale alsacienne. Le régiment américain qui l'appuyait décroche après quelques jours. L'ennemi qui tient Colmar essaie de prendre Strasbourg en étau par le sud. Malraux ordonne qu'on tienne à tout prix, jusque dans la ville s'il le faut, et rue par rue, maison par maison. Il salue en ses hommes « ceux qui vont mourir ». L'ennemi attaque avec une énergie effroyable. Il fait − 18°. Une unité de la brigade encerclée au milieu des marais glacés du Rhin se dégage par un gué profond. Immergés dans l'eau jusqu'aux épaules, les armes tenues en l'air, les hommes parviennent à rejoindre leurs lignes à demi morts de froid, gelés jusqu'à mi-corps, les pieds, les jambes anéantis, et les génitoires disparues au plus chaud du ventre. Colmar n'est pas repris avant la mi-février. Combats impitoyables pour passer le Rhin. La brigade, intégrée à la 9e division d'infanterie coloniale, entre dans le Bade, le Wurtemberg, se fait décorer par de Lattre à Stuttgart en avril. Elle est alors la troisième demi-brigade d'une unité de chasseurs, et commandée par le lieutenant-colonel Jacquot. Sous son béret de colonel faussaire, Berger n'a pas volé sa croix de la Libération. Et puis on fonce vers le Sud-Ouest allemand pour devancer l'occupation de la Bavière par les Russes. La guerre froide commence. Malraux visite Berchtesgaden comme un caveau de pharaon...

En janvier 1945, il avait trouvé le temps de monter à la vieille tribune de la Mutualité pour lancer la nouvelle consigne. C'était le premier Congrès général du Mouvement de libération nationale (MLN). Les deux mille délégués des organisations de Résistance indépendantes se prononçaient sur la fusion du MLN avec le regroupement des réseaux d'obédience communiste nommé Front national. Cet officier français, en bottes et baudrier, le front blême et la mèche battant les sourcils coincés, qui rend hommage aux combattants communistes pour mieux dénoncer dans leur parti l'ennemi principal – est-ce bien le même tribun qui, il y a dix ans, ici même appelait à faire front contre le fascisme aux côtés des staliniens ? Coalitions ponctuelles avec le FN, soutient-il, surtout pas de fusion, nous serions absorbés. « Une nouvelle résistance commence [...]. Je dis à tous qui avez été capables quand vous n'aviez rien d'en faire une [résistance], vous serez oui ou non – et je dis oui – capables de la refaire quand vous avez tout entre les mains[31]. » Il a trouvé sa nouvelle guerre. C'est la même pour lui. Rumeurs dans la salle : il retourne sa veste, ricane-t-on. Sa motion l'emporte haut la main quand même sur celle des fusionnistes : 250 voix contre 119. Front populaire avec une URSS encore faible, oui, dit-il, démocratie populaire quand le Kremlin est tout-puissant, pas question. La gauche jasa, contre-attaqua. Et qui n'était pas à gauche, alors ? De Gaulle lui-même se montrait fort conciliant avec Thorez et Moscou, selon la vieille tradition des alliances franco-russes opposées à la prééminence de Londres sur l'Europe, ou de Berlin, ou de Washington... « Il faut toujours des alliés de revers[32]. » Le général et l'écrivain avaient en commun de compter pour rien les vieux partis. Malraux a-t-il vraiment une politique ? « J'ai dit nationaliser le crédit comme j'aurais dit autre chose[33]. » De Gaulle était plus ferme en la matière : il pensait que les nationalisations souderaient la nation et renforceraient l'Etat. Malraux songeait surtout au peuple, et qu'il pouvait subir une défaite, encore une fois, du fait du stalinisme. Il y songeait en poète.

Et puis le chat en lui, innombrable, malheureux, souriant, troqua le baudrier militaire pour une cravate de ministre.

NOTES

1. Chantal, 228-229.
2. *Ibid.*, 288.
3. *Marronniers*, 346.

4. Desanti, 404.
5. *Ibid.*, 415.
6. Chantal, 250-251.
7. *DA*, 803-974.
8. « Tragédie inachevée », *DA*, 2.492-2.521.
9. *Ibid.*, 2.492-2.493.
10. *Ibid.*
11. *CPD* 3, 316.
12. *Girafe*, 113-114.
13. « Le temps des échecs », *DA*, 752.
14. *Ibid.*, 714.
15. *Les Sept piliers*, 516-516.
16. « La clef de Damas », *DA*, 892.
17. *Ibid.*
18. *Ibid.*, 892-893.
19. *Marronniers*, 357.
20. *Ibid.*, 359-360.
21. Penaud, 144-158.
22. *Ibid.*, 183-185.
23. *ML*, 167-201.
24. Penaud, 193.
25. *ML*, 11-12.
26. *Les Chênes qu'on abat*, repris dans *ML*, 615-732.
27. Cité par Curtis Cate, 504.
28. « Funérailles de Le Corbusier », *ML*, 987.
29. Mercadet, 267.
30. *Marronniers*, 32.
31. *Premier Congrès général du MLN*, Sceaux, Imp. du MLN, 1946, 129-131.
32. Peyrefitte, 320.
33. Cité par Janine Mossuz, 47.

16

TÉMOIN

Les hommes sont ainsi, les femmes le savent bien, bien mieux qu'eux-mêmes, elles causent de cela en souriant, avec un peu de crainte, parce que c'est leur folie, aux mâles : l'homme le plus rebelle, voici que tout d'un coup il se soumet à un homme, comment dire ? par amour, mais il ne le sait pas, voici qu'il tait ses discordes avec lui, qu'il accepte tout de lui, et affiche son obédience sans condition, au vu de tous, au scandale de tous, fièrement. On l'aurait dit féal en d'autres temps. Le farfelu, l'aventurier, le rouge, l'agnostique, le tribun fou, l'écrivain de l'insurrection, le penseur de la précarité, il plie le genou devant le général de Gaulle et s'inféode une fois pour toutes.

Qu'on le regarde entrer, en retard, hors de souffle, au rendez-vous de la mort, dans l'église de Colombey, en novembre 1970, qu'on observe son visage torturé par la souffrance, incliné dans la pénombre comme un profil médiéval au coin d'un chapiteau, le poing sur la bouche écrasant un sanglot : les autres pleurent un maître ou simplement un chef, quelques-uns s'apprêtent à pousser le grand cadavre à la fosse pour occuper la place laissée libre... Non, Florence, la fille d'André, ne se trompe pas : il n'a aimé qu'une femme à la folie, c'était de Gaulle[1]. Ou pire : le Général fut le seul homme dont il osa se déclarer l'épouse mystique.

Passion donc, et si malheureuse qu'il perd ses moyens, sa plume, ne publie rien pendant dix ans de 1957 à 1967, comme

303

s'il avait passé la main à l'autre et accepté d'être superflu. Comme si la figure à laquelle avait eu recours tout ce qu'il avait fait, dit et écrit, l'anti-mère, la Donatrice, elle était là et il se tenait à sa droite.

Une dépendance insupportable qu'il supporte, s'évertuant à préférer l'autre à lui-même jusqu'à ruiner sa propre image. Il exhibe effrontément son obédience alors même qu'il réprouve ceci ou cela dans les vues du Général : la politique de guerre en Indochine, dérapages dans la stratégie algérienne, hostilité ouverte à l'égard d'Israël lors de la guerre des Six Jours. Tout ce qui le révolte, il l'endosse. Pas un mot de critique en public, bien sûr, pas un mot non plus au Conseil des ministres.

Il ment sans sourciller en conférence de presse : plus de torture en Algérie depuis la venue de De Gaulle là-bas, déclare-t-il le 24 juin 1958, en appelant les trois Nobel de littérature français à s'y rendre. Et il y a ce ministère de la Culture, duquel de Gaulle se soucie comme d'une guigne : il se résigne à s'en débrouiller avec le budget de misère qu'on lui jette à ronger. Que d'amertume sous cette docilité ! Une plainte lui échappe parfois, auprès d'un proche : à Alain, après une allocution télévisée du chef de l'Etat : « Il n'a pas dit UN mot de ce que j'essaie de faire[2]. »

Le cas est rare car, de vrai confident, il n'en a jamais eu ; les amis de cœur ont disparu, Drieu suicidé en 1945 et Groethuysen mort l'année suivante, les autres sont écartés, à l'exception de Manès Sperber et Jean Grosjean[3]. De la famille proche, que survit-il après la guerre ? Outre Clara, interdite, et leur fille Florence, ont échappé à l'hécatombe Gauthier et Vincent, les fils naturels de Josette, et la veuve de son frère Roland, Madeleine, avec son fils Alain. Malraux avait épousé sa belle-sœur en 1948, après que le divorce d'avec Clara eut été prononcé et lorsqu'il fut certain que Roland, déporté en Allemagne, y avait succombé. Colonne de rescapés dont André prit la tête pour honorer ses obligations envers les morts, famille frappée d'un destin shakespearien. Il l'installa dans une grande demeure, genre « hollandais des années 20 », au dire de Mal-

Témoin

raux, fort laide d'extérieur selon Alain[4], sise avenue Victor-Hugo à Boulogne-sur-Seine.

Madeleine en avait imposé à André dès leur première rencontre : haute de taille, faite au moule, un regard de velours doux, un peu farouche, dans l'ovale plein d'un visage ceint d'une lourde chevelure sombre, elle avait le goût du très beau vêtement, se faisait maquiller chez Arden. Elle dirigea la maison de Boulogne avec l'aisance ferme d'une fille de bonne famille. La vénération dont elle entoura son mari, le soin porté à l'éducation des trois enfants, sa réputation de pianiste et la culture inhérente à ce talent : on l'eût dite faite pour tamiser de sa grâce silencieuse les missions et les initiatives du trop brillant ministre et ambassadeur personnel de De Gaulle dans le monde. Qu'on la voie auprès des Kennedy quand Malraux en 1963 accompagne *La Joconde* à Washington : elle se trouva être l'épouse de ce grand personnage sans nulle affectation.

Le premier des deux étages qu'occupaient les Malraux consistait pour l'essentiel en une haute et vaste pièce, toute blanche, à la manière d'un intérieur de film hollywoodien qu'éclairaient des fenêtres verticales et une longue baie vitrée ouvrant sur un parc planté de marronniers. Le piano de Madeleine, un immense Pleyel à deux claviers, prototype fort rare, dessiné et produit pour l'exposition de 1937, meublait le grand studio à suffisance. André fit son bureau dans une alcôve prise sur cette pièce. On y dressait la table à midi pour le couple, auquel Florence venait se joindre rituellement une fois par semaine. Les trois garçons étaient servis dans une salle à manger attenante, modeste et meublée de rotin. Nurse, cuisinière, chauffeur, gardiens, la tenue de la maison ne laissait rien à désirer. « Monsieur » ne supportait le désordre et l'à-peu-près en aucune chose. On ne « recevait » pas, sauf quelques couples amis, et dans l'intimité. Les de Gaulle dînèrent parfois.

La vie de la maison, son temps, son espace étaient ainsi disposés que rien ne vînt distraire le maître du tête-à-tête avec « la Question » contre laquelle son écriture allait se jouer jusqu'au bout. Il descendait chaque matin, en cravate et robe de chambre de soie noire ou indigo, s'installer à sa table et ne s'en levait que pour étaler sur la moquette les reproductions, les étudier, les comparer, les distribuer, les composer. Pendant les trente années qui le séparent de sa fin, il ne fera qu'explorer l'énigme qui hante sa pensée depuis l'enfance : comment des œuvres sont-elles possibles qui peuvent défier, serait-ce par éclipses, la corrosion de la Redite ? Il va lutter pour élaborer cette « Psychologie » jusqu'au dernier souffle. Loin d'être un substitut à l'aventure et à l'action, aux romans qui les racontent, elle avait pour tâche de se faire le témoin de l'inexplicable transcendance dont l'âme est parfois capable.

La figure légendaire de De Gaulle, qui incarnait sous ses yeux cette énigme, lui était un modèle. Mais aussi cette hauteur si proche et si pressante, et la passion qu'il lui portait, intimi-daient autant qu'elles excitaient sa liberté d'analyser les œuvres qu'on pouvait comparer à celle du héros de la France libre et d'en écrire quelque chose qui fût de taille. Le silence et l'ordre de Boulogne faisaient un peu écran aux émotions contradic-toires qu'éprouvait le féal du Général. Il put se recueillir assez pour y écrire *Les Voix du silence* et *La Métamorphose des dieux,* non sans peine.

Quand le couple Renard, les propriétaires de la villa qui occupaient le rez-de-chaussée avec leur mère et leur fille, demandèrent poliment aux Malraux, en 1961, après la mort des fils de Josette, de leur rendre les étages, l'écrivain ne put res-sentir cette prière que comme une menace directe contre son œuvre : « Je n'ai pas d'appartement de fonction, déclara-t-il à Madeleine et à Alain, et tant que je serai ministre, je ne m'en irai pas de cette maison. S'il le faut, je la ferai réquisitionner par l'armée[5]. »

Il fallut pourtant déloger : l'OAS fit éclater une bombe dans le bas de la demeure, qui coûta la vue à la petite Renard. C'était en février 1962 ; six mois plus tard, de Gaulle à son tour essuyait le feu des comploteurs en traversant le Petit-Clamart. On ne pouvait exposer davantage les Renard, on s'enquit d'autres logements. Ils étaient trop chers. Pompidou, nommé Premier ministre en avril, proposa amicalement sa résidence secondaire de fonction, le pavillon de la Lanterne, une folie XVIIIe accotée au parc de Versailles. La mort avait encore fau-ché tout près, comme si elle eût obéi au désir de Malraux, dou-blement torturé par sa vassalisation à l'immortel Général et par l'écriture d'une œuvre acharnée à réfuter la mort. Advenue du dehors comme par accident, appelée du dedans pour en finir au plus vite ?

C'est elle qui, bien avant l'atroce année 1961, fournit tous les prétextes à l'hostilité chronique du chef de famille contre les siens, alimentant une sourde guerre d' « éviction », comme dit Alain, dont la violence s'abattait à la volée sur Vincent, le plus insolemment Malraux des enfants, sur l'innocent Gauthier pourtant le préféré des deux fils de Josette, sur Madeleine elle-même qui, par douceur naturelle, prit bientôt le parti de ne pas répliquer : « Je vis avec une muette[6]. » Quatre ans après la disparition des deux garçons, qu'elle avait élevés comme les siens, il lui jetait encore : « Vous n'avez pas été une mère sublime[7]. » Le temps aggravait son aigreur. Jour après jour, depuis plus de quinze ans, Madeleine avait en charge les choses de la vie qui rendaient sa présence indispensable à André. Le débit de son rapport envers elle s'ouvrait tout grand, se gonflait, et leur temps ensemble se comptait à rebours, dans l'attente de l'instant zéro qui annulerait tout. Lequel trouva son expression quasi parfaite dans ce lapsus qu'André fit – et souligna lui-même – en réponse à Arland s'enquérant d'une absence de Madeleine : « *Clara* est à la montagne[8]. »

La cohabitation à la Lanterne s'avéra invivable. Madeleine prit un pied-à-terre au Ranelagh, puis un appartement avenue Montaigne où André, demeurant à Versailles, avait en principe chambre faite. Cependant les diverses installations furent tour à tour prétextes à la même scène : il imposait en tyran ses idées de décorateur et, si Madeleine n'abondait pas sur-le-champ, lui cherchait querelle : « Vous détestez cette maison[9] ! » lui disait-il déjà à Boulogne. La tension ne cessait pas d'empirer, au désespoir d'Alain. André lui déclara un soir, à table, en présence de Madeleine : « L'amour, c'est : n'importe quoi, pourvu que tu sois là ; la haine, c'est : n'importe quoi pourvu que tu ne sois pas là[10]. » Tout au long du périple asiatique qu'on lui recommanda de faire en 1965 pour lui « changer les idées », il expédia à Madeleine des lettres d'invectives insensées. Au retour, elle fut priée de ne plus mettre les pieds à la Lanterne[11].

Alain seul fut admis dans la tanière. Le neveu avait toujours joui de la faveur de l'oncle. Etait-ce en vertu du fantasme d'André qui voulait que le nom de Malraux ne se transmît aux fils qu'au prix de la mort des pères ? A l'époque où Alain petit se tourmentait dans l'attente que son père réapparût, André était entré un matin s'asseoir au bord de son lit et lui avait fait comprendre, avec une délicatesse infinie, que Roland ne reviendrait jamais. Quelle sévère tendresse ne mit-il pas à rendre supportable au garçon l'affreuse vérité[12] ! « Celui-là, disait-il en l'ébouriffant gentiment de sa main, c'est comme un petit chat, on peut toujours l'emmener avec soi[13]. » Quoi qu'on en dise, André ne fut pas un père indifférent. Ses rapports avec Florence, l'enfant séparée, en sont le signe, parmi d'autres. Employée dès sa naissance à la mauvaise guerre que Clara n'aura cessé de mener contre André, Florence contre toute attente résista. L'enfant déjà, l'adolescente aussi bien, sut tenir à sage distance l'emportement maniaque de sa mère, sauvegarda l'image d'un père admiré. C'était sa précocité, taillée à l'origine : non qu'elle crût pouvoir attendrir la fureur maternelle, mais comme s'il lui revenait, à elle, de l'exempter. André aima l'enfant, la jeune femme, et dans sa fille ainsi donnée, un esprit fier et cultivé, libre de tout ressentiment. Les repas hebdomadaires qu'ils prirent ensemble en compagnie de Madeleine offrirent pendant des années à leur estime complice l'occasion régulière de s'affermir. Sur le terrain d'une filiation si menacée, où le diable avait ménagé tant de pièges, on s'émerveille que le pied de la petite Florence ne faillît jamais, que son âme sortît intacte, grandie, d'une épreuve où toute autre, plus robuste en apparence, se fût laissé corrompre.

Quant aux garçons, dans les premières années, André se montrait accueillant, chaleureux, envers eux. Quand ils venaient lui poser des questions, tous ensemble, dans le tumulte, il mettait de l'ordre par un « Qui a posé la question le premier ? » et répondait avec soin[14]. Un jour, il prend la feuille que lui tend Alain désemparé et dessine dessus en un instant l'écusson demandé par l'école comme exercice[15]. Ou bien, le prend à part, l'assied au petit piano de la salle à manger, et lui fait jouer une Gavotte de Bach pour lui montrer qu'il l'exécutera avec succès le lendemain, au concours des jeunes pianistes qu'il doit passer[16]. Le neveu était choyé, mais les trois garçons, ainsi que Florence, furent traités par lui selon le même principe, attribué à Lawrence : on parle aux enfants comme à des adultes. Il leur expliquait donc que les communistes n'étaient pas simplement « des méchants », comme dans les contes : « ce qu'ils veulent est bien, ce qu'ils font est bas[17] ». Ou que l'on peut bien croire avec Jésus, ou ne pas croire, que chacun est comptable pour tous les autres, mais qu'on ne saurait en aucun cas l'ignorer[18]. Que le choix était de leur responsabilité. Seule l'injustice initiale d'André à l'endroit de Vincent, le rebelle, ne céda jamais. L'enfant souffrit tant de cette incompréhension qu'il multiplia les échecs scolaires et les fugues. Sur le conseil de Manès Sperber, on l'expédia dans une pension en Suisse, sans succès ; plus tard chez les jésuites de Metz, puis au lycée de Strasbourg, jusqu'à ce que le père Bockel, l'ancien aumônier de la brigade Alsace-Lorraine, découvrît le talent de peintre du jeune homme et le fît entrer aux Arts décoratifs de la capitale alsacienne. L'accident d'auto qui tue Vincent à dix-huit ans avec son frère n'aura jamais causé, dans la bouche du père, que « la mort de Gauthier »...

Le voici donc terré seul, Malraux, en 1965, au fond de sa lanterne, auprès des obsèques du monde qui ordonnent les bosquets et les allées du bon plaisir monarchique. Terrassé sous l'automne et l'hiver embués des brouillards qu'exhalent le Grand Canal et les bassins. Il couve là son anti-livre, dans l'impasse maniaquement géométrique où l'histoire des rois français arbore le comble de son vide. Un saut au ministère, au Conseil, quand il le faut, et il reprend sa lutte avec les mots sous la lampe muette où les deux chats qu'Alain lui a donnés viennent se chauffer le dos. Et dehors, le noir de la nuit versaillaise ventousé aux vieux carreaux comme cent chauves-souris. Après trois jours passés chez lui à la Toussaint 1965, Alain jeune homme l'entend répondre un sinistre « merci » à son bonsoir. A la fin de 1966, on l'a déjà lu, quand le rendez-vous est pris pour la semaine suivante, l'oncle demande, hagard : « Alors, on ne se revoit plus jamais[19]. » Congé est enfin donné au neveu, de derrière le lourd bureau du Palais-Royal, avec un « Il t'est arrivé d'être mon fils... » que souligne « un regard de plomb ». Confirmé par un billet, trois jours après : « De l'autre côté du fleuve, je te souhaite d'être heureux[20]. » Tel est le désir de mort qu'il rompt l'amarre la plus robuste.

Pareillement, Florence sera bannie en 1960, et pour plusieurs années, sur un malentendu monté en écueil. Elle venait de signer le Manifeste des 121 : presque tout ce qui comptait en France dans la pensée, la littérature et l'art y dénonçait l'usage de la torture en Algérie et appelait les jeunes du contingent à déserter. Le ministre découvre avec stupeur le nom de sa fille, le sien, au bas du texte que publient à la une les journaux du matin. Silence, et de sa mauvaise voix neutre : « Cette fois, je l'ai assez vue. » Silence encore : « Quel livre a-t-elle écrit, quel tableau a-t-elle peint, pour signer ce texte[21] ? » Ils ont dîné ensemble, un ou deux jours auparavant, chaleureusement comme d'habitude. La pétition circulait à *L'Express* où Florence travaillait, elle la signe d'un geste, par « chagrin d'amour » pour l'Algérie souillée, par horreur de la torture. En toucha-t-elle un mot à son père ? En tout cas, il n'était pas visé[22]. Florence n'imagina pas une seconde qu'il pût se sentir solidaire des bourreaux. Il le prit autrement, sa fille même le trahissait, rejoignait la cohorte des belles âmes imbéciles : « Quand nous aurons fait la paix en Algérie, ils auront bonne mine, ces grands révolutionnaires qui m'expliquent ce que je devrais faire au nom de ce que j'ai fait. Sartre a chaussé mes pantoufles[23]... ».

A force de dénuement, il plonge dans la neurasthénie, dans le mépris de soi : « Ce que je veux est fou, ce que je peux est nul[24]. » Un survivant. Le désert au milieu des honneurs. Il tente d'arracher son écriture au désastre, il force sur les doses d'amphétamines, sur le café et l'alcool. Madeleine avait osé lui dire, calmement : « Personne n'aura le courage, mais il faut vous le dire : si vous voulez vous sauver, il faut vous arrêter de boire. – J'attendais cette phrase : eh bien ! si je bois, c'est à cause de vous ! – Non. Parce que vous buviez déjà avec Josette et qu'elle s'en plaignait auprès de moi en disant que vous aviez terminé *L'Espoir* à coups de Pernod[25]. » On l'envoie se promener en Asie, assisté d'Albert Beuret, sans grand succès. Et cet homme indomptable finit par accepter qu'on l'aide. Louis Bertagna, neuropsychiatre de talent, de cœur et d'intelligence, le prend en main...

On pouvait le croire fini. Ce fut le contraire. Une idée le sauva, non le tourisme : venue de son lointain le plus proche, l'idée du livre qui l'attendait depuis si longtemps, une sorte d'anamnèse à la manière des *Essais* écrite dans la veine Chateaubriand. Livre des moments, déconstruits, reconstruits, inventés, montés en scénario elliptique, et livre d'abondance. La matière en serait non la vie de Malraux, mais la « vie Malraux ». Non la biographie d' « un type qui porte ce nom », mais plutôt le nom singulier de ce qui signe la vie, l'écriture comme énigme immanente à toute vie, qui s'en échappe et l'ignore. *Antimémoires* sera, par excellence, écrit à l'écoute de la gorge, dicté par la voix inconnue du dedans.

Dans le tableau des passions, il est constant que la rencontre tient à un fil, à un filtre, qu'elle obéit à un destin. Les amants n'y sont pour rien, ils choient leur innocence, ils brouillent la circonstance. André Chamson s'attribue le mérite d'avoir présenté l'écrivain au Général à Strasbourg, en mai 1945, lors de la célébration du Te Deum. Quant à lui, Malraux plaide plusieurs versions du contact manqué. Il a « reçu vingt ans plus tard » une lettre d'un M. Benedite qui atteste que l'écrivain avait fait passer, depuis Marseille, un message pour le chef de la France libre à Londres dès novembre 1940[26]. Et que par malheur, l'épouse de ce monsieur, alors secrétaire de Varian Fry qui s'occupait, comme on l'a dit, d'aider et d'évacuer les écrivains français menacés, pour le compte du Emergency Rescue Committee à New York, que la jeune femme donc avait dû manger ledit message dans le car de police qui l'emmenait au commissariat pour interrogatoire d'identité à la suite d'une manifestation commémorant l'indépendance yougoslave sur la Canebière, au lieu même et au jour anniversaire où le roi Alexandre avait été assassiné six ans auparavant.

Est-ce assez romanesque ? Malraux, d'autre part, déclara « à plusieurs reprises » qu'il avait demandé vers 1943-1944 à l'amie Alice Jean-Alley, « passeur » à Paris d'agents SOE et de militaires alliés évadés, de le mettre en rapport avec Liewer, un responsable du même réseau anglo-français, en vue de prendre contact avec de Gaulle. Autre fable ? Compatible avec la précédente... Mais les rapports du SOE avec les autorités françaises de Londres étaient notoirement détestables, et Malraux n'était pas en peine de l'imaginer. Du reste son frère Roland, membre du SOE, pouvait lui-même assurer cette liaison...

Que d'embarras chez cet homme d'ailleurs si prompt à décider et à réaliser... Il y avait, bien sûr, les préventions déclarées d'un « homme de gauche » contre un officier de carrière qu'il jugeait très incliné à droite. Fin septembre 1941, à Stéphane qui lui demande s'il va rejoindre Londres, Malraux réplique : « Que ferai-je au milieu de ces officiers d'Action française[27] ? » Février 1945, sur le front d'Alsace, verdict du procès Maurras : celui-ci échappe au peloton d'exécution. Stéphane fait mine de s'en étonner. Malraux : « On ne peut pas faire la politique de Bainville et condamner à mort Maurras[28]. » Début 1945 encore, il a cette réplique sans appel à la suggestion du vieux camarade Corniglion-Molinier, proche du Général depuis Londres : « Tu devrais connaître de Gaulle, c'est quelqu'un pour toi. – Ce fasciste[29] ? »

Le fait est qu'il fut introduit rue Saint-Dominique, dans le bureau du Général, le 10 août 1945. Encore fut-ce, Malraux le souligne, au prix d'une supercherie dont les deux protagonistes furent dupes, semble-t-il. Il s'était alors laissé convaincre de prendre part aux réunions informelles de l' « entourage » de De Gaulle : Palewski, Corniglion, le lieutenant Claude Guy, Claude Mauriac, Pompidou, Aron... Un soir de l'été 1945, une voiture battant pavillon militaire s'arrête devant la villa de Boulogne : « Le général de Gaulle vous fait demander, au nom de la France, si vous voulez l'aider[30]. » A quoi Malraux aurait répondu du tac au tac : « La question ne se pose évidemment pas. » Silence sur l'identité du visiteur.

Dix jours après l'entrevue, il est « conseiller technique » au cabinet du président du gouvernement provisoire. Sans affectation particulière, juste muni de deux ou trois idées, inattendues chez le pourfendeur des « techniques » d'intoxication, au sujet de l'usage des media dans l'enseignement et des sondages d'opinion dans l'estimation des conjonctures politiques. L'Assemblée constituante sort des urnes le 24 octobre 1945 : chambre tripartite, démochrétiens, socialistes et communistes à part égale. Consultations, négociations, trocs de portefeuilles : du bout des doigts, de Gaulle partage le gâteau pour confectionner le nouveau ministère, à la mode de la Troisième République. Comme s'il ne s'était rien passé depuis 1940... Malraux est l'un des trois ministres sans étiquette, chargé de l'Information – laquelle n'existe pas.

Exaspéré par le « régime des partis », de Gaulle démissionne après deux mois, le 20 janvier 1946. L'énigme de la rencontre n'est pas dissipée. Peu avant le départ du président du Conseil, un soir, Malraux descend l'escalier de Matignon à ses côtés : « Que comptez-vous faire maintenant, à l'Information ? – Le ministère, mon général : il n'y en a pas. Ce sera terminé dans six semaines. – Je serai parti. » Imaginé ou réel, le franc-parler du héros suppose qu'il fait toute confiance à son admirateur. Or celui-ci se hâte d'obscurcir le motif de cette intimité : « C'est alors que, sans aucune raison, je devinai que le général de Gaulle ne m'avait *jamais* appelé. J'en ai reçu la confirmation quelques années plus tard [...]. Je pense que lorsqu'on me transmit son appel supposé, on lui transmit le mien, qui ne l'était pas moins[31]. » Lequel de ses appels à lui ? N'importe, puisqu'il est « supposé ». Personne ne l'a voulue, leur union, c'est le destin. Malraux aura veillé jusqu'au bout à sauvegarder ce *pathos*, celui des tragédies. (Les esprits policiers veulent-ils le nom de l'entremetteur ? Ce fut probablement Gaston Palewski.)

Comment le dire gaulliste, dans de telles conditions ? Il se refuse à solliciter les suffrages des électeurs tant pour le RPF que pour l'UNR. Adhère-t-il même à cette Union pour la Nouvelle République ? Il n'avait pas la carte de l'Association des écrivains et artistes révolutionnaires, pendant les années 1935, tandis qu'il en présidait les meetings. Il écrit le récit hautement fabulé de la dernière entrevue qu'il eut avec de Gaulle à Colombey en novembre 1969 : célébration de l'objet de son adoration, exhibition avantageuse de leur intimité, bonne occasion aussi de dire et de redire la méfiance du vieux chef retiré à l'égard des gaullistes, ou de la lui prêter.

« C'est vous qui avez imposé le mot gaullisme, non ? Qu'entendiez-vous par là, au début ? [...] – Pendant la Résistance, quelque chose comme : les passions politiques au service de la France, en opposition à la France au service des passions de droite ou de gauche. Ensuite, un sentiment. Le sentiment que vos motifs, bons ou mauvais, *n'étaient pas ceux des politiciens*[32]. » Flagorneur, à n'en pas douter, mais sans doute sincère...

Le gaullisme, insistons, est devenu un parti politique. De Gaulle : « Un homme de l'Histoire est un ferment, une graine. Un marronnier ne ressemble pas à un marron [...]. Ce qui comptera est imprévisible[33]. » Malraux abonde encore : « Je ne crois pas qu'un historien futur puisse interpréter le gaullisme en termes seulement politiques, ni même seulement nationaux. Le gaullisme a été la France, mais aussi quelque chose de plus[34]. » Tenez, regardez-moi, mon général, ils m'appellent gaulliste symbolique, parce que je ne me suis jamais fait élire : « Quand vous m'avez jugé trop farfelu en 1958, vous m'avez dit mi-figue mi-raisin : " Ah ! soyez ministre " et je vous ai demandé : " Pour quoi faire ? " Dans le gaullisme, il y a ce qui s'explique et ce qui ne s'explique pas[35]. » L'inexpliqué chez vous, mon général, c'est moi. Cela n'est pas éligible, nous sommes élus autrement. « Ce qui a empêché le gaullisme de devenir un nationalisme, c'est sa faiblesse. Votre force a tenu à ce que vous n'aviez rien. » Vous ne connaissiez pas ceux que vous aviez avec vous, les antifascistes d'abord : « Vous êtes le dernier chef antifasciste de l'Occident[36]. »

Et de Gaulle : « J'ai eu tout le monde contre moi chaque fois que j'ai eu raison. J'ai l'habitude. » Malraux : « Je crois que le NON du solitaire, à la force [c'est-à-dire le non à l'oppression], est chargé d'une mystérieuse contagion[37]. » Le Général : « Vous comprenez, j'avais un contrat avec la France. Ça pouvait aller bien ou mal, elle était avec moi. Le contrat était capital, parce qu'il n'avait pas de forme ; il n'en a jamais eu. C'est sans droit héréditaire, sans référendum, sans rien, que j'ai été conduit à prendre en charge la défense de la France et son destin. J'ai répondu à un appel impératif et muet[38]. »

Maintenant, « le contrat a été rompu ». Parce que le président a été battu au référendum de 1969 ? Allons donc ! Qui parle de politique ? Malraux ne monte la fable de ces dialogues que pour mieux dissocier le grand homme (et lui-même) des politiques qui se disent ses compagnons. Même tactique quand il « rapporte » une question un peu bassement perfide : « Avez-vous jugé le contrat rompu en mai, ou plus tôt, lors de votre réélection ? » Fut-ce lors de la révolte de mai 1968, ou dès le ballottage au premier tour des présidentielles, contre Mitterrand, en 1965 ? Réponse sibylline en apparence : « Bien avant. Alors j'ai pris Pompidou[39]. » Pompidou fut « pris » en 1962, Debré étant démissionnaire depuis les accords d'Evian ; mais ce qui rompit alors le contrat fut le demi-échec du référendum sur l'élection directe à la présidence de la République : 62 % de oui, certes, mais 47 % des inscrits seulement. Au sortir du Conseil du 31 octobre de cette année-là, de Gaulle prend en confidence dans un coin Frey, Grandval, Missoffe et Peyrefitte : « Croyez-moi, c'est foutu. Les Français retournent simplement à leur vacharderie habituelle[40]. » L'appel à marcher n'étant plus entendu, Pompidou fera l'affaire pour gérer un peuple assoupi. Il la fera si bien qu'il « succédera » au Général.

De Gaulle en 1969 : « Je n'ai pas de successeurs, vous le savez bien [...]. On doit savoir – et je compte sur vous pour cela [voilà qui est fait] – que je suis étranger à ce qui se passe [...]. Ce n'est pas ce que j'ai voulu, c'est autre chose[41]. » C'est de la politique... Est-ce assez clair ? Malraux y va de cette scène encore, pour faire bonne mesure : « Le Général quitte son cabinet de travail en disant à Geoffroy de Courcel : " Au fond, notre Vieille Garde et tout ça, je les aime bien, mais... – Mais ils sont tout de même restés ! dit Mme de Gaulle. –... mais il faut que l'on sache que je n'ai rien à voir avec ce qu'ils font[42]. " » Et pour mémoire, au moment où Malraux quitte la Boisserie : « Souvenez-vous de ce que je vous ai dit : j'entends qu'il n'y ait rien de commun entre moi et ce qui se passe[43]. »

On ne mérite la succession d'une grande œuvre que si l'on est capable d'une œuvre de même hauteur : ainsi plaidait Malraux en juin 1935 contre les jdanoviens, et en mars 1948 devant les intellectuels. C'est son argument contre les gaullistes : qui était créateur, autour de la table du Conseil des ministres ? Après l'attentat du Petit-Clamart en 1962, le bruit courut que de Gaulle l'avait désigné à la direction des affaires, en cas de disparition. On devine la source. C'était pure fantaisie, il ne souhaitait sûrement pas se faire passer pour une grande figure politique. Chef de bande, telle était sa bonne mesure dans l'action. Mais il se voulait, par l'écriture, le témoin de cet Alexandre à l'envers qui restaurait la Grèce et défaisait l'Empire. « Il n'y a plus d'aventuriers ! [...] Tous les vrais farfelus sont maintenant à Hong Kong, mais la race se perd... Leur race européenne[44]... »

Whisky, gesticulations, apartés, impromptus, déferlement verbal, « Clappique » rencontré à Singapour en juin 1965 raconte pour Malraux, à la manière d'un Céline, le scénario de la fin de l'aventure occidentale. Le ton n'est pas précisément gaullien mais la mélancolie l'est, de savoir interdites sans retour les épopées de l'insurgence. Il y eut entre le Général et l'écrivain ce serment, qu'ils ne se déroberaient pas à la dure vérité : le monde perdait son âme. Le premier reconduit le second à la porte de son bureau, le 10 août 1945 : « Qu'est-ce qui vous a frappé, en retrouvant Paris ? – Le mensonge[45]. » Vraie ou fausse, la réplique vaut promesse. Droites et gauches, ils se mentent, et vont mentir. Entre vous et moi, foi de détrompés, nous pouvons, nous pourrons faire erreur, jamais être leurrés. L'œuvre se reprend toujours sur la défaite, et il n'y a pas de victoire. Les tableaux sont, dit Picasso, « des machins où les choses doivent rencontrer leur propre destruction[46] ». Dans la marche gaullienne, le peuple aussi est arraché à sa « forme particulière », à la vanité misérable de n'être que ce qu'il est, singulier, atterré à sa terre naturelle et à ses droits, et puis le voici enlevé vers sa « forme suprême » : la nation, qu'il n'est pas encore, qu'il ne sera jamais, puisqu'elle n'est pas un état de la communauté mais son horizon[47]. Il a fallu qu'il fût au bord du désastre. Guernica trouée de bombes nazies, éclaboussée de bouts de corps humains et de sang, la brosse de Picasso l'exalte un instant, met debout son martyre, délivre la vérité de sa souffrance et de la volonté.

Il y aura toujours, en art, un inspiré pour se risquer à cette métamorphose. « Les peintres se réincarnent forcément peintres. C'est une race. Comme les chats[48]. » Il y a un chat à la Boisserie. « Il avait un nom très distingué, dit Mme de Gaulle, mais je l'ai oublié ! Maintenant, il s'appelle Grigri[49]. » Grigri apprend au Général à ne rien faire, demandez-lui : des réussites et des promenades ensemble[50]. De Gaulle a du chat la « distance intime », la « présence intense » qui est celle des « grands esprits religieux », des « mystiques[51] ». Son âme héberge « un lointain protégé par son essence même [...], l'horizon marin qui recule devant vous [...]. Personnage hanté dont le destin [celui du peuple français] *qu'il devait découvrir et accomplir* emplissait l'esprit[52] ».

L'hagiographe n'en finit pas de célébrer l'objet de sa passion : « La grandeur [...], un chemin vers quelque chose qu'on ne connaît pas[53] », lui fait-il dire. Un Moïse, un Mao qui guide à marches forcées un peuple vers sa promesse. « Aller loin, très loin, encore plus loin, et que ça tienne. Seulement voilà ! Que ça tienne en face de quoi[54] ? », demande le peintre. En face de rien. Les longues marches sont aspirées par l'horizon, voilà tout. Les politiciens « rassemblent des terres en attendant de les perdre. Ils défendent des intérêts en attendant de les trahir. L'Histoire s'accomplit par d'autres voies[55] ». Voies absolues qui n'ont pas besoin d'être absoutes. La peinture « me fait faire ce qu'elle veut », reconnaît Picasso. Pour de Gaulle, c'était la nation.

D'août 1945 à avril 1969, quelque vingt-quatre ans passeront ainsi, écartelés entre la fidélité de Malraux à la figure gaullienne et sa répugnance aux affaires politiques. Ministre de l'Information en 1945-1946, délégué RPF à la propagande jusqu'à la dissolution du mouvement en 1953, ministre d'Etat chargé de la Culture de 1958 à 1969, toutes les apparences font de lui une personnalité majeure dans la « nomenclature » gaulliste. En vérité, il en est plutôt l'otage, il ne compte pour rien dans la direction des affaires. Le Général l'écoute parce qu'il aime la hauteur de ses vues et son sens de la légende, il ne les discute jamais, mais conclut et décide de son seul chef, comme d'habitude. Malraux est expédié au loin en mission auprès des grands ou des communautés d'outre-mer. On lui commande de ces harangues mobilisatrices où il excelle, des hommages commémoratifs, des oraisons funèbres, des discours d'inauguration. Il fait fonction d'ambassadeur itinérant du Président et de prédicateur en titre.

A la Culture, le ministre prend les initiatives qu'on sait : inventaire du patrimoine artistique, création des Maisons de la culture, la toilette de Paris, fonds régionaux de soutien aux arts plastiques, à la musique, au théâtre, protection des monuments et des sites urbains historiques, création de l'Orchestre de Paris, refonte de l'Opéra et nomination de Georges Auric à sa direction, administration de la Villa Medicis confiée à Balthus. Il livre le plafond de l'Opéra à la brosse de Chagall, de l'Odéon à celle de Masson, défend à l'Assemblée la création des *Paravents* de Genet au théâtre de l'Odéon en 1967 contre la droite ameutée, accompagne Mona Lisa à Washington et à New York en janvier 1962... Beaucoup de décisions heureuses, et pas toutes de prestige.

Mais les bévues ne sont pas moins fameuses. Renaud et Barrault sont chassés de l'Odéon pour avoir grand ouvert les portes du Théâtre de France aux contestataires de mai 68. Béart de Boisanger, diplomate de carrière à qui est confiée en janvier 1959 l'administration de la Comédie-Française pour y faire jouer un peu moins de Labiche et un peu plus de Racine, est remercié sans préavis un an plus tard. Malraux choisit Marcel Landowski pour diriger et réformer le Conservatoire national de musique contre l'avis de Gaëtan Picon, intelligent ami et l'un des meilleurs commentateurs de son œuvre, qui était alors directeur des Arts et des Lettres au ministère de la Culture. Boulez publie un réquisitoire accablant contre ce choix. Picon, furieux de la décision, soupçonnant quelque magouille, jette sa démission sur le bureau du ministre et claque la porte. Ils ne se reverront jamais. Malraux dit à Alain : « Le plus simple est de s'en foutre[56]. » Il fait acheter par l'Etat la majorité des parts de la Cinémathèque de Langlois, la dote d'un budget, l'installe dans les réserves du Palais de Chaillot, inaugure la nouvelle Cinémathèque française par un discours élogieux. Langlois qui a, depuis trente ans, réuni la plus riche collection de films au monde et l'a sauvée pendant l'Occupation, est aussi connu pour être un gestionnaire brouillon et ombrageux. Ses rapports avec l'administration de tutelle tournent à l'aigre. On apprend que Malraux s'apprête à le démettre de ses fonctions. Tollé universel, protestations et pétitions signées de Truffaut et de la Nouvelle Vague française unanime, mais aussi d'Orson Welles et de Rossellini, Dreyer, Fritz Lang et Chaplin : tout ce qui compte dans l'art cinématographique, tout ce qu'admire Malraux...

Erreurs et presque injures, comment furent-elles possibles, venant d'un esprit si respectueux des talents ? Etait-ce l'habitude de décider en petit chef de bande, l'impatience qui le prend quand une affaire s'attarde ? Mais surtout la neurasthénie, pendant un temps au moins, le rend indifférent à ces brouilles, et plus généralement, l'ennui endémique qu'un homme de flibuste éprouve à venir s'asseoir derrière son bureau tous les matins pour brasser des paperasses. « Ministère sans ministre », confesse-t-il. Ses apparitions rue de Valois se font rares. Au Conseil des ministres, le 7 décembre 1962, son acrimonie trouve un prétexte pour éclater : « Les ministres reçoivent le matin des propositions d'économie, ils doivent les accepter avant midi. Ça n'a pas beaucoup de bon sens. Qu'il faille faire des économies, personne ne le conteste, mais qu'on donne au moins aux ministres le droit de proposer la nature des économies auxquelles ils sont contraints ! » Pompidou, Premier ministre et réputé son ami, joue les pions, la bouche en cœur : « Et si un ministre n'est pas à son bureau de toute la matinée, comment peut-on faire ? » Le proviseur vole au secours du mauvais maître. De Gaulle : « Ne pourrait-on autoriser le ministre d'Etat à faire des virements à l'intérieur de son budget ? » « Bien sûr, interrompt Giscard, grand argentier, ça va de soi, comme pour tous les ministres[57]. » Zéro en réglementation comptable pour Malraux, et autant pour le patron. Tout ça, c'est l'intendance, ça doit suivre en queue de la sainte colonne. Pour la première fois de sa vie, il a un métier, lui qui a toujours refusé de « travailler ». Il végète dans l'ennui d'administrer, en sort par des coups de tête, lui échappe en s'absentant.

Le ministre de la Culture devrait au moins prendre un peu soin de s'attirer la bienveillance de la classe intellectuelle. Or celle-ci tient généralement de Gaulle pour un dictateur et place ses espoirs dans l'union de la gauche. Avant la guerre, Malraux appartenait, serait-ce en franc-tireur, à l'intelligentsia gravitant autour de la NRF. Il fait figure de renégat depuis qu'il a pris position contre les communistes au Congrès du MLN, en janvier 1945. La gauche, notamment celle des *Temps modernes*, qui tient le haut du pavé pendant les années 1940-1960, saisit toute occasion de lui tailler des croupières. A deux ou trois exceptions près, il ne fréquente pas ses contemporains, il les lit, reste fidèle à ses « tragiques », Claudel, Bernanos, Drieu, Céline, et Guilloux l'oublié. Il peut admirer *Les Mots* de Sartre, il n'en persifle pas moins, en privé, les idéologues du Café de Flore. Camus occupe une place à part dans son esprit. Leur affinité est ancienne, d'avant-guerre et de la guerre, due à un même sens de la révolte sans espoir, embrasée ici par le soleil noir de l'Algérie tandis que, là, l'emphase grotesque des fatrassiers l'enténèbre. Malraux a recommandé *L'Etranger* sur manuscrit, Camus tout jeune a adapté Malraux au théâtre. Lui aussi se refuse à mentir sur l'action politique, dénonce le totalitarisme stalinien. Elu au prix Nobel en 1957 (à la place de Malraux, disait-il), un accident d'auto le tue en 1960.

Sartre, c'est autre chose, un Flaubert marxisant qui dénonçait partout sa bourgeoisie au nom des misérables, qui mettait son talent à ignorer qu'un pas était franchi, à en croire Malraux, et que les combats des travailleurs français, loin d'annoncer la révolution, servaient surtout d'appoint dans la stratégie de Moscou pour désorganiser l'Europe. Sartre ne pouvait admettre que le capitalisme sauvage d'antan cherchait maintenant à régler l'exploitation du travail, que la classe dirigeante assimilait peu à peu une technocratie gestionnaire. Paix à cet honnête homme qui se trompa de siècle en s'obstinant à penser son temps au seul titre d'une lutte des classes pure et dure, pour donner tout son champ à sa lutte contre lui-même. Il obtint lui aussi le Nobel en 1964, et le refusa par principe.

Le contentieux de Malraux avec *Les Temps modernes* n'était pas non plus de fraîche date. En 1948, Merleau-Ponty y avait publié la traduction d'une lettre assassine de Nathalie Trotski contre l'ancien admirateur du Vieux, passé du côté stalinien lors des fronts populaires, en la commentant en termes si venimeux que Malraux avait exigé de Gallimard qu'il cessât d'éditer la revue. Vingt ans plus tard – enjambons les péripéties, comme l'adresse au président Coty contre la saisie de *La Question* d'Henri Alleg et contre l'usage de la torture en Algérie, signée en avril 1958 par Mauriac, Martin du Gard, Sartre et... Malraux – en mai 1968 donc, Sartre se déchaîne : les Français ont vu de Gaulle dépouillé des habits du pouvoir, il faut à présent, dit-il, « que les étudiants puissent regarder Raymond Aron tout nu. On ne lui rendra ses vêtements que s'il accepte la contestation ». Malraux est horrifié, il a toujours eu du respect pour l'intelligence et la droiture d'Aron, et l'appel à dévêtir le juste éveille en lui la mémoire des pogroms. En confidence, à l'intention de son neveu, il tranche :

> Simone de Beauvoir est un veau, on s'en fout. Quant à Sartre, ne le dis à personne : il est bêêêêête... Pas bête, bien sûr, comme le premier venu ou la concierge, mais comme l'esprit faux qu'il a toujours été, avec, en plus, cette manière de dire en cinq cents pages ce qui en vaudrait trente, surtout quand il se trompe ; il y a, à cet égard, dans son livre sur Genet, des sommets de niaiserie, notamment sur le capitalisme et les procès de Moscou. D'ailleurs, il n'y a de place pour aucun personnage de Sartre – théâtre ou roman – dans une société devenue communiste. Il y parlerait de qui ? Mais ne le dis vraiment à personne, parce qu'on pourrait me croire jaloux, et alors là[58]...

Il pouffe. Jalousie ! Nul n'est à l'abri de sentiments petits (si c'en est un) bien sûr. Mais le point n'est pas de psychologie. Les jalousies d'auteur sont futiles. Seule compte la jalousie de l'écriture pour un nom, son envie d'être « signée Malraux ». C'est-à-dire que Malraux devienne un nom propre de l'écriture, et rien d'autre. Une affaire entre lui et lui. De ne pas pouvoir écrire pendant des années, ni en actes ni en livres, cela seul le tuait. Deux mois avant la sortie d'*Antimémoires*, en juillet 1967, où il sait s'égaler aux meilleurs, il proclame : « Je leur montrerai que je suis le plus grand écrivain du siècle[59]. » A « Malraux », un livre, cette œuvre-vie, est promis à signer, qui n'aura pas eu de précédent dans le siècle.

C'est ce paraphe, et lui seul, dont il fait offrande à de Gaulle. De là son hostilité aux compagnons du Général : ce nom n'aurait pas supporté d'être confondu avec les leurs. Il renvoya un jour à Debré, si l'on en croit ce qu'il raconte, une lettre-circulaire adressée aux ministres avec ces mots : « Mon cher Michel, votre lettre m'a déplu. Vous voudrez bien m'en écrire une autre. André Malraux[60]. » On lui demande comment il voit le parti gaulliste : « Ça manque de génie[61]. » Même attention à « ne pas en être » dans l'affaire de la succession du Général. Il voit sans surprise, mais non sans répulsion, l'ami Pompidou s'y porter candidat. Le 10 juillet 1968, après l'écrasant succès des gaullistes aux législatives, désastreux à vrai dire puisqu'il fait d'eux clairement une formation de droite, de Gaulle offre un dîner d'adieu à son Premier ministre, auquel il doit d'être encore là après mai et que, pour cette raison, il relègue « en réserve de la République ». Malraux se lève et porte un toast méchant au démissionnaire, ou au démis : « Monsieur le député du Cantal, je bois à votre destin[62]. » Vous ferez un brillant Président, vous laisserez votre nom à un centre culturel et à une voie sur berge, mais voilà vous êtes un malin, la grandeur n'est pas pour vous.

La jalousie d'écriture (ou d'écrivain ?) s'en prend par excellence à l'objet de la passion de Malraux. Quand le Général reprend la plume en 1969, après son retrait, comme il l'avait fait seize ans plus tôt, après la dissolution du Rassemblement, Malraux feint de s'inquiéter : « Vous écrivez la suite de vos *Mémoires,* et un livre idéologique ? » Réponse : « J'écris mes *Mémoires*, de 1958 à 1962. Ensuite, il y aura deux autres tomes. – Pas de traversée du désert ? – Non. On a parlé d'idéologie parce que je n'écris pas un récit chronologique. Comme dans les *Mémoires de guerre* il s'agit de dire ce que j'ai fait, comment, pourquoi[63]. »

L'expression « traversée du désert », imputée à Malraux, désignait la période de 1953 à 1958 pendant laquelle le mouvement gaulliste disparut de la scène politique française jusqu'au moment où la République, à bout d'expédients, rappela d'urgence le sauveur. De cet intermède, où celui-ci n'avait pas agi au nom de la France, il ne devait évidemment rien écrire : César relate seulement ce qu'il fait en qualité de César. Malraux saisit l'occasion de ce retrait pour suggérer un petit moratoire à la jalousie : « Il existe, feint-il de découvrir, un domaine de la littérature, un domaine que la critique n'a pas isolé parce qu'elle le confond avec les Mémoires : ce sont les livres qui racontent ce que leur auteur *a fait*. Pas : a ressenti.

Car les Mémoires sont souvent des résurrections de sentiments. Le récit de l'exécution d'un grand dessein pose d'autres problèmes[64]. »

Ne confondez pas nos noms. Vos Mémoires, mon général, sont aussi étrangers à mes *Antimémoires* que le *Mémorial de Sainte-Hélène* l'est aux *Mémoires d'outre-tombe*. Chateaubriand défend son privilège d'écrivain contre les empiétements de l'Empereur. Bornage facile à tracer, semble-t-il, entre l'histoire des faits et le récit imaginatif. Mais il se brouille quand l'auteur de la première, qui est aussi son héros, est déjà légendaire. L'embarras pèse sur l'autobiographie des grands hommes et sur leur biographie. Malraux l'avait perçu dans *Les Sept Piliers de la sagesse* et le circonscrivait ainsi : « Le jeu de l'imagination [...] visait surtout à créer des personnages dont le prestige fût plus grand que celui de l'auteur (soit par leur valeur soit par leur tragique). Or un de ces personnages existait : c'était Lawrence d'Arabie. L'action sur l'imagination des hommes que les écrivains demandent à la fiction, Lawrence l'avait obtenue[65]. » De même pour de Gaulle : comment l'auteur des *Mémoires* pourrait-il surpasser en puissance mythique le héros de juin 1940 et de mai 1958 ?

L'alternative est simple : soit les faits relatés sont déjà légendaires, soit la vertu du style fictionne une légende. Malraux creuse l'abîme, il en tire un réquisitoire accablant : Lawrence – lisez de Gaulle – « était incapable de fiction. Il ne pouvait écrire que de lui-même ; et indirectement. Il ne pouvait s'exprimer qu'à travers la peinture d'un monde dont il était la conscience à demi complice à demi étrangère : éminence grise de son récit comme de sa légende. [D'où les limites étroites d'une œuvre que l' *biffé*] Son imagination [ne pouvait déployer *biffé*] demeurait soumise à l'expérience[66] ».

L'auteur de *La Condition humaine* prend ici l'avantage décisif : l'imagination du romancier est nécessairement « [une conscience aiguë de la diversité des hommes *biffé*] l'émerveillement ou l'angoisse devant la diversité des hommes ». Pour Lawrence-de Gaulle, « tous les autres étaient beaucoup trop différents, et par là trop semblables entre eux [...]. Il n'y avait pas d'autrui pour Lawrence, mais seulement une [abstraction épique *biffé*] épopée abstraite à laquelle il se liait en l'affrontant : empire turc ou révolte arabe [...] ; et au-delà, le Mal[67]». Chez de Gaulle non plus, nul paysage humain, une concise « tragédie à deux protagonistes : les Français et lui-même[68]». Avec le Mal au fond : la bassesse. Un conflit si abstrait ne fait pas du Bernanos ou du Malraux. C'est « pittoresque parfois, mais sans âme[69] ».

Le Général se trouve soudain accablé comme un écolier convaincu qu'il n'y arrivera pas. Il pose « sa main sur le feuillet en cours de ses *Mémoires* : " Malraux, au fond, de vous à moi, est-ce la peine ? [...] Pourquoi écrire[70] ? " » Bonne question en effet, il est temps, elle s'attire une réponse de cuistre insolent : « Pourquoi vivre ? [...] Mon général, pourquoi faut-il que la vie ait un sens ? » Jacques le Fataliste administre une leçon de métaphysique élémentaire au maître désemparé. Chacun son rôle. La métamorphose par l'écriture, le « *fait* » de Braque et de Reverdy, c'est à moi, serviteur. A vous, mon seigneur, ce qui fut fait : *veni, vidi, vici*.

Cette morgue n'empêcha pas l'écrivain, bien au contraire, d'être homologué par le chef : « A ma droite, j'ai et j'aurai toujours André Malraux. La présence à mes côtés de cet ami génial, fervent des hautes destinées, me donne l'impression que, par là, je suis couvert du terre à terre. L'idée que se fait de moi cet incomparable témoin contribue à m'affermir. Je sais que dans le débat, quand le sujet est grave, son fulgurant jugement m'aidera à dissiper les ombres[71]. » Célébré donc, avec une perfide clarté, à titre de vassal indispensable à l'éclat de ma gloire, j'assigne Malraux à l'office de témoin. Témoin de la tension que moi, de Gaulle, je suis. « Le mot le plus important, peut-être, c'est le mot : tension, dit Picasso. La ligne devrait... ne même plus vibrer : ne plus pouvoir... Mais il n'y a pas que la ligne. Il faut trouver le plus grand écart[72]. » Témoin : le bout de plâtre qu'on fixe à cheval sur la fissure d'un mur pour voir si la tension qui l'a ouverte le lézardera à son tour. Malraux craquelé pour faire foi de l'écartèlement nommé de Gaulle.

« Je ne connais pas le général de Gaulle. Qui connaît qui ? [...] Un pas de plus, et connaître un homme, c'est connaître ce qu'il cache [...]. Chez le Général, l'individu est annulé, veut l'être. Son style invisible est pourtant accusé, parce qu'une telle annulation crée un style puissant. Bien qu'il ait beaucoup négocié, il ne discute jamais[73]. » Il ne le connaît pas, il le comprend par son style, comme une œuvre : il pense à sa place.

Août 1961, les négociations avec le FLN traînent. De Gaulle envisage sérieusement de regrouper les Européens dans l'Ouest algérois et l'Oranais et de laisser l'Est aux Algériens. Peyrefitte est prié d'argumenter ce projet dans la presse, à titre personnel, comme un ballon d'essai. Le jeune député UNR s'inquiète des intentions réelles du Président. Malraux, consulté, arpente son bureau en monologuant : le Général veut avoir les mains libres le plus vite possible pour engager sa grande politique planétaire entre les deux blocs. Votre solution a l'air expéditive, mais la guerre se poursuivra entre les deux moitiés, « c'est pourquoi je pense que le Général, même s'il est momentanément séduit par cette hypothèse, finira par la rejeter ». Développez vos idées, vous verrez : les Français se diviseront entre *partageux* et *dégageux*. Il y aura d'abord plus de partageux. Si les négociations reprennent, les dégageux augmenteront. « Et le Général fera ce qu'il faut pour ça. » Malraux, conclut Peyrefitte, « a l'art de prévoir ce que fera de Gaulle, alors que celui-ci ne le sait peut-être pas encore lui-même[74] ». Art de comprendre une œuvre, que donne l'amour du style : ce n'est pas connaître un objet, c'est épouser un ton, une gestuelle, une attitude. Les qualités du romancier, ou du comédien de Diderot : faire sienne, non la logique, mais l'économie du personnage, de l'autre. Malraux mime volontiers, et très bien. C'est beaucoup plus qu'un plaisir, c'est le contraire d'une dérision : la seule manière offerte au solitaire, incarcéré dans son identité, de se faire autre. Il incarne le vrai de Gaulle devant Peyrefitte, il avait parfaitement « joué » en satirique Jean Meyer, le doyen du Théâtre français, sous l'œil scandalisé de M. Béart de Boisanger deux ans plus tôt[75].

Il ne fut pas le conseiller du Général, mais le témoin, que la langue grecque nomme martyr. Car il y a du risque et de la douleur à mimer le prophète pour propager son message et pour l'accréditer. Qu'eût dit Jésus de l'Evangile de Jean, son bien-aimé, l'apôtre assis à sa droite, et de l'Apocalypse ? Qu'eût dit de Gaulle à se voir portraituré dans *Les Chênes qu'on abat* en vieil imperator retiré de l'Empire dans sa campagne lotharingienne, exécrant Rome et ses intrigues, fatigué de l'inconstance de son peuple ? Passe encore. Mais en feuilletant les pages de l'étonnant album qu'est *Le Miroir des limbes*, eût-il apprécié de découvrir son image épinglée entre celles d'une petite-fille du pacha Abd-ul Hamid qui fait métier de voyance, d'un peintre ensorcelé (Picasso), d'un ex-ministre catalan retour de Berkeley vaticinant sur la drogue et le freudo-marxisme, d'un Clappique visionnaire, et de Malraux lui-même en Lazare ressuscité ? Le maître placé bonnement dans cette collection de farfelus intenses ?

Tacite en prit ainsi à son aise avec Trajan, mort trop tôt. Ecriture elliptique et nerveuse, presque folle, dernier hommage au souverain qu'il aima en personne. Le chat évanescent et volubile s'affaire à édifier un Tombeau de mots pour l'éléphant qu'il vénère : « Le plus sage de tous les animaux, le seul qui se souvienne de ses vies antérieures ; aussi se tient-il longtemps tranquille, méditant à leur sujet[76]. » Méditation derrière le miroir, en compagnie d'Alice, derrière le miroir des limbes. Le Général n'a fait, en actes, que réfléchir ses métamorphoses précédentes, et, en mots, que réfléchir à leur sujet : Clovis, Charles VII et Jeanne de Lorraine, Richelieu, Colbert, le grand Carnot, Clemenceau, et l'Empereur : « En 1940, il [ce dernier] disait aux Français, avec moi, qu'ils n'étaient pas ce qu'ils semblaient être[77]. » Ces figures de limbes sont le réel, le monde est apparence. De Gaulle et son témoin communient dans cette foi, aux franges de l'au-delà, de l'en deçà. Le maître disparu, le féal va continuer d'attiser la même querelle contre ce qu'on croit réel. Mais en mots, et à propos du style. Le vrai monument aux limbes s'élève enfin. Si l'on peut dire, car le vent souffle dans le musée imaginaire ; les limbes de Malraux sont turbulences, des œuvres consacrées sont chassées par de nouvelles venues. Précarité générale : une fois le dernier portrait d'âme suspendu aux murs absents, alors Malraux meurt. Et pour un temps devient Malraux, mis en suspens à son tour, peut-être. Ainsi se paraphe sa *dyablerie* : restent les noms.

Ceci seul, mon général, vaut la peine d'écrire : devenir son nom. « Il serait temps, disait de Gaulle, d'analyser un facteur décisif de l'Histoire : le moment où *le courant passe*. Pour nous ou contre nous : la Wehrmacht de 40 et celle de 44, la Libération et Mai 68. Parfois, il s'en va aussi rapidement qu'il est venu. Je parle de ce qui donne une âme à un peuple, comme à une armée. » Malraux transpose : « En art aussi, le caractère mystérieux du courant existe : quand Baudelaire devient Baudelaire[78]... »

Homonymie, serait-ce le dernier mot de la métamorphose ? Un nom d'abord reçu du hasard des naissances accède à la gloire de faire naître et de baptiser un monde légendaire. Est-ce « la Fortune » des Anciens ? C'est aussi le long passage à travers les âmes antérieures. Celles-ci annonçaient-elles le destin promis à ce nom ? Le nom plutôt se sera fait annoncer par les leurs, sans savoir ce qu'il fait : « Ce que j'ai fait ne s'est jamais défini pour moi par ce que je faisais[79]. » Le « courant » le faisait sous le nom, l'étincelle qui court-circuite la Redite.

Cependant la Redite se redisait, c'est sa nature. La fin de Malraux prit son temps pour venir, le temps que se répètent les uns après les autres quelques accès de sa folie, subis et aussitôt signés. Ayant démissionné du ministère en juin 1969, il ne pouvait demeurer à la Lanterne. Il fallut donc migrer encore, chez Louise de Vilmorin, cette fois, qu'il avait retrouvée, si l'on peut dire. Elle mit à sa disposition le petit appartement du deuxième étage, au château de Verrières-le-Buisson, où elle avait coutume de loger les amants et les amis de passage. Il y reconstitua en jeune homme obstiné son entourage de fétiches, masques calédoniens et statues gréco-bouddhiques (dont l'une avait été tranchée en deux profils), un taureau mexicain en fil de fer et papier mâché, ses livres, un Rouault et la sublime barque de Braque, bleue et beige, tout enveloppée de nuit.

En somme, il lui fallait encore une fois se faire attendre par une femme, chez elle. L'attendit-elle ? L'étrange compagnie que cette Madame de..., pour un visionnaire ! Elle se flétrissait un peu, non sa passion des mondanités. Il descendait au salon bleu s'ennuyer parmi le beau monde des intelligents et des huppés qu'elle recevait chaque dimanche : en dépit du décor, on n'était pas chez la Récamier. Ils convinrent d'installer à leur usage l'appartement de la rue Montpensier, sur le Palais-Royal, qu'André avait acquis de ses deniers (si l'on peut dire, il mourut couvert de dettes). Puis Louise succomba d'un seul coup, à la Noël 1969.

Sa nièce Sophie, qui assurait le secrétariat du maître, prit alors le relais des sentiments et couvrit d'un étrange calme ses dernières années. « Ce qui pourrait m'arriver de pire, avait-il confié à Florence, c'est d'être amoureux d'une jeune fille de ton âge[80] », et dont il était l'hôte, de surcroît. Car le désir chez ce nomade voulait toujours une femme à demeure. Or ce fut le mieux qui arriva : la sagesse de Sophie, grande jeune femme, l'enveloppa d'une intelligence droite et tendre. André trouva dans sa présence le havre que réclamait sa fatigue. L'ébriété du malheur, des drogues et des brillantes soirées, fut matée. La vie trouva sa règle de labeur, l'écriture son répit. Et puis Florence lui restait. Touché par un signe de vive admiration que sa fille lui fit après la publication d'*Antimémoires*, André avait renoué avec elle. Leur sourd dialogue reprit, tacite et en somme éternel. Semblables et dissemblables, les deux jeunes femmes s'accordèrent. Sans doute parce qu'elles ajustaient leur amour d'une même estompe. Qu'elles étayaient leur cortège d'une pareille légèreté.

En l'automne 1972, André fut saisi de vertiges, d'assoupissements, de comas inexplicables, Florence et Sophie le firent transporter d'urgence à la Salpêtrière, où il faillit passer. Il en sortit avec *Lazare*, admirable témoignage d'une mort manquée de peu. Cependant l'activité de l'homme public n'avait pas pour autant cessé. Le tourbillon continua : voyages au Bangladesh, en Haïti, inauguration de l'exposition André Malraux à la Fondation Maeght, prix Nehru de la paix à New Delhi, et les dernières oraisons funèbres, l'une commémorant la Résistance au Vercors, l'autre les Déportés sur le parvis de Chartres. Sans compter le projet qu'il confia à Brigitte Friang, résistante intrépide et tireur d'élite, ancienne déportée, chargée de la presse au Rassemblement et au ministère, dont il prisait beaucoup l'insolence et le courage : les Bengalis défendaient alors leur indépendance contre la sanglante répression du Pakistan, on allait donc former une Brigade de volontaires pour soutenir le jeune Bangladesh dans sa juste cause, lui, Malraux, soixante-dix ans, prendrait le commandement, Brigitte le seconderait[81]. Là-dessus, Indira Gandhi expédia l'armée indienne mettre fin au carnage, et le projet avorta.

Malraux avait un rendez-vous. Il parvint à boucler, dans la fébrilité, la deuxième partie du *Miroir des limbes*, à donner leur forme finale aux tomes II et III de *La Métamorphose des dieux*, à écrire une lucide « Néo-critique » en postface à un recueil consacré à son travail... Il mourut pour de bon le 23 novembre 1976 à l'hôpital de Créteil. Enfin rappelé au néant ? Mais non, le premier tome de la *Métamorphose*, intitulé « Le Surnaturel », sortit des presses quelques mois après son enterrement, ainsi que *L'Homme précaire et la littérature*. Signature d'outre-tombe, comme toujours, la seule.

NOTES

1. Florence Malraux, entretien du 20 novembre 1995.
2. *Marronniers*, 292.
3. *Ibid.*, 88-89.
4. *Ibid.*, 45.
5. *Ibid.*, 220
6. *Ibid.*, 250.
7. *Ibid.*, 286.
8. *Ibid.*, 276.
9. *Ibid.*, 256.
10. *Ibid.*, 276.
11. *Ibid.*, 278-279.
12. *Ibid.*, 98.
13. *Ibid.*, 78.
14. *Ibid.*, 64.
15. *Ibid.*, 109-110.
16. *Ibid.*, 110-111.
17. *Ibid.*, 38.
18. *Ibid.*, 61.
19. *Ibid.*, 285, 287.
20. *Ibid.*, 315.
21. *Ibid.*, 198.
22. Florence Malraux, entretien du 20 novembre 1995.
23. *Marronniers*, 198.
24. *Ibid.*, 279.
25. *Ibid.*, 283-284.
26. *ML*, 108.
27. Stéphane, 97.
28. *Ibid.*, 113.
29. *Marronniers*, 157.

30. *ML*, 94.
31. *Ibid.*, 108.
32. *Ibid.*, 669.
33. *Ibid.*, 685.
34. *Ibid.*, 670-671.
35. *Ibid.*, 671.
36. *Ibid.*, 670.
37. *Ibid.*, 671.
38. *Ibid.*, 617.
39. *Ibid.*, 619.
40. Peyrefitte, 264.
41. *ML*, 675, 627.
42. *Ibid.*, 646.
43. *Ibid.*, 697.
44. *Ibid.*, 298.
45. *Ibid.*, 102.
46. *Ibid.*, 797.
47. Conférence UNESCO, *Carrefour* 116 (7 novembre 1946).
48. *ML*, 803.
49. *Ibid.*, 647.
50. *Ibid.*, 635.
51. *Ibid.*, 102, 103.
52. *Ibid.*, 873, 103.
53. *Ibid.*, 626.
54. *Ibid.*, 698.
55. *Ibid.*
56. *Marronniers*, 252.
57. Peyrefitte, 522-523.
58. *Marronniers*, 305-306.
59. *Ibid.*, 297.
60. *Ibid.*, 182.
61. *Ibid.*, 291.
62. Viansson-Ponté, *Histoire de la République gaullienne*, 578 ; cité in Lacouture, 409.
63. *ML*, 621.
64. *Ibid.*, 623.
65. *DA*, 2.512.
66. *Ibid.*, 2.510.
67. *Ibid.*, 2.510-2.511.
68. *ML*, 624.
69. *DA*, 2.511.
70. *ML*, 632.
71. *Mémoires d'espoir* I, 285.
72. *ML*, 800.
73. *Ibid.*, 644-645.
74. Peyrefitte, 80.
75. Cate, 480.
76. *ML*, 1.
77. *Ibid.*, 657.
78. *Ibid.*, 686-687.
79. *Ibid.*, 685.
80. Florence Malraux, entretien du 20 novembre 1995.
81. Friang, 106-127.

17

LIMBES

« En termes occidentaux : est apparence tout ce qui subit le règne du temps[1]. » C'est beaucoup... Qu'est-ce qui n'est pas destiné, après être apparu, à sombrer, et plus : à laisser son épave engraisser une autre apparence, promise au même cycle ? Un lamento millénaire s'exhale de la « coulée », ce mot de la phobie revient sous la plume de Malraux, l'écoulement visqueux des vies et leur envoi par le fond. D'où elles refont surface, arborant derechef la prétention de faire sens, jusqu'au prochain naufrage. L'Occident moderne, maître du monde, recueille toutes les traces de ces essais futiles. L'histoire qu'il compose avec des millions de documents, pas de doute, on la dirait racontée par un fou. Les civilisations passées ont peut-être signifié quelque chose pour elles-mêmes, celle qui les connaît toutes est dénuée de sens : mémoire énorme pour rien. Seule certitude : aucune réponse opposée au néant qui ne soit mensonge. Reste la question.

La question est l'énigme. Née dans la Redite, elle n'en est pas l'enfant. Elle l'interrompt, serait-ce pour un instant. Rien qu'à s'étonner du destin stupide, on le suspend, on se replace au commencement, on commence au lieu de continuer. On s'éveille du cauchemar. On n'en sera pas moins entraîné comme tout le monde, embarqué, et l'on mourra comme les autres. On s'étonne pourtant de cet étonnement.

Banalités de philosophes et de théologiens. Mais Malraux n'a que faire des doctrines. Il guette l'apparition, qui est le commencement, à même la grosse coulée des apparences, dans les corps expédiés à la fosse par milliards : car il en est qui ont surgi et qui surgissent comme s'ils étaient premiers, œuvres pourtant visibles mais irradiant leur naissance, questions incarnées suspendant le désastre. Ici encore et encore maintenant, après des millénaires parfois. Plus de merveilles dans une grotte de Lascaux que dans la caverne de Platon.

Amateur d'arts plastiques, peintre manqué, tempérament voyeur, Malraux ? Sornettes. Amoureux de débuts en pierre, en couleur, en métal, foudroyants. Grandes œuvres, chefs-d'œuvre, ce sont ses noms pour les fétiches de l'éveil, réfutateurs concrets de la Redite. Il est d'une fidélité sans défaillance à leur promesse, toujours tenue, toujours inaccomplie. L'acharnement, le labeur qu'il a fallu pour les créer, ce sont les siens pour les chérir. Il prend à l'Inde ce vieux conte en guise d'introduction à *La Métamorphose des dieux* : l'arbre de Vishnou agite ses feuilles, Nârada immobile, en « éveil » devant lui, l'entend qui lui demande : va me chercher de l'eau. Au village voisin où il vient puiser, un vieux lui donne sa fille et la fille lui donne des enfants, et le voici qui vit heureux… Douze années passent, un jour le fleuve grossit, sort de son lit, emporte et broie tout pêle-mêle, jette Nârada nu et mourant dans la boue, qui pleure : mes enfants, mes enfants… Vishnou alors, très doucement : Mon enfant, où est l'eau ? J'ai attendu plus d'une demi-heure[2].

« Mes livres sur l'art restent, de loin, les plus mal compris[3]. » La Psychologie de l'art, nommons-les tous ensemble ainsi, se dérobe en effet à la prise. On la rapproche des œuvres d'Elie Faure ou d'Henri Focillon, *Esprit des formes*, *Vie des formes*, des essais de Ruskin. Les historiens de l'art, quant à eux, Ernst Gombrich, Georges Duthuit, y relèvent surtout des erreurs, des fantaisies, des lieux communs. Malraux avait pris les devants : « Ce livre n'a pour objet ni une histoire de l'art – bien que la nature même de la création artistique m'y contraigne souvent de suivre l'histoire pas à pas – ni une esthétique[4]. » Ni davantage une théorie du développement des formes : « Une histoire " continue " […] postule une progression, fût-ce à travers de tragiques reculs : alors que dans notre monde de l'art, les statues des cathédrales " n'aboutissent " pas à la *Nuit* de Michel-Ange ; celle-ci ne marque aucun progrès sur elles, ni sur *Rénéfer* [...]. L'œuvre surgit dans son temps et de son temps, mais elle devient œuvre d'art par ce qui lui échappe[5]. » Qu'est-ce qu'une histoire discontinue ?

La Psychologie traque Psyché, âme muette qui parfois élit demeure dans une œuvre. C'est elle seule que l'amant désire à la folie. Il veut savoir ce qu'elle est, se plaint qu'elle se dérobe, persévère. « Etre peintre, ce n'est pas regarder la peinture au passage. Et il en a toujours été ainsi, que l'artiste soit obsédé par les fouilles romaines, Chartres ou le Musée de l'Homme. La force suprême de l'art et de l'amour est de nous contraindre à vouloir épuiser en eux l'inépuisable[6]. » Monologues d'un amant éconduit, carnets de doléance et d'espoir, les pages s'entassent sur les pages pendant quarante ans. L'âme, il est vrai, la fantasque, surgit ici et là, en tout temps, en tout lieu, dès qu'on voit poindre des hommes, et bien qu'ils ne soient jamais ses propriétaires ni ses maîtres. Malraux les aime toutes, les « présences », les touches d'autre monde, d'une convoitise infaillible que la beauté des œuvres, leur agrément, leur perfection ne peuvent pas abuser. Il arrive que l'artiste s'y trompe, pas lui : « La grande œuvre d'art n'est pas tout à fait vérité comme le croit l'artiste : elle *est*. Elle a surgi. Non pas achèvement mais naissance[7]. » Elle ne plaît pas, elle consume. Communion par le feu. « Le génie est inséparable de ce dont il naît, mais comme l'incendie de ce qu'il brûle[8]. » Foudre venue d'ailleurs, qui frappe aussi l'amant.

Les filiations, les influences, les biographies, le contexte culturel, la circonstance historique, même s'il est utile d'y recourir parfois (utile pour desserrer le spasme), ils sont toujours récusés à la fin : piteuses procédures pour apprivoiser l'âme imprévisible. Rien ne peut expliquer l'énigme du chef-d'œuvre, celui-ci n'exprime presque rien qui vienne des apparences, des coutumes du temps, ou de la vie de son auteur, même inconsciente. « L'artiste crée moins pour s'exprimer *qu'il ne s'exprime pour créer*[9] », et « s'il est soumis à l'histoire, il la fait[10] ». Malraux répète à perdre haleine l'aveu de cet échec épistémologique, dont il s'émerveille. Vous espériez peut-être que le chef-d'œuvre s'annonçait, aboutissement d'une maturation, « obtenu par une sorte de mise au point ». Illusion : « Il est proprement inconcevable. Il est ce qui ne peut être conçu que par sa propre existence[11]. » La preuve ? Supposez perdue toute trace de la *Joconde*, de la *Lettre d'amour* ou des Rois de Chartres, vous ne sauriez induire leur existence à partir des œuvres pourtant nombreuses de Léonard, de Vermeer ou de la sculpture médiévale qui vous resteraient encore accessibles.

Dans son océan de papiers, on l'entend qui ahane à débusquer les « présences », indénombrables, incompatibles, toujours cachetées au fer incandescent de la même violence. On dirait qu'il s'est infligé la tâche démente de faire un inventaire des merveilles. Poursuit-il le secret de son propre génie ? « L'aventure dont est né ce livre[12]… » Illisible, décide le lecteur de la Psychologie de l'art, en refermant l'extravagant notebook. Eros est mal lisible, il est vrai. C'est peu dire, après Gide, que la plume de Malraux court au grand galop. Elle se cogne contre les mille noms de la présence, tout comme un bateau démâté, soulevé par le gros temps ou dérivant dans la bonace, est drossé d'un bord d'une île à l'autre dans l'archipel des créations. « La force avec laquelle agissent encore la stridence et la monumentalité, apparemment peu conciliables, l'avons-nous choisie[13] ? » Choisi les trois touches de couleur posées sur un papier par Cézanne en 1904, choisi l'impénétrable cosmos tétraèdre en pierres sculptées par tonnes à Barabudur[14] ? Tant bien que mal, Malraux est en train de sonder sa vérité d'écrivain, et voilà que ses plus fidèles lecteurs, les plus aguerris, en perdition comme lui, mais pour d'autres motifs, désespèrent. On va jusqu'à suggérer que cette interminable auto-analyse, cette course hors d'haleine, qui le renvoie d'un rivage à l'autre des chefs-d'œuvre, tient lieu d'aventure à l'aventurier parce qu'il n'en trouve plus dans le siècle. Compensation, somme toute, ersatz ?

Mais la chasse aux chefs-d'œuvre a occupé sa vie entière. Pas de jour qu'il n'ait arpenté les musées, les monuments, les déserts, la jungle pour débusquer une « présence », l'éprouver et la contresigner. Ce qu'il n'a pas pu voir *in situ* – la terre est vaste encore à cette époque – il en fait ses images d'album

L'expédition de Benteaï-Srey, le raid sur Marib, les retours à Ispahan, et le reste des voyages à l'envi, scellent en vérité sa dépendance tyrannisée et voulue aux grandes œuvres visibles. Sa vie n'est que transport de regards, saccadés, aimantés par des *puncta* singuliers, imprévisibles. Les luttes politiques, les guerres, les engagements de bonne foi et de mauvaise foi cachent à peine l'autre motif, un acharnement souterrain, souverain, presque honteux comme une vilaine habitude d'enfant : la rage d'entendre lui monter par la gorge la voix des œuvres mutiques. C'est à travers le regard que ce silence s'insinue dans son corps, le bouleverse et s'exhale. Voyez les romans asiatiques, voyez *L'Espoir* : les tourments bruyants, meurtriers de l'intrigue où se joue le sort du monde tournent comme des cyclones autour d'un œil serein. La fleur japonaise esquissée au lavis par le maître Kama fait un signe, dit-il, est le signe d'une présence qu'aucune mort ne peut effacer[15]. Le pilote de Kassner soustrait celui-ci à la fureur nazie en dropant son appareil dans l'œil paisible de la tornade[16].

En quelques mots, *Les Voix du silence* déclinent l'identité du chef-d'œuvre, il est « conquête », car il a fallu beaucoup naviguer et risquer pour l'atteindre ; « aventure » puisque la route par où cingler vers lui n'est pas connue ; mais aussi « évidence » : c'est à partir de lui que tout s'ordonne après coup, que la cartographie des œuvres se redessine[17]. L'inattendu *Balzac* de Rodin, espèce de menhir sumérien, remet à leur modeste place les marbres complaisants ou les rinceaux Art nouveau de la *Porte de l'enfer*, du même auteur. Ainsi de la *Psychologie de l'art* : quel connaisseur de Malraux aurait prévu la rudesse de son *non finito* ? Quel lecteur aujourd'hui peut feindre d'ignorer que regardée depuis ce monstre tardif, testamentaire, toute l'œuvre antérieure bascule ?

Il a vieilli, le flibustier amoureux. On voit sa haute taille courbée sur des cendriers, des verres vides et des micros, ses yeux plus saillants et plus glauques, la voix qui se casse et psalmodie, le souffle qui se cherche et s'expédie en secousses nasales ; mais la faconde intacte, et ses mains qui faseyent autour de lui en envols d'oiseaux franciscains. Il vieillit en enfance, à mesure que s'amassent les gros cahiers de bord, et ce n'est pas hasard si l'ancien Mariner écrit le Dit de ses merveilles sur le tard. Les précédents abondent, et il le note comme pour lui-même. Michel-Ange sculpta en visionnaire sa *Pietà Roncalli* juste avant de mourir. Titien était très âgé quand il fit la *Pietà* de Venise qui déconcerta tant ceux qui la virent. Le rire dément de l'autoportrait de Cologne fut brossé par Rembrandt un an avant qu'il disparût. Et il fallut au Greco passer les soixante-dix ans pour oser faire voir Tolède et la Visitation selon ses yeux presque aveuglés. « Le Titien des mythologies peintes pour Philippe II, le Tintoret d'*Adam et Eve* ne peignent pas, plus fidèlement que leurs prédécesseurs, ce qu'ils verraient mieux qu'eux : comme Michel-Ange, ils peignaient *ce qui fait voir*[18]. » Voilà beau temps déjà que Malraux, lui aussi, refuse à son écriture et à son lecteur le plaisir des mises en scène : depuis l'*Altenburg*. Les scènes, les hautes scènes de tension métaphysique, sa plume a su les peindre, et il le sait. Tandis que l'âge vient, qu'il est venu, une autre hantise le tenaille : de *faire voir* à son tour les chefs-d'œuvre qui lui font voir l'en deçà du visible. Son écriture se voue à la nuit d'où le visible naît, à dire l'apparition dans l'apparence : à la scénopoïèse, qui s'appelle création.

Projet enfantin, gigantesque, irréalisable. Comment écrire l'énigme, comment même la nommer ? « Création » vient des Ecritures : apanage absolu du Tout-Puissant. L'homme prométhéen (ou faustien…) s'en saisit ? On a portraituré souvent Malraux en humaniste. Les déclamations du tribun, les simplifications de l'écrivain impatient se prêtent, il est vrai, à la méprise. Il est pourtant constant que les romans, les essais, les préfaces, et surtout les études sur l'art imputent la révolte ou la création à une force en l'homme qui l'excède. Orphelin du sacré, comme l'est son temps, Malraux a perçu, avec quelques-uns, mais avant beaucoup d'autres, que l'idéal « moderne » de l'Homme abandonnait l'Occident. Dans la trilogie de *La Métamorphose des dieux*, entre le Surnaturel qu'allèguent les arts sacrés et l'art vraiment moderne (ou postmoderne) voué à l'Intemporel, le moment, bref en somme, où l'art européen se recommande de l'Humain, en des styles divers, le moment de l'humanisme, est placé sous l'égide de l'Irréel.

Exemple : « Comme à Athènes, comme à Florence, son

idéalisation [de la femme] ne tient pas à ce qu'elle est embellie, mais à ce qu'elle appartient à l'irréel[19]. » Autre exemple : la statue du Guatemelata, ce condottiere au nom de chatte mielleuse, que Donatello pose en pleine place du Santo à Padoue devant la basilique, emprunte sans doute maint trait de son allure aux figures équestres des Césars romains (eux-mêmes déjà passablement sécularisés, emblèmes trop humains des tyrannies), elle vient en vérité « émanciper de la Cité divine l'image privilégiée de l'homme – en faisant de l'homme un personnage d'irréel[20] ». On adore les dieux, on les supplie. Les grands hommes, on les admire. Les Padouans qui s'arrêtaient devant le bronze du Santo admiraient le héros combattant, admiraient le sculpteur. Ils se miraient en eux, réfléchissaient sur eux l'image irréelle de leur Moi idéal.

Non, si thèse il y a dans *La Métamorphose*, ce n'est évidemment pas celle qui fait hommage aux hommes du pouvoir créateur. Il n'y a pas de thèse à vrai dire, tant la « théorie » passe aux yeux du Mariner pour distraction académique ou besogne comptable. La chose dont il est en quête, Baleine blanche, ne se laisse approcher qu'à tout risque. L'écriture ne démontre rien, elle essaie de harponner. On n'est jamais qu'au commencement, on se met en campagne, on appareille, et cela désespère : que rapportera-t-on ?

Il essaie des noms : après création, c'est génie. Mots qui ne disent rien. La chose n'est jamais dans le nom, sous le nom qu'on lui donne. Les noms propres, à tout prendre – à tout perdre – seraient moins décevants. Mais ils sont si nombreux, on n'en finit pas de détailler les différences. Les sujets de La Tour viennent d'un cycle du Caravage, il prend à celui-ci les noirs et rouges, mais son éclairage et son jeu d'aplats composent un mystère musical au lieu du réalisme révolté de l'Italien. Malraux compare, « on ne sent que par comparaison », écrivait-il tout jeune dans le catalogue Galanis. La merveille qu'il essaie de faire voir, il l'oppose aussitôt à telle autre qui la vaut bien, comme s'il les lui fallait toutes ensemble et que chacune fût jalouse de l'amour qu'il porte aux autres. Aujourd'hui, note-t-il dans son livre de bord, j'ai touché une terre légère, claire et froide, nommée Pontormo, au large de laquelle était sise une île immobile et sévère, prise toute d'une masse dans un éclairage secret, Piero della Francesca. Une troisième, plus loin, offrait le relief torturé d'un pilier de Souillac, tandis que le plissé de sa voisine tombait ou s'élevait en colonnettes lisses comme le portail de Chartres. La terre dite Rembrandt toujours baignée de nuit se devinait au rai qui la perce, une autre grimaçait à pleines dents comme un masque mélanésien. Quel fond sous-marin produit une telle variété d'apparitions ? Pire : je croyais pouvoir identifier la famille des îlots Michel-Ange, et l'on me dit que *Pietà Roncalli* lui appartient... Eruptions, remodelages, sous-sols ébranlés, les îles ne sont pas identiques à leurs noms. Une chose en dessous les secoue, parfois les métamorphose, sans préavis.

Comparer semble sans espoir dans ce monde en changement, la chose se dérobe en faisant surgir des présences nouvelles : l'Argonaute change de cap, corrige sa route. Néglige-t-on les premières tentatives, essais de jeunesse, premiers catalogues d'artistes (celui de Galanis est écrit à vingt ans) ou d'expositions (que Malraux organise pour la Galerie de la NRF entre 1931 et 1933), c'est pendant quelque quarante ans, depuis 1937 à la fin, qu'il monte, défait, redécoupe et remonte sa Psychologie comme un film, déploie tel plan (Donatello quasi absent des *Voix du silence* occupe quarante pages dans *L'Irréel*), allonge ou ramasse une séquence (l'art des catacombes, le maniérisme), ajoute d'autres itinéraires (les arts carolingien et gothique dans *Le Surnaturel*).

Les quatre essais primitivement publiés dans *Verve* en décembre 1937, au printemps et dans l'été 1938 et en juin 1940, respectivement « Psychologie de l'art », « Psychologie des Renaissances », « De la représentation en Orient et en Occident », « Esquisse d'une psychologie du cinéma », sont fondus, élargis, redistribués en trois volumes dans la *Psychologie de l'art* publiée par Skira : *Le Musée imaginaire* en 1947, *La Création artistique* et *La Monnaie de l'absolu* en 1948 et 1950. Ces trois études donnent leur titre à trois des parties des *Voix du silence*, datées *in fine* « 1935-1951 », dédiées à Madeleine et publiées en 1951 par Gallimard, dans une version nouvelle, avec une iconographie révisée, et une seconde partie inédite, « Les métamorphoses d'Apollon », où Malraux suit les destins divers imposés au dieu solaire par les artistes celtes et gallo-romains, romans et gréco-bouddhiques, byzantins et sassanides... Il donne en 1965 chez Gallimard, dans la collection « Idées/Arts », une édition nouvelle du *Musée imaginaire* qu'il déclare « testamentaire »... Auparavant, seront sortis trois gros volumes de reproductions consacrés à la *Sculpture mondiale*, dont l'Introduction souligne avec solennité que c'en est le « Premier Musée imaginaire » (1952-1954). En 1957, les « Métamorphoses d'Apollon » sont devenues *La Métamorphose des dieux*, dont l'édition finale en trois volumes s'échelonne du second, *L'Irréel*, « terminé en 1958 », publié en 1974, en passant par le troisième, *L'Intemporel* en 1976, jusqu'au premier enfin en 1977, post-mortem, sous le titre *Le Surnaturel* – dont la première partie s'intitule « La métamorphose du Christ[21] ».

Encore ce recensement ne compte-t-il pour rien l'essai sur Goya, *Saturne*, en 1950, repris dans *Le Triangle noir* (1970), ni *La Tête d'obsidienne* publiée sous ce titre en 1974, collationnée avec *Les Chênes qu'on abat*, *Hôtes de passage*, *Lazare* et des inédits, dans le vaste et subtil montage qui formera la seconde partie du *Miroir des limbes* en 1976. Obsidienne, pierre d'Obsius, tête de Picasso, roche noire et vitreuse qui se casse, quand on la frappe, en éclats conchoïdaux. Des nations d'artistes disparus ont laissé par milliers, sur les plages qu'arpente le Crusoé, ces conques merveilleuses. Depuis quatre millénaires, la guitare à deux galbes attendait Picasso sur les bords des Cyclades, menue idole de la fécondité.

En passant devant l'Académie avec André, Claude s'étonnait que son grand frère n'y siégeât pas. – Qu'y ferais-je ? – Eh bien, tu leur dirais : Recommencez-moi ça. Malraux recommence. Pas content de ce qu'il a trouvé, écrit ? Bien sûr. Happé par d'autres découvertes ? Assurément. Mais d'abord si soucieux de tenir vif et frais le « sentiment de création » qui émane des grandes œuvres et que ses propres écritures doivent communiquer. Cette montagne de pages en souffrance de sa forme, lui qui savait si bien bâtir et achever la cathédrale des malheurs que fut *La Condition humaine*, quelle poussée métamorphique d'en dessous de lui, quel désir désordonné la secoue, la brutalise, quelle séparation ?

« Si ce qui séparait l'artiste de l'époque qui précédait la sienne le contraignait à en modifier les formes et ce qui le séparait de ses maîtres à modifier les leurs, ce qui le sépare de ce qu'il fut le contraint à modifier les siennes[22]. » Pas bien écrit, n'est-ce pas ? Il s'en moque, il se dépêche. La valeur d'apparition est précaire, on s'habitue. Il faut donc se hâter, la présence ne se représentera pas, attrape-la au vol. On croit que ce qui devrait distinguer entre elles les foisonnantes versions de la Psychologie, outre les apports qui affluent, c'est le style. Il n'en est rien. Degré zéro de l'écriture, laisser-aller au schéma spontané du « ceci et cela », du « cela moins que ceci », du « tandis que... alors » : l'intelligence aiguë s'ouvrant, par dichotomies haletantes, sa voie dans le déluge des merveilles. Plus de littérature, mauvaise ou bonne : pour signaler les « présences », un notebook, je l'ai dit, suffit à consigner le « sentiment de création ». Celui-ci est un affect tout nu, « l'émerveillement inquiet de l'enfant sur la plage, devant la coquille qui commence à bouger[23] ».

L'enfant est vieux ? tant mieux. Cinq ans de plus à inspecter la plage aux conques, on en trouvera d'inattendues, qui bougent. « Sans doute parlerions-nous autrement d'art classique si Raphaël et Giorgione, devenus vieux, nous avaient laissé leur *Pietà Rondadini*[24]. » L'avaient-ils en poche ? On ne sait. Les peintres vieillissent, non leur peinture. « Ils avaient inventé leur langue, puis appris à la parler : c'est le moment où ils semblent pouvoir tout transcrire. Il advient qu'elle ne leur suffise plus. » Malraux parle de soi : il advient « qu'ils veuillent alors approfondir leur plénitude pour l'affronter à la force de la mort comme ils l'affrontèrent à la faiblesse de la vie[25] ». La *Psychologie de l'art* est sa *Pietà* ultime, l'une de ces « figures envoûtantes [...] éclairées par l'approche du trépas. Les derniers Titien, les derniers Rembrandt, les derniers Hals[26]... »

Derniers Malraux. La fin s'approche, il commence. Il commence son passé d'auteur. Les « Du même auteur » de *La Métamorphose des dieux* ignorent *Le Temps du mépris* et *Les Noyers de l'Altenburg*, caviardent obstinément, dans

Les Voix du silence, la deuxième partie, les « Métamorphoses d'Apollon ». *La Tentation*, d'abord accouplée à *Saturne*, est expédiée près de *L'Homme précaire*, dans le dernier volume publié. Celui-ci, *Le Surnaturel*, s'appelait d'abord « L'Inaccessible ». *La Corde et les Souris*, second vantail du *Miroir des limbes*, s'intitule encore « Métamorphoses » en 1974, dans *L'Irréel*... « Ce qu'on fera est plus intéressant que ce qu'on fait[27] », dit Picasso. Il reste toujours à faire une Pietà dont on n'a pas idée. Et s'il advient qu'elle soit faite, alors elle bouleverse le sens de ce qui l'a précédée.

Il demande à Goya, au sujet de Goya : « Quel génie ne sauve ses enfances[28] ? » Eh bien, celui qui n'a pas assez vieilli.

Quand il est interrompu par la mort, le notebook a pris la forme d'un triptyque, le Surnaturel, l'Irréel, l'Intemporel. Tout l'art du monde se distribue selon ces trois panneaux où les grandes œuvres, côte à côte plutôt que tour à tour, imposent la « présence » selon trois modes distincts.

« Présence d'un autre monde. Pas nécessairement infernal ou paradisiaque, pas seulement monde d'après la mort : un au-delà présent[29]. » Ancien ou contemporain, un chef-d'œuvre ouvre un espace, exhale un temps, irradie une matière, étrangers au monde qui l'entoure. Le Braque suspendu au-dessus d'une chaise et d'une table qui traînent dans le petit bureau de Verrières ne « s'y trouve » pas comme elles. Il appelle le regard à venir l'habiter, exige de notre corps voyant, actif, de l'organisme sensori-moteur, éduqué aux manières de notre culture, de cesser d'actionner le radar de ses yeux, la mécanique de ses membres, d'obéir au ready-made de ses coutumes, pour laisser un autre corps en lui accéder au monde incertain de couleurs et de lignes qui est là, suspendu. Où se trouve le tableau alors qu'on ne le prend plus comme un ornement ou un objet plaisant, à sa place dans la pièce ? Qu'on le regarde ? Et où sont le regard, le corps et l'âme qui lui conviennent ? Aussi incertains de leur moment, de leur chair, de leur extension que l'œuvre l'est des siens, aussi tremblants. Il faut cette délivrance en nous de l'en deçà caché sous notre carapace d'animaux valeureux et bavards pour s'émouvoir du monde qui surgit là comme s'il venait d'éclore.

« Un crucifix roman ou une statue égyptienne d'un mort peuvent devenir des œuvres présentes[30]. » Présentes de cette présence qui peut se maintenir à travers l'histoire, alors même qu'on ne sait rien de la culture de laquelle l'œuvre nous vient, ou très peu, et que celle-ci ne doit rien aux canons de « la beauté » classique[31]. Même l'art qui s'ignore comme art, caché dans les formes que prennent la dévotion, l'incantation, la demande de rémission adressées aux puissances obscures, peut irradier cette présence, obscène pour ainsi dire, naissance d'autre chose qui contraint le regard à naître selon elle.

« Il y a eu, dit Picasso, un Petit Bonhomme des Cyclades… Il croyait faire une idole, il a fait une sculpture, et je sais ce qu'il a voulu faire. » Moi, le Moderne, je sais qu'il a voulu faire naître au visible ce qu'on n'avait pas vu. Van Gogh admet qu'il peut bien se passer du Bon Dieu dans la vie et dans la peinture, mais pas du besoin d'inventer. « Il a raison, Van Gogh, il a bien raison, non ? Le besoin de création, c'est une drogue : il y a inventer, il y a peindre. » Artistes-peintres par millions… « Haffreux, dégoûtant. Et puis de temps en temps, mais sans faute, il y a eu le Petit Bonhomme. » Les Petits Bonshommes ont toujours « voulu sculpter à leur manière, exactement à leur manière. On les coupait, ils repoussaient ». Mauvaise herbe. Au fond, c'est toujours le même qui revient, « comme le Juif errant », depuis les cavernes. Il revient, il attend que les artistes-peintres aient fini. « Ils n'ont jamais fini. Alors il rempile. Il revient. Encore une fois ! Peut-être c'est moi, comment savoir[32] ? » Le Moderne sait qu'il y a un cycle cycladique des présences, irrégulier et nécessaire, imprévisible, il ne sait pas s'il en est. (De même pour le Juste : serait-il juste s'il se savait le Juste ? demandent les Hassidiques en clignant.)

Malraux n'en sait pas plus, quant à lui-même. Que sont ses trois volets, surnaturel, irréel, intemporel ? Les trois mouvements d'une seule musique qui se distingueraient par leur motif et leur tempo ? Mais leur ensemble serait alors supposé se développer continûment sur un thème principal, dans une seule et même durée, comme une sonate. Or « l'histoire de l'art ne saurait pas plus être celle d'un progrès qu'être celle d'un éternel retour [...]. Quand elle est celle du génie, [elle] devrait être une histoire de la délivrance[33] ». Impossible récit, celui du Bonhomme, puisqu'il ne fait jamais que commencer à chaque fois. Les parturitions de la présence ne peuvent pas se faire suite. Notre désir de les enchaîner peut s'assouvir à force de filiations et d'influences, ce sera au prix d'anéantir l'énigme toujours intacte des apparitions.

Les trois noms baptisent tout au plus trois tournures, trois accents, selon lesquels l'autre monde se livre, se délivre, se réserve, dans les grandes œuvres. Ils n'indiquent pas des concepts ni des conceptions dont on pourrait circonscrire par une définition la portée dans la géographie ou dans l'histoire des cultures. Pas non plus des styles ou des familles de style. Ils sont plutôt des titres, des aspects, trois sortes d'enjeux, sous lesquels l'être ou l'absolu se dérobe et se laisse prendre aux jeux du sens où l'art risque ses formes. « Tout art de jadis nous atteint comme un piège où l'univers s'est pris[34]. »

On n'entre certes pas dans la maison du Père sans faire peser son âme entre les mains de justice et de grâce qu'ouvre le Christ sculpté à Autun par Gislebert. On ne sera pas introduit sous les portiques où Titien alanguit sa *Vénus d'Urbino* si l'on n'accepte pas la fiction d'un Olympe tardif agité de séductions et de défis vaniteux. Et vous devrez payer le prix de la solitude désenchantée et de l'abjection pour vous faire admettre, comme un Baudelaire, chez l'*Olympia* de Manet.

Mais ces différences-là sont de signification, de contenu. Nous entendons ce que chacune de ces œuvres nous dit parce que nous connaissons le langage qui se parle autour d'elle à son époque. Leur force de présence est ailleurs, et l'autre monde qui obsède Malraux, s'il nous « parle », c'est d'une voix silencieuse, par les formes, dit-il : en vérité, dans notre gorge. Qu'on soit ignorant de ce que « voulait dire » la culture où surgit un bas-relief assyrien ou celle de la *Dame d'Elche*, la présence irradiée par l'œuvre n'en est nullement invalidée. Après tout, on peut figurer une Crucifixion d'une manière aussi cyniquement désespérée que l'est la courtisane de Manet – et c'est, au demeurant, la métamorphose que celui-ci fait subir à la Vénus du Titien. Or le monde de la vénalité, porté à

343

l'absolu par le « génie », par le Petit Bonhomme Manet, n'est pas moins un autre monde, n'a pas moins de présence, que celui de la foi romane ou du songe renaissant.

S'il faut se risquer à la stupidité de faire entendre ce que le triptyque de Malraux signifie, essayons... Relèveraient du Surnaturel les grandes œuvres qui célèbrent le don ou la promesse, faits à la vie naturelle, d'un haut destin de rémission et de perte : aveu de la détresse, foi dans un sens ultime. Au titre de l'Irréel, s'élèvent au contraire des œuvres de prestige, des formes qui appellent l'admiration sur elles-mêmes et fournissent aux hommes l'évidence qu'ils s'approprient et ordonnent la vérité selon leurs idéaux de raison et de libre volonté. Intemporel serait quoi ? Un nom pour ce qui résiste quand sont passées les valeurs conquérantes de l'humain et l'obédience au sacré, et que le Temps dans sa Redite abjecte semble devenu le seul maître : alors il reste encore à l'art à rendre présent un inhumain qui défie la coulée...

Bien difficile, on le voit, d'esquisser les trois types sans aussitôt les placer dans une périodisation, même vague, qui rappelle la vieillerie des âges de Rousseau ou des états d'Auguste Comte, tant est puissante la tentation de faire sens, serait-ce par une narration fumeuse, et d'apaiser l'angoisse de la présence, de la question, de la naissance, de l'apparition, en profilant ses occurrences dans un devenir, voire dans une généalogie. Autant dire avec Malraux : en la replongeant dans le mourir qui se répète, alors qu'elle est le naître qui ne périt pas.

Présence est de rupture ou d'interruption, elle vient d'ailleurs, quand on ne croit plus à rien, sauf à elle. Le Triptyque ne descend pas du ciel ni de la théorie, c'est trop tard. Malraux le dessine et le monte depuis son siècle à lui, en agnostique résolu, à partir de ce temps, de ce lieu non quelconques, l'Europe au XXe siècle finissant. Ou bien quelconques absolument, puisqu'alors et là, en cette époque et dans ce coin du monde, temps et lieu auront cessé de faire sens, et qu'aucune réponse à la question : qui sommes-nous, que faisons-nous ? ne sera plus donnée. La civilisation la plus puissante qu'on ait vue dans l'histoire, la plus capable, la plus savante, ne peut pas me dire pourquoi je vis, à quoi je donne ma vie.

Cette singularité de l'Occident contemporain, le diagnostic de Malraux n'a jamais hésité à son sujet, depuis *La Tentation* et « D'une jeunesse européenne ». Débarrassé des idéologies et des modes, il est questionnement brut. Et c'est par là, par son impuissance à répondre, par ce sens qui lui reste, qui est qu'il n'y en a pas, qu'il se fait passionnément curieux et jaloux des cultures qui ont cru avoir une réponse. De là nos investigations, nos fouilles furieuses, et, plus platement, lesdites « sciences de l'homme ». Mais plus encore : pour devenir sensible à la seule « présence » d'un ailleurs dans tous les chefs-d'œuvre du monde, il faut pouvoir la dépouiller des croyances qui l'habillèrent, la justifièrent : il faut soi-même être nu, sans piété, sans égard, comme un enfant qui naît. Avide d'air et d'un sein. Picasso compare l'acharnement de son Bonhomme à surgir avec l'amour des femmes pour les enfants[35]. Plutôt celui des enfants pour la mère du visible ? Pour la mère invisible, la source des présences ?

La prière que la Pietà tourne aux cieux exige, pour qu'on l'entende, la scène initiatique inverse, campée aux pavillons de la terre. Celle, croit-on, qui n'aura pas eu lieu. On y verrait André en premier homme, en fils, soudain saisi par le silence, son agitation paralysée. Il ferait chaud, et cela se passerait au fond d'un petit cimetière toscan, à l'écart de Monterchi, dans un vallon modeste, ambré. Le garçon a poussé la grille des morts, il a poussé la porte de la chapelle rustique. Ange rouge à ailes et pieds verts, ange vert à ailes et pieds rouges, deux danseurs symétriques lui ouvrent à deux pans la portière de sa vie. La Madonna del Parto, de passage, l'attend sous sa tente. La Désirée des Douleurs, d'une main lascive, entrebâille sa robe de grossesse. Elle a le gras de l'encolure baigné de lumière laiteuse. Son regard est ailleurs cependant, et jette à l'homme le défi ordinaire, celui des apparences et de leur séduction : viens à moi, mais meurs à toi si tu me veux.

Sa mère, à l'homme, étant née à Monterchi et morte en son absence, sans doute enterrée dans ce val, Pierre son fils, Piero della Francesca, revient de Rome pour lui faire hom-

345

mage de cette fresque, au-dessus de la table d'autel, dans la chapelle nue. Malraux bouleversé entend bien que l'artiste a tué en lui son chagrin de fils pour saisir *a fresco* dans le mortier pareil miracle de Lumière et en faire offrande. Le vieil homme enfin rejoint l'enfant de Bondy. Je l'imagine qui sourit. Il n'ignore plus que la grâce ainsi accordée par la Dispensatrice peut être rendue si l'homme consent à subir la loi de sa propre perte.

Reprenons : la vérité d'un au-delà surgit et se dérobe dans une vache magdalénienne, dans un Pantocrator sicilien, dans une jeune fille de Vermeer, dans une coupe de pommes de Cézanne. Et ce n'est pas la même vérité. Quelque chose, d'une œuvre à l'autre, s'est passé. On n'avait pas attendu Malraux pour s'en apercevoir, direz-vous. Il y avait l'histoire de l'art, quand même... Mais une histoire de la « présence » ? Il n'y en a pas, il ne peut pas y en avoir. Chaque grande œuvre est une naissance. La présence piquette le cours des choses à coups d'épingle. Fresque, vitrail, statue ou masque, autre chose perce l'institution communautaire, même si celle-ci l'ignore, elle qui va passer ; autre chose manifeste à travers les humains une vérité foudroyante. Et qui foudroie-t-elle à coup sûr ? Les âmes en souffrance de vérité que nous sommes, « la secte passionnée[36] » pour qui l'art existe.

Non pourtant sans que jouent certaines affinités. Claudel, Rouault, Bernanos sont bien contemporains de Vézelay, de Ravenne et du retable d'Issenheim, pour leur mode de présence – mais des contemporains équivoques puisqu'ils sont aussi d'aujourd'hui, fins connaisseurs en néant, esprits parmi les plus lucides de notre siècle hébété. La vérité des œuvres d'autrefois leur parvient forcément biaisée de nihilisme comme l'est la présence de Léonard pour Valéry : l'intelligence libre, la conquête des formes jamais vues qu'incarne l'Italien, son penser et son peindre follement entreprenants, qui passionnent M. Teste, donnent à la sensibilité du Moderne matière à réfléchir sur le désœuvrement. Cette nuance considérable qui affecte les présences d'un nimbe de mélancolie, Malraux la remarque d'un trait :

Les sculpteurs romans voulaient manifester l'inconnu révélé, alors que Picasso manifeste un inconnaissable que rien ne révélera. Il n'en connaît, il n'en connaîtra que le sentiment d'un inconnaissable sans prières et sans communion, d'un vide animé comme celui du vent. Cet art est celui des limites humaines, serres plantées en l'homme comme celles des rapaces des steppes dans le corps des fauves. Celui de notre civilisation, dont il exprime en ricanant le vide spirituel, comme le style roman exprimait la plénitude de l'âme[37].

La Psychologie est une sorte d'ontologie mais non philosophique. Les grandes œuvres sont des touches d'absolu, brusques épiphanies de l'être, qui nous prennent à la gorge. Le plus souvent, cette sauvagerie s'est fait oublier dans l'adoration des dieux ou l'admiration des humains. Les modernes collectent ces merveilles et les interrogent. A eux, l'absolu se livre et se dérobe dans cette question même. Dire « la signification que prend la présence d'une éternelle réponse à l'interrogation que pose à l'homme sa part d'éternité », c'est le projet d'une métaphysique, aucun doute. Mais si l'on ajoute « ... lorsqu'elle surgit de la première civilisation consciente d'ignorer la signification de l'homme[38] », alors il est fatal que le projet avorte, puisque nulle spéculation n'échappera à l'évidence du sans-réponse dont s'éclaire et se plaint la condition moderne.

Le musée imaginaire est la seule ontologie permise à notre pensée qui doute : car n'y entre que ce qui questionne. Sa mesure excède de beaucoup les collections des musées. Elle s'étend à tous les sites de la planète où la présence peut surgir. Et ce musée est un album. Le début des *Voix du silence* est consacré à l'incidence de la photographie dans notre perception des œuvres. Art de reproduction, la photo ? Aussi peu que le film. Découpage, cadrage, gros plan (le « détail »), éclairage, couleur, montage par ellipses, l'appareil photographique joue et jouit des mêmes moyens de création que la caméra. Il a sur elle cet avantage de n'être pas subordonné au mouvement ou à sa fiction, de ne pas devoir inspirer au regard l'attente d'une issue, comme font les récits. La photo respecte le mutisme des œuvres, leur questionnement, l'incompréhensible être-là.

C'est donc un musée transportable, un « lieu mental », qui nous habite. Imaginaire parce qu'il est fait d'images et que chacun de nous le compose avec ses émotions ? Il est en vérité une création de créations. Non pas seulement du fait qu'il rassemble et ordonne celles-ci en l'œuvre qu'est l'album (le style de la Psychologie se trouve beaucoup plus dans son ordonnance iconographique que dans l'écriture hâtive de ses méditations). Mais imaginaire est le musée parce que l'élection des œuvres et leur présentation, leur montage (ou leur accrochage) en un album sont tributaires des créations contemporaines, et par là essentiellement précaires. Explorer tous les moyens possibles de faire voir le visible, voilà l'enjeu des arts contemporains depuis un siècle. Et cette aventure qui guide nos pérégrinations à travers des millénaires d'art, c'est elle qui commande la composition et l'exposition du musée imaginaire. Saint-John Perse ou Claudel nous ont fait entendre le Popol Vuh et les livres sacrés de l'Inde ; Giacometti nous a fait voir un bœuf Bakoba sculpté en fer ou une Vénus anadyomène galloromaine ; et les sigles empreints sur une monnaie barbare des Véliocasses ou des Atrébates se révélent à nous grâce à « la petite plume » de Paul Klee ou par le crayon d'André Masson[39].

Picasso proteste faiblement contre le « lieu mental » : le musée imaginaire « pourrait tout de même exister en réalité, non ? Un petit. Avec de vrais tableaux. Il faudrait essayer. Comment faire[40] ? » Rien n'y fera. Il faut que ce musée soit en dérangement perpétuel : on décroche, on accroche au rythme imprévisible et saccadé des chefs-d'œuvre qui naissent à New York, à Tokyo, à Munich, à Amsterdam ou à Paris en notre temps. Le présent incrédule, qui s'enquiert de tout, et qui crée, ressuscite les créations passées en ouvrant nos yeux à leur présence : l'art moderne a opéré l'Occident de sa « cataracte » classique[41]. L'apparition seule, jamais les apparences séculières, commande « la vie » des apparitions dans le musée. Etrange histoire des chefs-d'œuvre qui n'est pas celle des humains, pas « la coulée », une autre vie, obscure et spasmodique : il en surgit parfois comme un index dressé un tableau, une sculpture qui désigne telle grande œuvre passée que l'on n'avait pas regardée. On classe et l'on reclasse « les vagues successives de la résurrection mondiale[42] ». Exemples à foison de ce retournement dans les versions de la Psychologie. « C'est à l'appel des formes vivantes que ressurgissent les formes mortes [...]. Ce n'est pas la recherche des sources qui a fait comprendre l'art du Greco, c'est l'art moderne [...]. C'est à la lumière des pauvres bougies dont Van Gogh déjà fou entoure son chapeau de paille pour peindre dans la nuit *Le Café d'Arles*, que reparaît Grünewald[43]. » Il faut refaire la carte du musée, recomposer son calendrier à partir du dernier commencement.

La gloire des plus grands est sujette à des péripéties, il suffit qu'un chef-d'œuvre contemporain jette son éclat et son ombre sur eux. Sur cet Olympe incertain, les célestes, que la métamorphose créatrice avait paru soustraire à la corruption des terrestres, vivent encore sous la menace d'être déchus par quelque héros nouveau et jaloux, élevé jusqu'à eux. Qui dit qu'au musée, les œuvres trouvent le repos de la consécration ? Qu'il est un sanctuaire, le dernier, pour les âmes d'Occident, celles qui n'ont plus d'âme ? Le musée de Malraux est portable, il est précaire. On ne le visite pas, « il nous habite[44] ». Au train où vont les choses, dix ans après *La Métamorphose des dieux*, Malraux l'aurait défait et refait, encore une fois, s'il n'était mort. « Imaginons qu'un démon-gardien (en forme de chat), lorsque Baudelaire vient d'achever *Les Phares*, lui dise : " Voyons un peu " et l'introduise dans *notre* Louvre[45]. » Dans le musée du poète, on ne trouvait « pas de sculpture avant Puget, sauf Michel-Ange, pas de primitifs. *Les Phares* commencent au XVIe siècle[46] ». Ceci est écrit à la fin du XIXe. Le chat Malraux qui garde le musée sourit du catalogue des chefs-d'œuvre que M. Malraux, conservateur, se hâte de boucler. Il souriait avant que le recensement fût fini, le sachant déjà périmé.

Il signait d'une silhouette de chat. Et le cénotaphe, démontable, qui fut honoré solennellement dans la Cour carrée du Louvre après sa disparition (le corps avait été, sans falbalas, rendu à la vermine des fosses, au petit cimetière de Verrières), le cénotaphe était surmonté d'un bronze égyptien tardif, la déesse-chat Bastet, museau dressé vers le cosmos. Les chats signent en griffant, le peuple naguère les nommait greffes et greffiers, mais ils signent aussi l'indéfini de l'espace et du temps en allées et venues fantaisistes tantôt gaies ou méchantes, en s'arrêtant sur des seuils que nous ne voyons pas, où ils hument quelque « au-delà présent ». L'au-delà d'un en deçà, celui qui ronfle, gronde ou ronronne dans leur gorge. Ce sont des bêtes somme toute, pas plus lourdes qu'un oiseau, destinées à mourir bientôt, et qui savent comment faire. Bêtes familières, ils n'hésitent pas à partager la chaleur, l'assiette et la couche avec nous et avec leurs congénères en beauté, en misère. Et pourtant jamais tout à fait là, indociles, hantés. Ils font de leur égarement spontané une espèce de style. Ils s'étonnent. Ils s'éclipsent et surgissent. L'ellipse, ils s'y entendent. Et le nom de cela, de cette vie au seuil, le nom de la porte entr'ouverte, de l'interrogation, c'est les limbes.

NOTES

1. *Surnat.*, 16.
2. *Ibid.*
3. *RAMR*, 21.2/22.1 et 2 (Fall 1989, Spring/Fall 1990), 14.
4. *Surnat.*, 35.
5. *Ibid.*, 32.
6. *VS*, 556.
7. *Ibid.*, 459.
8. *Ibid.*, 144.
9. *MISM*, 62.
10. *VS*, 444.
11. *Ibid.*, 453.
12. *MISM*, 16.
13. *Ibid.*, 17.
14. *Surnat.*, 19-20.
15. *CH*, 649-651.
16. *TM*, 820-825.
17. *VS*, 453.
18. *Ir*, 227.
19. *Ibid.*, 251.
20. *Ibid.*, 84.

21. *RAMR,* 21.2/22.1 et 2 (Fall 1989, Spring/Fall 1990), *passim.*
22. *VS,* 415.
23. *Ibid.,* 452-453.
24. *Ir,* 172.
25. *VS,* 462.
26. *ML,* 769.
27. *ML,* 766.
28. *TN,* 58.
29. *Surnat.* 7.
30. *Ibid.,* 3.
31. *Ibid.,* 1.
32. *ML,* 802-803.
33. *VS,* 621.
34. *MISM* I, 61.
35. *ML,* 802-803.
36. *VS,* 492.
37. *ML,* 779.
38. *Surnat.,* 35.
39. *VS,* 138-142.
40. *ML,* 797.
41. *VS,* 606.
42. *Ibid.,* 125.
43. *Ibid.,* 64, 66.
44. *ML,* 797.
45. *Surnat.,* 2.
46. *ML,* 797.

Abréviations
employées dans les notes

OC	André Malraux, *Œuvres complètes*, I, La Pléiade.
CH	*La Condition humaine, OC*.
Conq.	*Les Conquérants, OC*.
DA	*Le Démon de l'absolu*.
E	*L'Espoir*.
HPL	*L'Homme précaire et la littérature*.
Int.	*L'Intemporel*.
Ir.	*L'Irréel*.
JE	« D'une jeunesse européenne ».
LP	*Lunes en papier, OC*.
MISM	*Le Musée imaginaire de la sculpture mondiale*.
ML	*Le Miroir des limbes*.
NA	*Les Noyers de l'Altenburg*.
RF	*Royaume farfelu, OC*.
Surnat.	*Le Surnaturel*.
TM	*Le Temps du mépris, OC*.
TN	*Le Triangle noir*.
TO	*La Tentation de l'Occident, OC*.
VR	*La Voie royale, OC*.
VS	*Les Voix du silence*.

Références appelées dans les notes

Bevan	David Bevan, *André Malraux. Towards the Expression of Transcendence*.
Cate	Curtis Cate, *Malraux*.
Celui qui vient	Guy Suarès, *Malraux, celui qui vient*.
Chantal	Suzanne Chantal, *Le Cœur battant*.

Signé Malraux

Clara	Clara Malraux, *Le Bruit de nos pas.*
CPD	Maria Saint-Clair Van Rysselberghe, *Cahiers de la Petite Dame.*
Desanti	Dominique Desanti, *Drieu la Rochelle.*
Friang	Brigitte Friang, *Un autre Malraux.*
Girafe	Jacques Poirier, *La girafe a un long cou.*
Grover	Frédéric Grover, *Six Entretiens avec André Malraux.*
Lacouture	Jean Lacouture, *Malraux, une vie dans le siècle.*
Langlois	Walter Langlois, *André Malraux : l'aventure indochinoise.*
Louise	Jean Bothorel, *Louise, ou la vie de Louise de Vilmorin.*
Marronniers	Alain Malraux, *Les Marronniers de Boulogne.*
Mercadet	Léon Mercadet, *La Brigade Alsace-Lorraine.*
MMM	*Mélanges Malraux Miscellany.*
Mossuz	Janine Mossuz, *André Malraux et le gaullisme.*
Owl	Gustav Regler, *The Owl of Minerva.*
Penaud	Guy Penaud, *André Malraux et la Résistance.*
Peyrefitte	Alain Peyrefitte, *C'était de Gaulle.*
Picon	Gaëtan Picon, *Malraux par lui-même.*
RAMR	*Revue André Malraux Review.*
RLM	*Revue des Lettres modernes.*
Sauvageot	Marcelle Sauvageot, *Commentaire.*
Stéphane	Roger Stéphane, *André Malraux. Entretiens et précisions.*
Thornberry	Robert Thornberry, *André Malraux et l'Espagne.*
Vandegans	André Vandegans, *La Jeunesse littéraire d'André Malraux.*

En manière de merci

Ma gratitude à ceux et celles qui, d'une manière ou de l'autre, m'ont aidé à écrire cette « hypobiographie » :

Dolorès Dziczek-Lyotard.
Florence Malraux, Madeleine Malraux, Alain Malraux ; Geneviève Picon.
Philippe Bonnefis.

François Chapon et Yves Peyré, conservateurs de la Bibliothèque Jacques Doucet, et Nicole Prévot, bibliothécaire ; Jacqueline Blanchard, responsable du fonds Malraux chez Gallimard ; Eddie Yeghiayan, bibliothécaire des Special Collections à l'Université de Californie, Irvine. Michel Lantelme et Patricia Dailey. Loy Lantelme et Régina Prado, secrétaires.

Ma dette reste intacte envers les biographes éminents de Malraux que sont Curtis Cate, Jean Lacouture, Walter Langlois.
Parmi les témoignages et les études auxquels je me sens le plus redevable, je citerai les livres de David Bevan, Suzanne Chantal, Françoise Dorenlot, Brigitte Friang, Clara Malraux, Janine Mossuz, Guy Penaud, Gaëtan Picon, Guy Suarès, Robert Thornberry, et André Vandegans.
Je rends hommage à l'inappréciable travail poursuivi depuis bientôt trente ans par le Comité de rédaction des *Mélanges Malraux Miscellany* et de la *Revue André Malraux Review*, tant dans la découverte et l'établissement de textes et de données biographiques que dans l'étude critique. Les six numéros « Malraux » de la *Revue des Lettres modernes* publiés sous la responsabilité de Walter Langlois et de Christine Moatti me furent aussi d'une grande aide.

Lectures

André Malraux, *Œuvres complètes*, « La Pléiade », Gallimard, 1989. Le volume comprend : *Lunes en papier* (1920), *Ecrit pour une idole à trompe* (1921-1923), *La Tentation de l'Occident* (1926), *Les Conquérants* (1928), *Royaume farfelu* (1928), *La Voie royale* (1930), *La Condition humaine* (1933), *Le Temps du mépris* (1935).

Le deuxième volume des *Œuvres complètes*, publié en 1996, n'a pu être utilisé ici comme référence. Il comprend : *L'Espoir* (1937), *Les Noyers de l'Altenburg* (1948) et *Le Démon de l'absolu* (inédit). Nos références renvoient aux premières éditions Gallimard pour les deux premiers livres, au manuscrit déposé à la Bibliothèque Jacques Doucet, classé par Jacqueline Blanchard, pour le troisième.

« D'une jeunesse européenne », *Ecrits*, « Les Cahiers Verts », Grasset, 1927.

La Reine de Saba. Une aventure géographique (1934), articles publiés par *L'Intransigeant* en mai 1934, édités par Philippe Delpuech, Gallimard, 1993.

Esquisse d'une psychologie du cinéma, Gallimard, 1946.

La Psychologie de l'art, Genève, Skira : I, *Le Musée imaginaire*, 1947 ; II, *La Création artistique*, 1948 ; III, *La Monnaie de l'absolu*, 1949.

Les Voix du silence, « La Galerie de la Pléiade », Gallimard, 1951.

Le Musée imaginaire de la sculpture mondiale, « Galerie de la Pléiade », Gallimard : I, *La Statuaire*, 1952 ; II, *Des bas-reliefs aux grottes sacrées*, 1954 ; III, *Le Monde chrétien*, 1955.

La Métamorphose des dieux, « Galerie de la Pléiade », Gallimard, 1957.

Antimémoires, Gallimard, 1967. Repris comme première partie du *Miroir des limbes*, « La Pléiade », Gallimard, 1976. La seconde partie, intitulée « La Corde et les souris », réunit des versions modifiées des *Chênes qu'on abat* (1971), de *La Tête d'obsidienne* (1974), de *Lazare* (1974), d'*Hôtes de passage* (1975). En appendice au *Miroir des limbes* sont rassemblées dix « Oraisons funèbres » prononcées entre août 1958 et mai 1975.

Le Triangle noir, Gallimard, 1970, rassemble trois importants essais, publiés séparément, sur Laclos, Goya et Saint-Just.

L'Irréel, tome II de *La Métamorphose des dieux* dans sa version finale, Gallimard, 1974.

L'Intemporel, tome III du même ouvrage, Gallimard, 1976.

« Néocritique », postface à Martine de Courcel, édit., *Malraux, être et dire*, Plon, 1976.

Le Surnaturel, tome I, Gallimard, 1977.

L'Homme précaire et la littérature, Gallimard, 1977.

Messages, Signes & Dyables, 380 dessins inédits, 1946-1966, présentés par Madeleine Malraux, Jacques Damase - Denoël, 1986.

Il manque encore au lecteur un recueil des nombreux essais critiques, notes critiques, préfaces et avant-propos de livres, et même catalogues d'exposition, le plus souvent de grande importance. Dans *Malraux. Théoricien de la littérature*, collection « Ecrivains », Presses Universitaires de France, 1996, Jean-Claude Larrat vient de publier une interprétation détaillée de ces textes, dont il dresse en bibliographie un inventaire très utile.

Manque aussi un recueil des interventions de la période antifasciste, et, pour la période « gaullienne », des textes publiés dans *Liberté de l'esprit*, que dirigeait Claude Mauriac, des allocutions du « militant » RPF ou UNR et des interventions du ministre de la Culture. Certains de ces textes figurent dans le livre de J.-C. Larrat. Nos notes se réfèrent aux publications disponibles.

*

Aron, Raymond, *Mémoires*, Julliard, 1983.

Bartillat, Christian de, *Clara Malraux : le regard d'une femme sur son siècle*, Librairie académique Perrin, 1985.

Bergeret, Marius et Herman, Grégoire, *Messages personnels* (avant-propos d'André Malraux), Bordeaux, Editions Bière, 1945.

Berl, Emmanuel, *Mort de la pensée bourgeoise*, Grasset, 1929.

Bevan, David, *Via Malraux* (écrits de Walter Langlois, réunis par David Bevan), Accadia University, Canada, et Minard (Paris), 1986.

Bevan, David, *André Malraux. Towards the Expression of Transcendence*, Kingston & Montréal, Mc Gill-Queen's University Press, 1986.

Bockel, Pierre, *L'Enfant du rire* (avec une préface d'André Malraux), Grasset, 1973.

Bothorel, Jean, *Louise ou la Vie de Louise de Vilmorin*, Grasset, 1993.

Burnham, James, *The Case for de Gaulle. Conversations with André Malraux*, New York, Random House, 1948.

Carduner, Jean, *La Création romanesque chez Malraux*, Minnesota, 1959 ; Paris, Nizet, 1968.

Cate, Curtis, *Malraux*, Flammarion, 1994.

Cazenave, Michel, *Malraux*, Balland, 1985.

Chamson André, « L'homme contre l'histoire », *Ecrits*, Grasset, 1927.

Chantal, Suzanne, *Le Cœur battant. Josette Clotis et André Malraux*, Grasset et Fasquelle, 1976.

Courtivron, Isabelle de, *Clara Malraux. Une femme dans le siècle*, Olivier Orban, 1992.

Delhomme, Jeanne, *Temps et destin*, Gallimard, 1955.

Lectures

Desanti, Dominique, *Drieu la Rochelle*, Flammarion, 1978.

Dorenlot, Françoise, *Malraux ou l'unité de pensée*, Gallimard, 1970.

Doyon, René-Louis, *Mémoire d'homme*, La Connaissance, 1953.

Drieu la Rochelle, Pierre, *Sur les écrivains*. Essais de critique annotés par Frédéric Grover, Gallimard, 1964.

Du Perron, Charles Edgar, *Le Pays d'origine*, Botteghe Oscure, 1954 ; avec une préface d'André Malraux, Gallimard, 1980.

Duthuit, Georges, *Le Musée inimaginable* (3 vol.), José Corti, 1956.

Ehrenbourg, Ilya, *La nuit tombe, Souvenirs 1932-1940*, Gallimard, 1966.

Fels, Florent, *Voilà*, Fayard, 1957.

Frank, Nino, *Mémoire brisée*, Calmann-Lévy, 1967.

Friang, Brigitte, *Un autre Malraux*, Plon, 1977.

Frohock, Wilbur Merrill, *André Malraux and the Tragic Imagination*, Stanford University Press, 1967.

Fry, Varian, *Surrender on Demand*, New York, Random House, 1945.

Gabory, Georges, *Apollinaire, Max Jacob, Gide, Malraux et Cie*, Nizet, 1982.

Gaulle, Charles de, *Mémoires d'espoir. Le Renouveau, 1958-1962*, Plon, 1970.

Gide, André, *Journal (1889-1939)*, « La Pléiade », Gallimard, 1939.

Gide, André, *Journal (1939-1942)*, *ibid.*, 1946.

Gombrich, Ernst, *Art and Illusion*, Londres, Phaidon, 1960.

Groethuysen, Bernard, *Origines de l'esprit bourgeois en France*, Gallimard, 1927.

Groethuysen, Bernard, *Mythes et portraits* (préface de Jean Paulhan), Gallimard, 1947.

Grover, Frédéric, *Six entretiens avec André Malraux*, Gallimard, 1971.

Guilloux, Louis, *Carnets I : 1921-1944*, Gallimard, 1978.

Harris, Geoffrey, *André Malraux : l'éthique comme fonction de l'esthétique*, Minard, 1972.

Hartman, Geoffrey, *André Malraux*, Londres, Bows & Bows, 1960.

Hidalgo de Cisneros, Ignacio, *Virage sur l'aile*, Editeurs Français Réunis, 1965.

Jacob, Max, *Art poétique*, Emile-Paul, 1922.

Jacob, Max, *Le Cornet à dés*, Stock, 1923.

Kahnweiler, Daniel-Henry, *Entretiens avec Francis Crémieux*, Gallimard, 1961.

Koltsov, Mikhaïl, *Diaro de la guerra de España*, Paris, Ruedo Iberico, 1963.

Lacouture, Jean, *Malraux, une vie dans le siècle*, Seuil, 1976.

Langlois, Walter, *André Malraux : l'aventure indochinoise*, Mercure de France, 1967.

Lescure, Jean, *Album Malraux*, « La Pléiade », Gallimard, 1986.

Lottman, Herbert, *Rive gauche*, Seuil, 1981.

Malraux, Alain, *Les Marronniers de Boulogne*, Ramsay/de Cortanze, 1989.

Malraux, Clara, *Le Bruit de nos pas*, Grasset :
1. *Apprendre à vivre*, 1964.
2. *Nos vingt ans*, 1966.
3. *Les Combats et les jeux*, 1969.
4. *Voici que vient l'été*, 1973.
5. *La Fin et le Commencement*, 1976.
6. *Et pourtant j'étais libre*, 1979.

Marion, Denis, *André Malraux*, Seghers, 1970.

Mauriac, Claude, *Malraux ou le mal du héros*, Grasset, 1946.

Mauriac, François, *Mémoires politiques*, Grasset, 1967.

Mercadet, Léon, *La Brigade Alsace-Lorraine*, Grasset, 1984.

Moatti, Christiane, *Le Prédicateur et ses masques : les personnages d'André Malraux*, Publications de la Sorbonne, 1987.

Montherlant, Henry de, *Carnets. Années 1930 à 1944*, Gallimard, 1957.

Morawski, Stefan, *L'Absolu et la forme, l'esthétique d'André Malraux*, Klincksieck, 1972.

Mossuz, Janine, *André Malraux et le gaullisme*, Armand Colin, 1970.

Nenni, Pietro, *La Guerre d'Espagne*, Maspero, 1959.

Ollivier, Albert, *Saint-Just et la force des choses*. Préface d'André Malraux, Gallimard, 1955.

Payne, Robert, *André Malraux*, Buchet/Chastel, 1970.

Penaud, Guy, *André Malraux et la Résistance*, Périgueux, Fanlac, 1992.

Peyrefitte, Alain, *C'était de Gaulle*, de Fallois/Fayard, 1994.

Picon, Gaëtan, *Malraux par lui-même*, Seuil, 1959.

Poirier, Jacques R.E., *La girafe a un long cou*, Périgueux, Fanlac, 1992.

Regler, Gustav, *The Owl of Minerva*, Londres, Rupert Hart-Davis, 1959 ; trad. fr. *Le Glaive et le Fourreau*, Plon, 1960.

Saint-Clair Van Rysselberghe, Maria, *Cahiers de la Petite Dame*, *Cahiers André Gide*, n° 4, 5, 6, Gallimard, 1973-1975.

Sauvageot, Marcelle, *Commentaire*, Stock, 1936.

Serge, Victor, *Mémoires d'un révolutionnaire*, Seuil, 1951.

Stéphane, Roger, *André Malraux. Entretiens et précisions*, Gallimard, 1984.

Stéphane, Roger, *Portrait de l'aventurier* (préface de Jean-Paul Sartre), Grasset, 1965.

Suarès, Guy, *Malraux, celui qui vient*, Stock, 1974.

Tannery, Claude, *Malraux, l'agnostique absolu, ou la métamorphose comme loi du monde*, Gallimard, 1985.

Thornberry, Robert, *André Malraux et l'Espagne*, Genève, Droz, 1977.

Tison-Braun, Micheline, *Ce monstre incomparable : Malraux ou l'énigme du moi*, Armand Colin, 1983.

Vandegans, André, *La Jeunesse littéraire d'André Malraux. Essai sur l'inspiration farfelue*, Pauvert, 1964.

Vilmorin, Louise de, *Carnets*, Gallimard, 1970.

Vinh Dao, *André Malraux ou la quête de la fraternité*, Genève, Droz, 1991.

Viollis, Andrée, *Indochine S.O.S.* (préface d'André Malraux), Paris, 1935.

Lectures

Périodiques

L'Alsace française 1, octobre 1948.
Catalogue de l'exposition André Malraux, Fondation Maeght, 1973.
Esprit 10, octobre 1948.
Europe 727-728, novembre-décembre 1989.
L'Herne 43, 1982.
Le Magazine littéraire 11, 1967.
Mélanges Malraux Miscellany (semestriel) :
    1969-1976, Lexington, Kentucky, USA ;
    1976-1984, Laramie, Wyoming, USA ;
    1984-1986, Edmonton, Alberta, Canada.
Nouvelle Revue Française 295, juillet 1977.
Revue André Malraux Review (bisannuel) :
    1986-1992, Edmonton, Alberta, Canada ;
    1992-1996, Edmonton, Alberta, Canada.
Twentieth Century Literature 3, 1978.
Yale French Studies, 18, 1957.

TABLE

Impression réalisée sur CAMERON par
BRODARD ET TAUPIN
La Flèche

pour le compte des Éditions Grasset
61, rue des Saints-Pères, 75006 Paris
en décembre 1996

Imprimé en France
Première édition, dépôt légal : septembre 1996
Nouveau tirage, dépôt légal : décembre 1996
N° d'édition : 10226 – N° d'impression : 1624R-5
ISBN : 2-246-45991-5